ARMILLAIRE

ARMILLAIRE

Armillaire *se veut un espace de réflexion ouvert à toutes les sciences humaines et à toutes les combinaisons de ces différents savoirs. Son ambition ? Aider l'honnête homme à faire le point des connaissances, à aborder de nouveaux terrains, à élaborer de nouveaux outils conceptuels. Chacun des ouvrages de cette collection participe à l'intelligibilité du monde et des hommes d'hier et d'aujourd'hui.*

Dépassant le clivage habituel entre les disciplines, n'hésitant pas à emprunter des chemins inexplorés, Armillaire *rassemble des livres s'adressant à la fois à l'historien, au philosophe, à l'économiste, à l'ethnologue, à l'épistémologue, au biologiste, à l'historien des religions... Des ouvrages dont la démarche, l'écriture, et le ton, libres des modes, offrent au lecteur désireux de saisir l'essence des choses grâce à la clarté des mots une approche stimulante d'un objet particulier.*

sphère armillaire dessinée par M. Dessertenne, qui figure en tête de l'ouvrage, est extraite *Larousse du xxᵉ siècle* avec l'aimable autorisation de la Librairie Larousse.

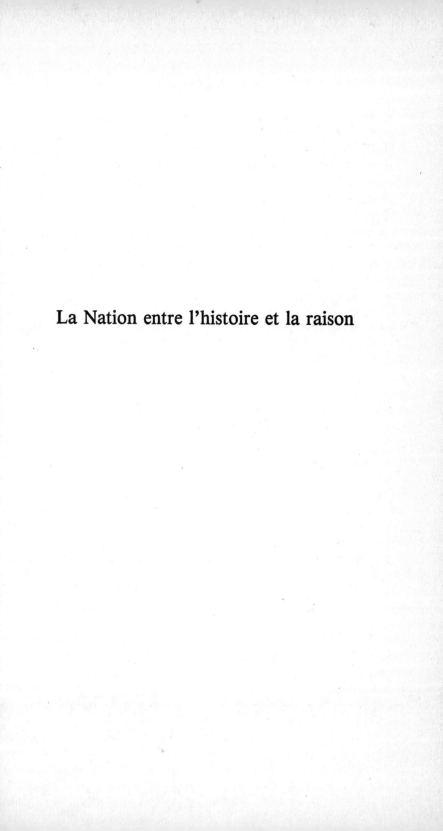

La Nation entre l'histoire et la raison

DU MÊME AUTEUR

L'Idéologie nationale, éd. Champ Libre, 1974.
La Muraille, éd. du Sagittaire, 1978.
Le Bretonisme — Les historiens bretons au XIXᵉ siècle, thèse pour le doctorat d'État, éd. Société d'histoire et d'archéologie de Bretagne (Rennes) et Imprimerie de la Manutention (Mayenne), 1987.

« Le Tableau de la géographie de la France de Vidal de la Blache », dans *Les Lieux de mémoire. II. La nation (1)*, sous la direction de Pierre NORA, éd. Gallimard, 1986.

Éditions de textes

Émile Masson : Les Bretons et le socialisme, Éd. Maspero, 1972.
« Guillaume Lejean-Jules Michelet : Correspondance », dans *Les Cahiers mennaisiens*, nᵒˢ 19 (1985) et 21 (1987).

Jean-Yves Guiomar

La Nation
entre l'histoire et la raison

ÉDITIONS LA DÉCOUVERTE
1, place Paul-Painlevé
Paris Ve
1990

Georges Albert Astre, Pierre Lépinasse, *La démocratie contrariée. Lobbies et jeux du pouvoir aux États-Unis.*

Lire Braudel, ouvrage collectif.

Jean-Michel Besnier, *La politique de l'impossible. L'intellectuel entre révolte et engorgement.*

Olivier Bétourné et Aglaïa I. Hartig, *Penser l'histoire de la Révolution française.*

Edward H. Carr, *Qu'est-ce que l'histoire ?*

Maria Daraki, *Une religiosité sans Dieu.*

François Dosse, *L'histoire en miettes. Des Annales à la Nouvelle Histoire.*

Jean Duvignaud, *Hérésie et subversion. Essais sur l'anomie.*

Esprit, Traversées du XXᵉ siècle (ouvrage collectif).

François Fourquet, *Richesse et puissance. Une généalogie de la valeur.*

Michael Ignatieff, *La liberté d'être humain. Essai sur le désir et le besoin.*

Gilles Kepel, *Le Prophète et Pharaon. Les mouvements islamistes dans l'Égypte contemporaine.*

Zaki Laïdi, *Les contraintes d'une rivalité. Les superpuissances et l'Afrique (1960-1985).*

Abdallah Laroui, *Islam et modernité.*

Bernard Lewis, *Comment l'Islam a découvert l'Europe.*

C.B. Macpherson, *Principes et limites de la démocratie libérale.*

Silvano Petrosino, Jacques Rolland, *La vérité nomade. Introduction à Emmanuel Lévinas.*

Shlomo Sand, *L'illusion du politique. Georges Sorel et le débat intellectuel 1900.*

Pierre-André Taguieff, *La force du préjugé. Essai sur le racisme et ses doubles.*

Yossef Hayim Yerushalmi, *Zakhor, histoire juive et mémoire juive.*

Si vous désirez être tenu régulièrement au courant de nos parutions, il vous suffit d'envoyer vos nom et adresse aux Éditions La Découverte, 1, place Paul-Painlevé, 75005 Paris. Vous recevrez gratuitement notre bulletin trimestriel **A la Découverte**.

© Éditions La Découverte, Paris, 1990.
ISBN 2-7071-1890-7

Je dédie ce livre à la mémoire de tous les enfants palestiniens morts dans l'Intifada. Puisse de leur sang naître des buissons de roses.

Introduction

Ce livre s'ouvre par un court chapitre consacré au Moyen Age et il contient de substantielles analyses portant sur le XVIIIe siècle européen et sur la Révolution française, mais ce n'est pas pour autant un ouvrage d'histoire. C'est un essai sur la nature de la nation et sur la situation actuelle de la forme État national dans le monde.

L'État national est la forme d'organisation moderne de l'humanité. Depuis la création des États-Unis d'Amérique en 1776 et la nationalisation de la monarchie en France en 1789-1791, cette forme n'a cessé de s'étendre. 51 membres originaires fondèrent l'ONU en 1942, ils étaient 158 en 1984, et le mouvement n'est pas achevé. L'Organisation rassemble des États immenses à la population énorme, et des États minuscules (les îles Maldives, 300 km² et 110 000 habitants).

Mais ce succès extraordinaire de la forme État national s'accompagne d'une autre série de phénomènes qui semblent l'annuler. Beaucoup de ces États se maintiennent à grand-peine en vie, et dépendent d'une manière excessive des aléas de la conjoncture internationale. La réalité de leur indépendance n'est souvent qu'une fiction. Mais les grands États nationaux, puissants et reposant sur une tradition ancienne, sont eux aussi engagés dans des processus de dissolution, comme c'est le cas pour les États ayant constitué la Communauté européenne. Au Proche-Orient, l'État libanais a quasi disparu, et le monde arabe est périodiquement travaillé par des projets d'association et même de fusion d'États.

Ces processus — extension de la forme État national et attaques contre les États existants — sont-ils contradictoires, et le second amorce-t-il la fin, maintes fois prédite, des États nationaux au

9

profit d'unités plus vastes, à l'échelle des continents, en même temps que les sociétés multinationales, transcendant toute division politique, instaurent une suzeraineté planétaire?

Rien n'est moins sûr, mais ce qui apparaît, en revanche, c'est la mise en cause du caractère absolu de l'État national souverain, délimité dans ses frontières linéaires. En même temps que les États nationaux, librement ou par l'effet d'une contrainte plus ou moins avouée, entrent dans des rapports d'interdépendance croissante, on constate que leur structure interne tend à se morceler. En Belgique ou en Espagne, l'État unitaire s'achemine vers un quasi-fédéralisme, la Bavière se donne des allures d'État souverain au-dessus de la loi commune des Länder, tandis qu'ailleurs — en France, en Italie, au Royaume-Uni —, la régionalisation ne cesse de progresser, mettant en cause « par le bas » des souverainetés nationales attaquées « par en haut », à partir des institutions communautaires.

Ailleurs, le processus prend d'autres formes : au Proche-Orient, les communautés juive et arabe s'affrontent autour de la construction en Palestine de formes étatiques qui, d'une façon à coup sûr complexe, les lieront ; en Yougoslavie, en Union soviétique, le problème des rapports entre la Fédération et les États fédérés est relancé, même si l'on peut penser que la question des nationalités, non négligeable pour autant, joue un rôle de dérivation par rapport à des problèmes plus fondamentaux.

Aussi, moins que l'État et la nation en eux-mêmes, ce qui partout est en cause sous nos yeux, c'est le mode de liaison entre ces deux instances. Cela pose une question de fond car, comme on le montrera, l'un ne va pas sans l'autre. L'union de la nation et de l'État n'est pas une union libre. Elle est le produit des conditions dans lesquelles l'humanité — à commencer par l'Europe occidentale — a entrepris au cours du XVIIIᵉ siècle de transformer les rapports sociaux nés au sein des monarchies féodales puis absolues.

Nous n'avons pas pour objectif (ni pour ambition) de fournir un exposé exhaustif sur la forme État national, d'autant qu'il existe une multitude d'ouvrages qui s'y sont attelés, avec des résultats souvent bien décevants. Mais notre limitation méthodologique obéit à une raison plus fondamentale : à notre avis, la forme État national est advenue en France, dans et par la Révolution française, et c'est là — et ni ailleurs ni avant — que la nation et l'État, en s'instituant l'un par l'autre, sont parvenus à l'état de forme souveraine.

Ce triomphe de l'État national en France en 1789 a consacré celui du droit des peuples à disposer d'eux-mêmes, création de l'école du droit naturel moderne. Mais, comme on le verra, ce principe a été confronté, dès 1792, à l'expansion révolutionnaire ; les problèmes qu'a connus la France entre 1793 et 1799, tant en politique intérieure qu'en politique extérieure (les deux ont été rarement mêlées de façon si aiguë et si ouverte, ce qui est un aspect essentiel du problème que nous étudions) ont eu des conséquences capitales, dont la principale est que l'État national qui sort de la Révolution relève non pas du droit des peuples à disposer d'eux-mêmes, mais du principe des nationalités. Il y a là une substitution de portée majeure qui nous retiendra longuement par l'analyse des relations entre la France et l'Allemagne à l'époque révolutionnaire.

Cette substitution — dont il s'agira de préciser les causes, la nature, les limites et la signification — aura des effets à long terme qui se développent sous nos yeux, quant au devenir de la France dans sa structure politique et administrative, et quant à ses rapports avec les pays voisins et l'ordre international. Ce sont ces conséquences qui nous retiendront en définitive, car elles sont le prolongement d'une histoire dont on ne peut exposer les lignes de force qu'en associant et en liant l'analyse au triple plan régional, national et international. Il y a là une nécessité méthodologique et programmatique, qui nous a guidé tout au long de cet ouvrage.

1

Trois notions : nation, patrie, État

Un vaste débat est en cours depuis plusieurs décennies pour déterminer à quelle(s) époque(s) se sont mises en place les instances de nation, de patrie, d'État.

L'Antiquité les connaît : *gens, natio, ethnos, patria, populus, polis, res publica, status rei publicae...* autant de termes familiers aux Grecs et aux Romains. Des historiens voient des nations se mettre en place en Europe aux VIIᵉ-VIIIᵉ siècles, beaucoup de noms des provinces du royaume de France sont attestés dès cette époque (tous étant en place au XIIᵉ siècle). Mais nous manquons de travaux permettant de savoir ce qui était exactement désigné par ces termes, et l'on y verra vraiment clair lorsque historiens, juristes, spécialistes des langues et des littératures auront fait l'indispensable travail de critique des termes et de leurs emplois, tant pour l'Antiquité que pour le Moyen Age [1].

On retiendra seulement ici que, lorsque au XIᵉ siècle l'Europe occidentale sort du vaste réaménagement consécutif à l'effondrement de l'Empire romain, elle dispose de trois notions qui vont jouer un rôle clef : *nation*, qui coagule un sens ethnique *(gens, ethnos)* et un sens politique *(populus)*, mais qui est essentiellement synonyme de race, selon la vision classique d'Isidore de Séville (VIIᵉ siècle) ; *patrie*, qui connote des relations d'immédiateté, de proximité, souvent traduit par *païs* pour des ensembles restreints — une

---

1. On doit signaler à cet égard le caractère exemplaire de l'ouvrage de Xavier DE PLANHOL, *Géographie historique de la France*, Fayard, Paris, 1988, qui contient par ailleurs nombre d'analyses recoupant ce qu'on étudie ici. Mais est-ce pour fournir son tribut au bicentenaire de la Révolution française qu'à propos d'un « natione gallicus » de 1318, il croit y voir « la première conception d'un "citoyen français" » (p. 131) ? Malgré les guillemets, cela me semble un peu prématuré.

province, ou l'équivalent d'un canton moderne ; *res publica,* la chose publique, à partir de laquelle s'organise le pouvoir, hérité de l'*imperium* romain.

Du XIe au XVIIIe siècle, ces trois instances s'organisent en fonction de la monarchie et des rapports sociaux qui la sous-tendent. L'*amor patriae* n'a de sens et d'aboutissement que dans l'amour du roi, alpha et omega de la vie politique, sociale et spirituelle. Ce roi cependant est, dès le XIIIe siècle, identifié comme *Franciae rex* (1204), et dans un texte trop peu souvent cité, le *Quadrilogue invectif* d'Alain Chartier, qui date de 1422, l'auteur nous rapporte une dispute, à laquelle il a assisté en songe, entre les chevaliers, le peuple et l'Église qui, en présence d'une belle dame aux cheveux d'or — la France, nommée comme telle —, se rejettent la responsabilité des malheurs « de la haute seigneurie et maison de France ». « Nature, leur dit la France, vous a devant tout autre chose obligés au commun salut du pays de votre nativité et à la défense de celle seigneurie sous laquelle Dieu vous a fait naître et avoir vie. » Le texte est émouvant, rempli d'accents où affleure la sensibilité moderne, notamment lorsque Chartier écrit : « et si inséparablement [est] l'amour naturelle du pays que le corps tend à y retourner de toutes parts ». « Qu'est devenue, demande la France, la constance et loyauté du peuple français [...] vers son naturel seigneur ? » Et pour finir, elle ordonne à tous de se mettre d'accord pour « l'affection du bien public ». Alain Chartier fait partie de l'entourage du dauphin, le futur Charles VII, pour lequel il effectuera plusieurs missions diplomatiques dont on a la trace jusqu'en 1428.

Voici donc, aux heures les plus dramatiques du royaume de France au début du XIVe siècle, un témoignage de l'union des trois ordres autour de la terre natale et commune, d'un amour pour la France incarnée par son « naturel seigneur ».

Le succès considérable des *Grandes Chroniques de France*, du XIIe au XVe siècle, illustre parfaitement la place centrale du roi dans la prise de conscience croissante, du moins au nord de la Loire, d'un royaume de France s'imposant au-dessus des divisions féodales et distinct des souverainetés voisines. Nées à Saint-Denis, elles expriment avant tout l'union intime de la foi et de la royauté, et Louis IX s'en servira pour affirmer l'idée — discutable aux yeux de beaucoup de grands féodaux — de la continuité parfaite entre Carolingiens et Capétiens. Elles quittent Saint-Denis vers 1360 et, sous l'impulsion de Charles V, vont se diffuser lentement dans la noblesse et la bourgeoisie pour la plus grande gloire du roi[2].

Quant à *status*, il évolue du XIᵉ au XVIᵉ d'un sens social où le mot n'est jamais employé seul *(status regis, status rei publicae)* au sens pleinement politique et moderne — l'État tout court —, tel que, l'un des premiers, l'emploie Machiavel. On est déjà bien près de la célèbre identification, en France, entre le roi et l'État chez Louis XIV. Car de ce qu'on parle de l'État sans autre précision, on ne saurait conclure qu'il soit possible avant le XVIIIᵉ siècle, *a fortiori* avant le XVIᵉ, de poser un État ayant un caractère formel de chose publique séparée de toute instance personnelle. La croissance continue des offices à travers le Moyen Age et les Temps modernes, l'apparition de circonscriptions non féodales (bailliages, généralités) traduisent essentiellement l'extension du pouvoir personnel du roi au détriment des nobles et du clergé.

En Italie, en Allemagne, en Angleterre, en Espagne, les évolutions sont différentes, la *res publica* s'y dégage plus lentement qu'en France, et pas nécessairement au profit de rois. Mais nulle part on ne voit d'État qui ait l'ombre d'une existence en dehors d'un souverain incarné (roi, prince, patriciat, oligarchie).

Pour *nation*, la question est différente : elle est, durant tout le Moyen Age, en dehors de toute aire politique et institutionnelle. Elle ne « fonctionne » que dans l'ordre social et culturel. Dans les textes, elle n'est jamais définie, ne réfère jamais à autre chose qu'à une origine ethnique. Elle est souvent au pluriel (« les estranges nations »), exprimant simplement, selon une vision inspirée par la Bible, la diversité visible des sociétés humaines à la surface de la terre. Le « concert des nations » garde ce sens. *Natione gallicus* (Français de naissance), *natio gallicana, nacion de France* deviennent courants au XVIᵉ siècle.

Tous les témoignages associent, comme l'étymologie y invite, nation et naissance. Le terme, avant le XVIIIᵉ siècle, ne désigne jamais autre chose qu'une masse d'hommes définis par leur origine commune (les « nations » d'étudiants, la « nation juive » de Bordeaux — XVIIᵉ siècle —, Jean Mabillon, né en 1632, « Champenois de nation », etc.). Le mot a si peu un sens politique qu'encore en 1819 le préfet du Morbihan, inaugurant un monument commémoratif du Combat des Trente (1351) en présence des

---

2. Voir « Les Grandes Chroniques de France », par Bernard GUENÉE, *Les Lieux de mémoire. II. La nation (1)*, sous la direction de Pierre NORA, Gallimard, 1986.

autorités militaires, religieuses et civiles et d'un grand concours de population, peut sans hésitation y évoquer la gloire de la « nation bretonne ».

Enfin, sous l'Ancien Régime, le terme a un sens encore plus général de masse organisée, sans référence ethnique, par exemple lorsque Melanchthon écrit que « l'Église est distinguée d'avec les autres nations [3] ».

Il faut cependant faire place au débat, que retrace Bernard Guenée [4], entre augustiniens et thomistes au Moyen Age, sur la relation entre *populus*, communauté politique, et *natio*, communauté ethnique. Pour les augustiniens, contempteurs des réalités terrestres et ennemis de toute caractérisation d'ordre social et politique, ils sont sans rapport ; pour leurs adversaires, suivant Aristote, il convient de les lier, en une association qui prélude à l'État national moderne où la nation est un peuple vivant sur un territoire déterminé (le sens moderne de frontière est attesté au XIVᵉ siècle) et institué en communauté politique. Cela a certainement préparé l'entrée de nation dans l'analyse politique, ce qui est accompli au XVIᵉ siècle, par exemple lorsque Machiavel parle de gagner des États « sur une nation différente de langue, de coutumes et de gouvernement ». C'est encore plus net chez son contemporain Claude de Seyssel, juriste formé à Turin dans la tradition bartolienne des glossateurs impériaux du droit romain, passé au service de la monarchie française. Évoquant la nécessité impérieuse de la succession masculine au trône de France, il écrit dans sa *Monarchie de France* que cela seul peut éviter au royaume de tomber « en main et pouvoir d'hommes d'étrange nation », à savoir « d'autre nourriture et condition et [à] autres mœurs, autre langage et autre façon de vivre que ceux du pays où il vient dominer ». « Car toutes nations et gens raisonnables aiment mieux être gouvernés par ceux de leur pays et de la nation mêmes (qui connaissent leurs mœurs, lois et coutumes et ont le même langage et manière de vivre comme eux) que par étranger [5]. »

---

3. Cité par Claude-Gilbert DUBOIS dans *La Conception de l'histoire en France au XVIᵉ siècle*, Nizet, 1977, p. 426.
4. Bernard GUENÉE, *L'Occident aux XIVᵉ et XVᵉ siècles — Les États*, PUF, Paris, 1971 (rééd. 1987).
5. *La Monarchie de France*, éd. par Jacques POUJOL, Librairie d'Argences, Paris, 1961.

Pourtant, de telles notations restent isolées, et sont de peu de portée par rapport à l'importance des connotations culturelles, qui l'emportent très largement en tout ce qui concerne la nation avant le XVIIIe siècle.

L'importance de la langue apparaît très tôt. Les *Grandes Chroniques de France* sont traduites du latin en français en 1274, et c'est encore Seyssel qui, dans son *Exorde en la translation de l'histoire de Justin* (1510) exalte le rôle politique du français pour l'extension de la gloire royale. Mais beaucoup plus que la langue, c'est l'histoire qui nourrit l'essor de la forme nation, et il suffit ici de renvoyer aux travaux très éclairants de Bernard Guenée, qui se demande « s'il n'y a pas, entre histoire et sentiment national, un lien fondamental ». Pour lui, « ce sont les historiens qui créent les nations », « il n'y a pas de nations sans histoire nationale ». La prestigieuse carrière des *Grandes Chroniques*, du XIIe au XVe siècle (c'est le premier livre imprimé à Paris, en 1477), l'apparition au XVe siècle d'historiographes royaux auprès de tous les rois et grands princes d'Europe : autant de signes indiscutables.

Ce mouvement n'est pas séparable de l'essor des rivalités entre grandes puissances, principalement manifestées par la guerre qui soude les sujets à leurs princes. Mais c'est aussi le temps des rivalités littéraires, telle la réaction de la France, chez Robert Gaguin et bien d'autres, face à Pétrarque qui avait qualifié les Français de barbares. Au temps où la monarchie française, avec François Ier, déclare sa vocation universelle, se lève, face au *mos italicus* des juristes au service de l'empire germanique, le *mos gallicus* : cette école de juristes de Bourges (Alciat, Cujas...) dont sort Étienne Pasquier qui, par ses *Recherches de la France* (1560), inaugure l'historiographie nationale moderne, où la Gaule prend une place de premier plan aux origines de la nation.

Le tournant est important, car le XVIe siècle voit un double mouvement : d'une part l'abandon de l'origine troyenne des Français (base des *Grandes Chroniques*) qui avait été avancée pour éviter la filiation romaine revendiquée par l'Empire germanique ; déjà suspecte au XVe siècle, elle est maintenant remplacée par une origine nationale « indigène ». D'autre part, la réfutation, que l'on trouve chez Jean Bodin, de la théorie des quatre empires (Babylone, la Perse, celui d'Alexandre, Rome) qui faisait des royaumes d'Occident des avatars du dernier empire au nom duquel l'empereur germanique revendiquait le *dominium* occidental.

Les instances de nation, patrie, État se sont manifestées et liées au fur et à mesure que les royaumes se constituaient. Dans une première phase, ce processus, en France, s'est opéré contre l'Empire, avec Philippe Auguste à Bouvines (1214), et contre l'Église, avec Philippe le Bel à Agnani (1303). Mais avant d'être des adversaires, Empire et Église ont apporté des éléments : l'Empire a transmis le droit romain et la conception de l'*imperium*, pouvoir de commandement suprême et base de la notion de souveraineté, au-dessus et en dehors de toute référence à la pyramide féodale. Quant à l'Église, elle a par le droit canon (première grande codification : le *Décret* de Gratien, 1072), par ses conciles et par l'organisation sociale tant du clergé séculier que des ordres monastiques, fourni des modèles précieux aux rois, aux légistes et publicistes des divers royaumes. Comme le souligne Roland Mousnier [6], cette influence se prolonge très tard. « Le clergé, écrit-il, a sauvé en France le principe de la représentation des sujets de l'État, le principe du consentement à l'impôt et a donné le modèle d'une administration qui a inspiré l'œuvre de la Révolution, du Consulat, de l'Empire et de la Restauration. » R. Mousnier montre bien que dans une société d'Ancien Régime où droit privé et droit public se distinguaient fort mal — et l'héritage du droit romain n'allait guère dans le sens de la distinction —, l'Église s'est trouvée être en définitive l'institution au sein de laquelle, de par sa nature même de société fondée sur un ordre extra-humain, les principes du droit public ont pu s'affirmer avec force.

Alors que les états généraux et les assemblées de notables disparaissent dès le début du XVIIe siècle, le clergé de France maintient ses assemblées jusqu'à la fin de l'Ancien Régime. Cet apport de l'Église aux institutions représentatives et au droit public a cependant une limite essentielle : on n'y trouve rien de démocratique, rien qui préfigure la relation contractuelle gouvernants-gouvernés mise en avant par l'école du droit naturel moderne des XVIIe-XVIIIe siècles. La conception de l'Église demeure tout entière à l'intérieur de l'ancienne vision patrimoniale du corps politique et social.

Ni repliement sur une Église auto- ou acéphale, ni soumission à la catholicité envahissante de Rome, le gallicanisme est le résultat d'un subtil compromis dans l'ordre religieux entre sphère publique et sphère privée : entre les devoirs de la créature envers son

6. *Les Institutions de la France sous la monarchie absolue*, PUF, Paris, tome I, 1974 ; tome II, 1980.

Créateur et ceux envers le roi, lieutenant de Dieu dans le royaume. C'est pourquoi le gallicanisme est une pièce essentielle de l'État monarchique absolu et l'un des facteurs les plus puissants (avec le monde parlementaire qui lui est si favorable) de la formation de l'État prénational.

Les guerres de Religion sont une phase capitale de ce processus de politisation de nos trois instances. Les débats entre ligueurs, monarchistes et monarchomaques aboutissent, chez les théologiens (Théodore de Bèze), chez des juristes (Hotoman, élève de l'école de Bourges), chez des politiques (Michel de L'Hospital, Sully), chez Henri III, Henri IV, à une claire conception de l'État au sens moderne, c'est-à-dire l'État tout court. Il ne restera plus à des juristes, tels Loiseau en 1614, Cardin Le Bret en 1632, qu'à fonder la théorie de la souveraineté sur laquelle, les théories de Machiavel aidant, Richelieu puis Mazarin vont définitivement sortir la domination politique des liens où la féodalité avait tendu à l'enserrer.

Dans ce tournant, la grande perdante est la nation. Elle avait semblé prendre son essor avec les états généraux, le mouvement conciliaire, la Réforme, à travers les courants historiographiques et littéraires, mais à la fin du XVIᵉ siècle, il apparaît clairement qu'elle n'est en rien une réalité instituée. Comme le montre bien R. Mousnier dans ses *Institutions de la France sous la monarchie absolue* (où l'emploi du mot nation est remarquablement rare), il y a des corps, des compagnies, des statuts de villes, de provinces, d'ordres ; le roi parle de « ses peuples », mais point ou guère de nation.

Ce qui exprime la force des liens unissant les sujets entre eux et tous au roi, ce n'est pas nation qui l'exprime, mais patrie. « Rien ne me doit être plus cher et plus sacré que l'amour et le respect dus à ma patrie », écrit en 1604 de Thou dans sa préface à *l'Histoire de mon temps*. Or de Thou est un ardent monarchiste. Nation est rare chez les auteurs de la Pléiade, mais patrie se rencontre sous leur plume : au moins six fois chez du Bellay et Baïf, une fois chez Ronsard (G. Dupont-Ferrier). Le même historien cite le mot de Gérard François à Henri IV : « Dieu m'ayant fait naître de nom et de nation vrai Français et par conséquent [...] très affectionné au lieu commun de ma propre patrie », à quoi fait écho Bassompierre qui en 1599 se « compte Français » pour l'amour

19

d'Henri IV. Avec Louis XIV, la disparition de la nation est presque totale.

C'est la position centrale, organisatrice, du souverain incarné qui m'empêche de suivre les auteurs qui voient les nations pleinement constituées au Moyen Age. Colette Beaune est l'un de ces auteurs (*Naissance de la nation France*[7] et « Les sanctuaires royaux[8] »). Dans ce dernier texte, elle va jusqu'à voir dans un sermon écrit en 1451 par un chanoine de Bayeux « le premier ''discours de 14-Juillet'' connu », ce qui est absurde, même comme boutade (ce n'en est pas une dans l'esprit de C. Beaune). Quant à l'ouvrage de Myriam Yardeni, *La Conscience nationale en France pendant les guerres de religion*[9], l'historien américain Steven Englund a montré[10] que le mot de nation y était employé entre six et trente fois plus que dans les textes du XVIe siècle qu'elle cite.

Ces positions, qu'on retrouve aussi chez Bernard Guenée, bien qu'il prenne soin de toujours préciser qu'il y a une grande différence entre la nation médiévale et la nation moderne, conduisent à l'idée que la nation du Moyen Age aurait préparé la nation moderne qui n'en serait que l'épanouissement et l'émancipation. Je pense au contraire qu'il y a une véritable différence de nature entre la nation médiévale et la nation moderne, comme on le verra au chapitre suivant. Ce qui donnera naissance à la nation moderne commence à apparaître au XVIe siècle, et j'accepte tout à fait la caractérisation faite par Paul Alliès qui, dans *L'Invention du territoire*[11], voit dans l'État de la monarchie absolue un « État prénational ».

Parachevant la liaison des trois instances en sa personne, Louis XIV porte à sa perfection le processus d'unification du royaume. C'est bien évidemment la révocation de l'édit de Nantes en 1685, en germe depuis les années 1630, qui en constitue l'acte majeur. Grave erreur selon nombre d'historiens, la révocation est pourtant dans le droit fil de la logique d'une monarchie absolue catholique, qui a répudié toute structure de *Staatenbund* (fédération d'États) de type germanique. Au-dessus de l'enchevêtrement des sociétés de corps, le royaume en son sommet est un et indivi-

---

7. Gallimard, 1985.
8. *Les Lieux de mémoire. II. La nation (2), op. cit.*
9. Publications de Paris-Sorbonne, 1971.
10. Lors d'un exposé fait à l'École des hautes études en sciences sociales en mai 1989.
11. Presses universitaires de Grenoble, 1980.

sible, comme Dieu. Mais c'est aussi à partir de la grandiose et impitoyable construction louis-quatorzienne, de ses contradictions et des exigences croissantes de la bourgeoisie, classe montante, que se mettent en marche les forces d'où va nécessairement sortir la nation comme instance politique.

Le déplacement qui nous intéresse ici porte donc moins sur l'existence de patrie, nation, État que sur leur mode de liaison et sur la transformation interne qui résulte de cette liaison. Tout change au XVIIIe siècle, par la dissociation en quelques décennies de la souveraineté et de la personne du roi.

Citoyenneté ≠ nationalité
État, loi   pays, histoire

2

La guerre et la paix

Du XIIᵉ au XVIIᵉ siècle, un peu partout en Europe (sauf dans l'ancienne Lotharingie, dans les pays entre Meuse et Rhin, et en Italie, où le mouvement s'opère au profit de principautés), les rois ont capté tout ce que le corps social signifiait. Ils avaient hypostasié dans leur personne ce que les juristes avaient commencé à bâtir au XIIᵉ siècle, « cette idée de communauté, de société, d'université, qui constitue une véritable personne collective, une *persona ficta*, dont le chef est le représentant en ce sens qu'il tient d'elle tous ses pouvoirs » (B. Guenée).

Tous ses pouvoirs ? Certes, selon l'ancienne théorie de l'Église qui voulait que Dieu eût remis le pouvoir aux peuples pour qu'ils le délèguent aux princes. Mais la théorie de droit divin, née à la fin du XVIᵉ siècle, avait court-circuité le peuple, et le mot représentant, en l'occurrence, n'avait rien à voir avec le sens qu'il prendra en 1789. Or, c'est précisément contre cette captation de la *persona ficta* que le XVIIIᵉ siècle va réagir, et d'abord dans la personne de ceux qui s'estimaient au premier chef lésés, les nobles. C'est en effet par un combat à mort entre nobles d'épée et nobles de robe que la nation au sens moderne va surgir en France, dès la fin du règne de Louis XIV. C'est à ce moment-là seulement que la communauté du peuple va se constituer en un ensemble différencié d'individus groupés non plus en ordres luttant entre eux jusqu'au point de leur fusion, libre ou forcée, dans la personne royale, mais en classes se prétendant chacune apte à exprimer et à diriger la société dans son ensemble.

La substance de ce combat pour la domination de l'État tient à un désaccord sur la fonction même de cet État. En effet, entre la fin de l'Empire romain et le XVIIIᵉ siècle, la totalité de la vie politique des peuples est dominée par la guerre, Machiavel est par excellence le théoricien du rapport de l'État à la puissance militaire. La guerre est normale, licite, objet de codifications d'origine religieuse sur les guerres justes et injustes. Après les dernières luttes menées contre la féodalité par Louis XI, les guerres intérieures s'éteignent ; il n'en reste plus dans l'ordre purement civil que les opérations de maintien de l'ordre contre les paysans. Mais c'est alors que les guerres extérieures prennent toute leur valeur de choc entre puissances. La guerre franco-anglaise de Cent Ans demeurait encore engluée dans les structures féodales, de même celle de Louis XI contre le Téméraire. Mais les conflits entre l'Angleterre et l'Espagne au XVIe siècle, entre les Bourbons et les Habsbourg au XVIIe siècle sont des conflits modernes pour la domination politique de l'Europe.

Par la guerre, les rois font prévaloir leurs intérêts et assouvissent leurs désirs de conquêtes, mais plus encore ils manifestent leur appétit de gloire (l'apogée du mouvement est atteint chez Louis XIV) et révèlent la faveur dont Dieu les honore. Mais, au XVIe siècle, un élément vient obscurcir ce jeu et troubler les consciences : la déchirure irrémédiable de l'Europe chrétienne en confessions séparées. Tant que la guerre pour des raisons religieuses mettait aux prises la chrétienté et l'islam, faire couler le sang au nom de Dieu était légitime. Tout change dès lors que le sang des chrétiens coule du fait de leurs oppositions internes. C'est pourquoi les guerres civiles françaises du XVIe siècle, suivies des guerres européennes du XVIIe (et de la guerre civile anglaise), ont été décisives pour l'évolution du sens même des institutions politiques. L'édit de Nantes concédé mais presque tout de suite remis en cause, la sanction des traités de Westphalie en 1648 (*cujus regio, ejus religio* — tel prince, telle religion), l'aboutissement des guerres civiles anglaises (prépondérance anglicane, rejet des puritains, intolérance à l'égard des catholiques, révolution politique), tout cela lie de façon décisive les souverains et la conscience de leurs sujets. C'est cette entrée de la conscience sociale et religieuse des sujets dans l'ordre politique de la *res publica* qui est l'élément capital de l'évolution qui nous intéresse ici.

Il apparaît dès le XVIIe siècle, en Hollande en particulier (véritable laboratoire de la science politique moderne), que la « société civile » a des droits à faire valoir et que les rois ont le devoir de les entendre. Que cela entre en contradiction totale avec les impé-

23

ratifs de la seule gloire militaire, la personnalité d'un Vauban en témoigne.

Né en 1633, Vauban a déjà une bonne expérience de la vie militaire lorsque Louis XIV prend le pouvoir en 1661 [1]. Chargé d'organiser la défense du royaume, il devient en 1667 directeur général des Fortifications. A travers les trois guerres du règne auxquelles il prend part (âgé de soixante-sept ans en 1700, il demandera à reprendre du service lors de la guerre de Succession d'Espagne), il met au point son célèbre système de places fortes et participe lui-même au combat (il dirige le siège de Maëstricht en 1673). Mais il est caractéristique de sa tournure d'esprit que, tout de suite, il passe des places fortes à l'aménagement urbain, dessinant des portes monumentales pour la magnificence des entrées royales, créant des villes nouvelles (Neuf-Brisach, Longwy, etc.).

Ce qui est fascinant chez lui, c'est que toute son œuvre témoigne d'un sens aigu des ensembles : la place forte le mène à la ville, la ville à la campagne. D'où son vif intérêt — pas seulement théorique — pour les canaux et les aqueducs (Versailles, le canal des Deux-Mers), l'assèchement des marais, l'irrigation. L'agronomie retient son attention (forêt, élevage). Il y a chez lui du Bernard Palissy et du Léonard de Vinci, mais aussi du physiocrate.

Tout cela le conduit à rédiger des monographies (sur Vézelay en 1696), à dresser des statistiques sur la démographie, les productions et les revenus, à partir desquelles il en vient à proposer une réforme complète de la société. Dans son *Projet de capitation* de 1695, plus encore dans sa célèbre *Dîme royale* de 1707 (l'année de sa mort), il préconise l'impôt sur le revenu, proportionnel et progressif, visant à supprimer le parasitisme de la noblesse de cour et à favoriser la masse des travailleurs.

Ce singulier militaire prône en fait tout simplement le renversement complet de la société d'ordres. Il n'est pas contre la noblesse d'ancienne extraction, mais pense que les capacités actuelles, civiles et militaires, sont une meilleure source d'anoblissement. Bon catholique, il est gallican, opposé à Rome et aux ordres réguliers (« La France ne trouvera jamais son ancienne splendeur qu'en ruinant la moinerie »). Hostile à la conversion forcée des huguenots, il est avec Saint-Simon l'un des rares dans l'entourage royal à s'élever contre la révocation de l'édit de Nantes. Il est également

---

1. Voir Michel Parent, *Vauban — Un encyclopédiste avant la lettre*, Berger-Levrault, 1982.

tout proche de son ami Fénelon et, comme l'évêque de Cambrai, cet homme de guerre est épris de paix, d'équilibre européen, aux antipodes de l'esprit de conquêtes de Louis XIV.

On comprend que le monarque ait eu pour lui plus que de la défiance, tout en utilisant et en reconnaissant (chichement) ses vastes compétences. Vauban est un très bon représentant des idées qui se développent à la fin du siècle dans l'entourage du duc de Bourgogne (que nous retrouverons plus loin) et, plus tard, chez les physiocrates. C'est aussi un précurseur de la géographie humaine d'inspiration vidalienne. Peu d'hommes au total témoignent à ce point, sous le règne de Louis XIV, de la naissance d'une pensée et d'une action tournées au premier chef vers la vie sociale, vers la croissance économique, l'aménagement du territoire et l'amélioration du bien-être des forces vives du royaume.

C'est dans cet espace déchiré par les guerres religieuses et politiques liées à celles-ci — en Angleterre, Hollande, France et Empire germanique — que sont nées les doctrines de l'école du droit naturel moderne, centrées sur la notion de contrat social. Mais tandis que la Hollande, puis l'Angleterre voient l'avènement des classes manufacturières, l'Allemagne se fige dans l'ordre mi-féodal mi-monarchique de la *Kleinstaaterei* (morcellement en quelque 350 États), et la France voit l'incontestable victoire de l'ordre militaire.

Depuis le XIVᵉ siècle, les légistes et les parlementaires français tendaient à se considérer comme les interprètes autorisés de la doctrine de la monarchie : un pouvoir personnel appuyé sur un grand conseil formé des élites juridiques du royaume chargées de définir — à partir du droit romain, des ordonnances et des coutumes — les règles fondamentales de la monarchie. Comme le montre R. Mousnier, lorsque Henri IV prend le pouvoir, une intense et brève bataille oppose Bellièvre, chancelier depuis 1599, à Sully, véritable chef du gouvernement. Au-delà du cas ponctuel (l'édit de la Paulette), il s'agit de savoir qui est le détenteur suprême de l'autorité : des parlementaires gens de robe ou du roi chef de l'État guerrier. En trois ans, le chancelier est vaincu. « Avec Sully, commente R. Mousnier, les gentilshommes nobles d'épée l'avaient emporté sur les robins. Sully gouverna et administra en soldat qui va droit au but. Le pouvoir exécutif, l'administration exécutive l'avaient emporté. »

La monarchie est gravement déséquilibrée. Dans la conception qui avait prévalu jusque-là, la conception judiciaire, le roi avait sa cour, dont les parlements étaient issus, pour aide et contrepoids. Le changement de nature de la monarchie supprime ce contrepoids : les parlements sont donc tentés de se transformer en organes de contrôle administratif et politique. En vain : c'est de cette tentative que la Révolution de 1789 sortira.

En effet, de l'avènement d'Henri IV aux États généraux de mai 1789, la France fut constamment dominée et dirigée par l'« administration exécutive ». Cela veut dire que rien, dans l'ordre civil, ne permettait à celui-ci de concourir à la formation des décisions du pouvoir. La nécessité du développement économique s'imposa à l'État tout au long des XVIIᵉ et XVIIIᵉ siècles, mais la monarchie n'y répondit que par des instruments de gouvernement conçus pour faire la guerre. Celle-ci avait entraîné un accroissement considérable de l'impôt, d'où des prélèvements en cascade de toutes sortes. Mais plus l'impôt était subi, moins la possibilité de se faire entendre existait. La noblesse d'épée demeurait l'ordre dominant, donnant parfois ses fils, mais jamais ses filles (le nom serait perdu) à des robins (R. Mousnier). Les courants qui se développent au XVIIIᵉ siècle (abbé Coyer, *La Noblesse commerçante*, 1756) aboutissent certes à des anoblissements accrus de négociants à partir des années 1760 ; à partir des mêmes années, les parlementaires font sentir chaque jour davantage leur volonté de contrôler le pouvoir lors de l'enregistrement des édits, mais rien ne vient entamer l'absolutisme de façon décisive.

Or il exista, au sein même de la noblesse d'épée et chez les gens les plus imbus de celle-ci, un mouvement capital par lequel la nation allait faire sa véritable entrée dans l'ordre politique, en plein cœur, donc, de l'ordre même qui en était par excellence la négation. Il s'agit des gens groupés autour de Fénelon, Saint-Simon, Boulainvilliers, les ducs de Chevreuse et de Bauvilliers, formant à la fin du XVIIᵉ siècle l'entourage du duc de Bourgogne, dauphin en 1711 et mort à trente ans l'année suivante.

On ne doit pas sous-estimer le bouleversement provoqué dans la noblesse par la conception et la pratique de l'État et du gouvernement par Louis XIV. Appuyé sur les politiques de Richelieu puis de Mazarin, il réussit en 1661, en prenant lui-même la direction des affaires, la révolution qu'avait amorcée Sully dès 1599. Mais il va plus loin : poussant jusqu'à ses dernières conséquences

la mise au pas du monde des légistes ramenés à de simples exécu-
tants techniques, il fait de même pour la noblesse d'épée. Il retire
aux princes du sang l'assistance au Grand Conseil, il s'entoure de
roturiers pour gouverner le royaume. La gloire militaire est pour
lui seul.

C'est contre ce défi aux bases mêmes de la monarchie telle
qu'elle se développait en France depuis le Xᵉ siècle, monarchie cen-
trée sur une conception judiciaire du roi, que vont réagir les hommes dont nous venons de parler. Fénelon, précepteur du duc de
Bourgogne de 1689 à 1695, reste de son diocèse de Cambrai en rapport avec les cercles qui réfléchissent à un nouveau fondement de
l'État monarchique. Ses grands textes politiques datent des années
1710-1711. Partisan de la monarchie absolue d'origine divine, hostile aux théories du contrat et de la souveraineté du peuple, considérant les inégalités sociales comme un fait naturel, il n'en refuse
pas moins le despotisme louis-quatorzien et pense qu'il faut revenir aux formes traditionnelles de l'État où « c'était le Parlement,
c'est-à-dire l'assemblée de la nation, qui lui [le roi] accordait les
fonds nécessaires pour les besoins extraordinaires de l'État [2] »
(novembre 1711).

Ces besoins extraordinaires, ce sont ceux nés de la guerre, qui
a pris au XVIIᵉ siècle une place jamais connue auparavant. Cette
assemblée de la nation, Fénelon la voit structurée en trois étages :
des assemblées de diocèse qui définissent l'assiette de l'impôt ; des
assemblées d'états dans les provinces, réunissant les trois ordres
et chargées d'utiliser au mieux les fonds publics ; des états généraux réunis tous les trois ans, et ayant des pouvois importants en
matière d'administration, d'économie et de politique étrangère.
L'édifice dessiné par Fénelon est dominé par l'aristocratie (pas seulement la haute noblesse, en quoi il s'éloigne de Saint-Simon).
Autre point novateur : Fénelon pense qu'en matière de guerre et
de relations internationales il doit y avoir des lois entre les nations.
Héritier de la tradition espagnole du droit naturel (les auteurs du
XVIᵉ siècle, Vitoria, Suarez, etc.) et de Grotius (*De jure belli ac*

---

2. Georges TRÉCA cite une lettre de Fénelon au duc de Chevreuse du 4 août
1710, disant qu'« il faudrait que le roi mît le corps de la nation en part du plan
général des affaires » (*Les Doctrines et les réformes de droit public en réaction
contre l'absolutisme de Louis XIV dans l'entourage du duc de Bourgogne*, Paris,
1909, p. 133). Voir aussi Lionel ROTHKMY, *Opposition to Louis XIV*, Princeton
Univ., 1965.

pacis, 1625), il pense qu'il existe, au-dessus des intérêts d'État, un droit des gens [3] à respecter et il repousse les conquêtes violentes. Il demande aussi la liberté internationale du commerce. Tout cela évidemment est une critique directe de la politique de Louis XIV et rejoint certains thèmes exposés à la même époque par l'abbé de Saint-Pierre (*Projet de paix perpétuelle*, 1713). Les idées de Fénelon — que Louis XIV tenait pour « le bel esprit le plus chimérique du royaume » — feront leur chemin tout au long du XVIIIe siècle. Louis XVI en sera entiché.

Les vues politiques de Saint-Simon diffèrent en plusieurs points de celles de Fénelon, mais on trouve chez lui une même référence fondamentale à la tradition originaire de la monarchie, où il n'hésite pas à placer la nation, terme qui, comme celui de la patrie, revient sous la plume de cet aristocrate hautain plus souvent qu'on ne l'attendrait. Le « lien à la patrie », le « salut de la patrie » montrent celle-ci, chez lui, déjà détachée de la personne royale et référée au corps social créé par et autour de la noblesse qui est véritablement la nation incarnée. Celle-ci avait certes aux origines remis aux rois le pouvoir absolu, mais « il faut remonter à la source de la monarchie et pour ainsi dire régner avec chaque roi dans le même esprit qui, depuis la fondation du royaume, a été celui de la nation » (*Mémoire sur la renonciation* [4]). Selon Jean-Pierre Drancourt, dont nous suivons ici les analyses [5], Saint-Simon a joué un rôle dans la rédaction de l'édit du 8 juillet 1717 annulant la légitimation en 1714 des enfants bâtards de Louis XIV, les ducs de Maine et de Toulouse. Ceux-ci, lors du conflit entre le Régent et le Parlement de Paris, ont demandé le renvoi de l'annulation de la légitimation jusqu'à ce que « les états du royaume, juridiquement assemblés, aient délibéré sur l'intérêt que la nation peut avoir aux dispositions de l'édit du mois de juillet 1714 ». Louis XIV avait pris cet édit en cas de manque de descendance, « mais si la nation française éprouvait jamais ce malheur, ce serait à la nation même qu'il appartiendrait de le réparer par un système de son choix. » La couronne n'est pas le bien du roi, « par conséquent l'État seul aurait le droit d'en disposer [6] ».

---

3. Voir note 13 de la page 65.
4. Dans *Écrits inédits de Saint-Simon*, tome II, 1880.
5. Dans *Le Prince dans la France des XVIe et XVIIe siècles*, PUF, Paris, 1965.
6. ISAMBERT, *Recueil général des anciennes lois françaises*, tome XXI, p. 146-147.

L'édit de juillet 1717 révoque et annule celui de 1714, les deux ducs conservant cependant leurs honneurs.

Voici donc que, à l'intérieur même de la pratique absolutiste, font leur entrée dans l'ordre politique des principes qui avaient déjà été posés lors des luttes entre protestants, ligueurs et royalistes, ainsi que pendant la Fronde. Mais ici, un pas capital est franchi : c'est le pouvoir lui-même qui, dans un texte officiel, fait référence aux droits fondamentaux de la nation. La leçon sera entendue par les parlements, et l'imprudence du Régent ouvrira une série de crises qui aboutiront à mai 1789.

Gallican virulent, hostile aux jésuites, à Saint-Sulpice, aux Missions étrangères, réservé vis-à-vis de la papauté, Saint-Simon est déjà un « nationaliste », qui voit dans une noblesse constituée en *Stände* à la mode germanique le véritable contrepoids du pouvoir royal. Ces « États », corporation de la noblesse érigée en corps politique, se différencient nettement des états généraux qui, bien que simple conseil appelé pour éclairer le roi, sortaient temporairement de l'enchevêtrement de corps (urbains, seigneuriaux, parlementaires, académiques, religieux, etc.) qui formaient l'ancienne France. Bien qu'avec Saint-Simon nous soyons loin de la souveraineté nationale — nous en sommes même aux antipodes, c'est déjà une vision « maurrassienne » —, la pensée de Saint-Simon est importante en ce qu'elle donne à la nation une place éminente dans l'ordre politique.

Mais c'est en Henri de Boulainvilliers que nous trouvons l'auteur le plus corrosif, et qui pousse au plus haut point l'entrée de la nation en politique. Comme l'ont montré Renée Simon et Paul Vernière, Boulainvilliers est le véritable introducteur de la pensée de Spinoza en France, ce qui suffirait à le placer beaucoup plus haut que l'auteur d'une plate querelle de préséance entre Gallo-Romains et Francs. Surtout, il est le créateur et l'animateur d'un groupe de pensée actif dès le début du XVIIIe siècle, qui pose de manière décisive en termes historiques le problème de la nature des institutions françaises. Ce recours à l'histoire, on va le voir, n'a rien d'académique.

En 1697, le duc de Bourgogne avait lancé auprès des intendants une grande enquête sur l'état de la France. Il en résulta 42 volumes de réponses qui demandaient à être traitées. Ce fut Boulainvilliers qui s'en chargea, et il y travailla de 1705 à 1710. Il en tira un ouvrage, *État de la France*, paru en 1727 après la mort de son auteur. Peu importe ici que, comme l'a montré Louis Trénard dans son introduction générale à la publication critique des mémoires des intendants [7], le travail de Boulainvilliers sur les mémoires eux-mêmes ait été médiocre. Ce qui nous intéresse, c'est la préface de l'auteur.

Naturellement, Boulainvilliers se lance dans une attaque virulente contre les intendants — analogue aux modernes attaques contre les énarques et les « technocrates-loin-des-réalités-concrètes » — car « le génie de la nation entière s'est tourné du côté d'ambitions illimitées et d'un désir universel de commandement et d'autorité ». Les intendants, dit-il, n'ont pas ménagé « l'honneur de la nation », aussi il va « tracer l'idée du gouvernement de la nation ». Il « veut découvrir les principes du droit commun de la nation et examiner avec ordre ce que l'on y a changé dans la suite des années », et faire une « histoire raisonnée de la monarchie française ». A la suite de cette préface, Boulainvilliers place une *Histoire de l'ancien gouvernement de la France*. C'est là qu'on trouve ses considérations sur les Francs libres réalisant la conquête d'une Gaule asservie au despotisme romain, et fondant un ordre politique de la nation qui jamais, pas plus à l'heure de la conquête que depuis, n'a eu l'idée d'établir ou d'accepter le pouvoir personnel des rois. Clovis n'était que le général d'une armée libre, c'est elle qui forme le véritable noyau d'une nation française de nature toute militaire.

La théorie « racique » par laquelle Boulainvilliers est célèbre n'est donc qu'une partie d'un ensemble autrement plus intéressant. Il pose la conquête comme fait originaire, irruption d'une « noblesse odieuse » certes par sa violence, génératrice d'inégalités, mais que le temps a consacrées. Puisque la force a tranché, la postérité des conquérants a formé la noblesse de France jusqu'au début du XIVᵉ siècle. Cette noblesse possède une qualité essentielle, incommunicable, car transmissible par le seul sang des conquérants. Quant aux anoblissements, ils donnent des privilèges : voilà ce que l'argent procure et, pour Boulainvilliers, c'est peu.

Mais, pour des raisons financières précisément, les rois ont abaissé la noblesse. Boulainvilliers montre ainsi, dans ses *XIV Lettres historiques sur les parlements ou états généraux* qui font suite

---

7. *Les Mémoires des intendants pour l'instruction du duc de Bourgogne (1698)*, *Introduction générale*, Comité des travaux historiques et scientifiques, Paris, 1975.

à l'*Histoire de l'ancien gouvernement de la France*[8], que si les rois depuis Charlemagne avaient associé à un pouvoir limité la nation exprimée par les grands, le fait capital de la fin du Moyen Age (il n'emploie pas ce terme) est l'ascension du tiers état, qui pose à la noblesse des problèmes nouveaux (entre autres, l'intrusion de roturiers anoblis). Il est très conscient de la liaison entre le mouvement social et les institutions, et tout son travail historiographique vise à mettre en évidence cette liaison. Il n'est donc pas surprenant que, parmi le groupe de penseurs qui gravitent autour de Boulainvilliers, lié à Jean-Paul Bignon, directeur de la Bibliothèque royale, et à Pontchartrain, chancelier de 1699 à 1714, on trouve Nicolas Fréret, brillant historien à l'Académie des inscriptions où il entre en 1714, et ceux qui à partir de la fin des années 1720 vont servir le mouvement ascendant de l'histoire érudite de la France et de la monarchie comme Foncemagne, Secousse et surtout Lacurne de Sainte-Palaye. Le grand programme d'études historiques présenté à l'Académie en 1727 par Camille Falconet représente les vues de ce groupe[9].

Comme tout groupe soudé par un projet politique, celui-ci a ses adversaires, notamment l'humanisme classique du père Daniel et des jésuites, tout le courant rhétoricien dont le triomphe à la fin du Grand Siècle consacre la gloire de l'Académie française et condamne, avant même sa fondation définitive en 1701, l'Académie des inscriptions à la marginalité (la question a été exposée en détail par Blandine Barret-Kriegel dans *Les Historiens et la monar-*

---

8. La Préface à l'*État de la France*, l'*Histoire de l'ancien gouvernement* et les *XIV Lettres historiques* sont éditées en trois volumes, en 1727 également. L'ascension du tiers état et ses conséquences sont examinées à partir de la Lettre VI, tome II. L'*Histoire de l'ancien gouvernement* allait jusqu'à l'avènement de la troisième race avec Hugues Capet, les *Lettres* vont jusqu'à la fin du règne de Louis XI.

9. Soulignons dès maintenant que la France précède de loin l'Allemagne dans cette jonction entre historiographie et politique. Concernant l'Académie de Berlin, qui publie un volume annuel de mémoires à partir de 1745, il faut attendre le volume pour l'année 1779, paru en 1781, pour voir l'histoire faire une entrée massive. Ce qui est remarquable, c'est qu'elle est d'abord due à Hertzberg, diplomate et ministre de Frédéric II, qui, en s'appuyant sur Tacite, soutient que les Germains furent supérieurs aux Romains et que le nord de la Germanie (comme par hasard l'espace actuel de la Prusse) fut « la patrie originaire de ces nations héroïques qui de la fameuse migration des peuples ont détruit l'Empire romain et qui ont fondé et peuplé les principales monarchies de l'Europe ». En une série d'exposés parus chaque année jusqu'en 1788, Hertzberg, important homme d'État prussien, fonde le programme historiographique que développeront les romantiques allemands (voir chapitres 4 et 5).

chie [10]). Pour les rhétoriciens, l'écriture de l'histoire n'est qu'un genre littéraire, un ornement de la gloire du seul roi.

Boulainvilliers et ses amis, eux, sont pour le fond contre la forme, pour la liaison histoire-institutions. La monarchie française, selon eux, repose sur une constitution sédimentée par les siècles. Il n'est donc que de bien connaître l'histoire pour faire apparaître en pleine lumière cette constitution, qui consacre le pouvoir absolu d'un roi élu de Dieu, mais assisté par sa noblesse. Selon les auteurs, on l'a vu, cette noblesse est plus ou moins étendue, plus ou moins directement liée au fait originaire de la conquête. Mais le principe est fondamental d'un ordre fermé, dont les privilèges, loin d'être l'essentiel, ne sont que la contrepartie du rôle éminent que cette noblesse joue à la tête de l'État.

C'est pour mettre cela en évidence que ce groupe et ses continuateurs font appel à l'histoire tout au long du siècle, combinant l'irrespect pour les textes canoniques dont fait preuve Spinoza dans son *Tractatus theologico-politicus* (1670) et la sûreté érudite exposée par Jean Mabillon dans son *De re diplomatica* (1681). Le mouvement synthétise les études sur l'histoire de France commencées au début du XVIIᵉ siècle par André du Chesne (qui lui-même poursuivait l'entreprise amorcée par Pasquier dans ses *Recherches de la France*), le travail mené par les bénédictins de Saint-Maur mis en selle par Richelieu, et surtout la grande tradition juridico-historique de l'école de Bourges du XVIᵉ siècle que prolonge au début du XVIIIᵉ siècle le chancelier Daguesseau, qui est à l'origine du *Recueil des historiens de la France* dont le premier volume paraîtra en 1738. Daguesseau, si « essentiel pour percevoir le passage de la conception de la nation incarnée par le roi idéal de la monarchie de Louis XIV, à la nation distincte et unie au roi » (Georges Frèche). Tous ces courants aboutissent à la création du cabinet des Chartes due au contrôleur général Bertin au début des années 1760, ce cabinet dont la cheville ouvrière, Jacob-Nicolas Moreau, va presque réussir, à travers son combat contre les parlements, à poser enfin les fondements juridiques de la monarchie dans l'histoire.

Presque : car la Révolution surviendra, qui va rendre vain cet effort acharné, où en définitive se joue le sort même de la monarchie. Mais on ne conclura pas, comme le fait B. Barret-Kriegel, que la Révolution a cassé la machine historiographique ainsi créée :

10. *Les Historiens et la monarchie*, 4 volumes, PUF, Paris, 1989.

elle en a déplacé le terrain d'action, et nous la retrouverons à l'œuvre non plus au niveau du pouvoir central mais à celui des questions d'ordre régional, questions que cette machine délogée du sommet par la Révolution a plus que tout autre facteur contribué à créer. Par ce « décentrement », le système historiographique d'Ancien Régime sort apparemment de l'orbite du politique : nous verrons qu'il n'en est rien.

Pour bien comprendre l'ensemble du mouvement, restons au XVIIIe siècle, au moment où nul, si lucide soit-il, ne peut penser la Révolution. Le rôle de Bertin est essentiel : c'est lui qui fait du système historiographique un instrument d'État. « Ministre agronome » (A.-J. Bourde) de 1763 à 1780, Bertin est né dans une famille de robe du Périgord en 1720. Avec l'appui du duc de Noailles (l'un des grands seigneurs qui protègent le cercle de Boulainvilliers), il entre au Grand Conseil en 1740, devient intendant, lieutenant général de police en 1757, puis contrôleur général des Finances de 1759 à 1763. Enfin il prend la tête d'un organisme nouveau, le secrétariat d'État à l'Agriculture (il sera supprimé après le départ de Bertin, mais la France aurait pu dès cette époque avoir le ministère qui ne sera créé qu'en 1881). Car Bertin, et c'est là le point clef, est un physiocrate.

Un physiocrate est, à première vue, un homme mû par des considérations fort différentes de celles des disciples de Boulainvilliers : la physiocratie est d'essence bourgeoise, à l'opposé des théories sur la vertu du « sang épuré » et la liqueur séminale aristocrate. Mais les deux courants, si différents par ailleurs, sont partisans l'un et l'autre de la monarchie absolue ; ce qui les oppose, c'est la fonction nouvelle qu'ils veulent assigner à cette monarchie. C'est là qu'ils rivalisent. Quelle est en effet la raison profonde qui oblige Boulainvilliers, Saint-Simon, Fénelon (et bien d'autres, dont le plus célèbre est évidemment Montesquieu) à repenser totalement les institutions ? La pratique louis-quatorzienne du pouvoir a tout bouleversé, et par-dessus tout elle a fait que la noblesse a perdu ce qui constituait sa raison même d'exister : l'exercice de la guerre. Louis XIV est certes le roi guerrier par excellence, mais la guerre n'est plus au XVIIe siècle la chose intime de la noblesse, c'est devenu affaire d'ingénieurs et de stratèges. Le temps des techniciens est arrivé, et c'est à juste titre que R. Mousnier date l'apparition des fonctionnaires de la création du corps des Ponts et Chaussées en 1747. De plus, le XVIIIe siècle est un temps de relative accalmie guerrière, un temps où les impératifs économiques et sociaux prennent une importance croissante. Là aussi, affaire de spécialistes (c'est la naissance de la statistique et de ce que dans les universités allemandes on appelle les « sciences camérales »). Une évolution du même type se produit dans l'Église : après les grandes batailles nées de la Réforme, la mise au pas de Port-Royal et la déroute des partisans du quiétisme, les effets du concile de Trente se font de mieux en mieux sentir dans l'évolution de l'Église de France : le jansénisme est vaincu politiquement mais vainqueur moralement, et les curés de paroisse surtout, mais beaucoup de chapitres et même des évêques, tendent lentement mais sûrement à devenir des techniciens des âmes et des régents de la morale sociale et sexuelle. Le haut clergé gallican, composé de nobles, perd le contrôle de cette évolution, où il ne se reconnaît plus vraiment. La prise de conscience des curés patriotes en 1789 a son germe dans cette évolution. Et Grégoire comme Le Coz, chefs de l'Église constitutionnelle, seront d'ardents militants de la république, mais nullement des partisans d'une morale relâchée.

La question qui se pose donc à la noblesse est celle d'une redéfinition complète de sa mission, d'une légitimation nouvelle de sa prééminence dans l'État et dans une société qui se déprend des vertus « héroïques » de la guerre et qui ne demande plus à l'Église (ou plus autant que par le passé) les significations fondamentales de l'existence. Au cours du XVIII⁰ siècle, le devant de la scène est occupé par la lutte des parlements et de la monarchie, mais, si bruyante que soit cette lutte, ce n'est qu'un combat d'arrière-garde. Les véritables adversaires de l'absolutisme et de la noblesse d'épée à l'intérieur du régime sont les physiocrates, la haute bourgeoisie, qui offrent à l'opinion publique une vision audacieuse articulant fortement l'économie et les institutions politiques. L'importance de la physiocratie tient beaucoup moins à sa doctrine économique au sens restreint (la terre seule productrice de richesses) qu'aux conséquences politiques qu'elle en tire et plus encore au fait que, pour la première mais non la dernière fois, la société était envisagée dans sa totalité par une pensée qui ne devait rien à la religion. C'est là en définitive que l'Ancien Régime a été vaincu : par la naissance de la pensée laïque, qui tirait toutes les conséquences de la désacralisation de la guerre, entraînant avec elle celle de l'État et de ses serviteurs. Pour le cercle de Boulainvilliers comme pour les physiocrates, il s'agit de réussir la conversion d'une monarchie de guerre à une monarchie de paix. C'est là que prend tout son sens le recours à l'histoire, d'une part dans la redéfinition de la mission de la noblesse, d'autre part dans la redéfinition de l'État consécutive à l'extraordinaire croissance de l'impôt.

Ernst Cassirer, à la suite de Dilthey et de Meinecke, a fait justice de l'accusation portée par les romantiques contre un XVIIIe siècle qui aurait ignoré l'histoire et en particulier le Moyen Age. Certes cet intérêt, très fort en Grande-Bretagne et en France (l'Allemagne n'y viendra que dans le dernier tiers du siècle), reste limité à des cercles d'érudits, et le grand public n'en reçoit que des images édulcorées (comme les romans publiés dans la bibliothèque de Tressan). Mais cette réserve faite, l'importance des siècles allant des invasions franques au XVIe siècle n'échappe nullement aux milieux de l'Académie des inscriptions dont nous avons parlé. A partir de la fin des années 1720, les *Mémoires* de l'Académie montrent l'essor des études sur l'histoire nationale, alors que jusquelà les travaux portaient presque exclusivement sur les Romains, les Grecs et les Hébreux. De 1730 à 1770 environ, la Gaule et le Moyen Age y occupent une place importante, avant que l'Académie, comme toute son époque, ne se tourne vers les civilisations chinoise, égyptienne, grecque de nouveau (mais cette fois pour la religion et la mythologie beaucoup plus que pour les institutions et la littérature), phénicienne, hindoue.

Lacurne de Sainte-Palaye est l'un des artisans majeurs de cette concentration de travaux sur l'histoire nationale. Deux ouvrages dominent son œuvre : l'*Histoire littéraire des troubadours*, que nous retrouverons plus loin, et les cinq *Mémoires sur l'ancienne chevalerie considérée comme un établissement politique et militaire*, lus à l'Académie à partir de novembre 1746 et publiés ensemble au tome XX des *Mémoires* de l'Académie (1753). Ce tome XX est remarquable : il ne contient rien sur l'Antiquité grecque et romaine, tous les textes sont consacrés à la Gaule, à la langue gauloise et à l'histoire de France. C'est une sorte de « numéro spécial » à l'occasion de la publication des cinq *Mémoires* de Lacurne en fin de volume, précédés — fait inhabituel — d'un chapeau de présentation. Les cinq textes seront publiés en volume en 1759, et ils auront dans toute l'Europe, en Angleterre, en Allemagne, un énorme retentissement. C'est l'une des sources directes de Walter Scott. Aussi lorsque celui-ci influencera les historiens français de la Restauration (en particulier Augustin Thierry), ce sera un retour à l'envoyeur, d'autant plus que Thierry est l'un des héritiers de Lacurne.

Quelle est l'idée centrale de Lacurne ? Reprenant un thème déjà

guerre → défense de/par qui

exposé par Pasquier dans ses *Recherches de la France*, il voit la chevalerie comme une création de la monarchie, un système d'éducation militaire de la noblesse, l'apprentissage d'un art de la guerre conçu comme un service public et non un étalage de prouesses individuelles ou de vanités arrogantes. Le tableau présenté par Lacurne est loin d'être idyllique. Puisant directement dans les textes médiévaux qu'on commence à exhumer des bibliothèques, il montre toute la bêtise, la cruauté, la barbarie de cette noblesse ignare, et décrit la manière dont le système s'est dégradé. Son but est de revitaliser la noblesse en lui inculquant la culture de l'esprit de la véritable chevalerie, au moment où son protecteur Paris-Duverney relance l'idée d'une école militaire pour les jeunes nobles pauvres.

Abordant au dernier mémoire les défauts de la noblesse, Lacurne stigmatise « les chevaliers créés par les services militaires ou descendus des premiers défenseurs de la patrie [qui] aimèrent mieux laisser déchoir la dignité de chevalier, plutôt que d'en partager l'honneur avec ceux qu'on appelait chevaliers ès lois, chevaliers lettrés, et que de consentir à les regarder comme leurs égaux ». Ils ont oublié « qu'il n'est ni plus nécessaire ni plus noble d'endurcir son corps aux travaux de la guerre, que de former son cœur et son esprit aux vertus et aux talents de la société... ». Ils (eux et leurs descendants) se sont cultivés en lisant les jongleurs et les trouvères, « gens grossiers et libertins », ils se sont enfoncés dans l'ignorance, alors que « notre siècle n'accorde son estime qu'aux talents de l'esprit et à ces vertus qui, relevant l'homme au-dessus de sa condition, lui font fouler ses passions aux pieds, et le rendent bienfaisant, généreux et secourable ». Ici s'exprime dans les termes les plus clairs, avec une pointe de jansénisme, le programme de réformation de l'aristocratie comme classe dominante d'un État maintenant conçu d'abord pour la paix et non plus pour la guerre. La « société civile » du XVIIIe siècle, concept philosophico-politique issu de Locke, prend son essor.

Le biographe américain de Lacurne, Lionel Gossmann [11], souligne que le cinquième mémoire contredit les précédents. On a en effet le sentiment qu'au cours de son étude sa pensée s'est infléchie, peut-être sous l'influence de *L'Esprit des lois*, paru en 1747. Lacurne et Montesquieu se fréquentaient, et ce dernier était attentif aux travaux du médiéviste. Le ton en tout cas se fait plus dur à

---

11. *Medievalism and the Ideologies of the Enlightenment*, John Hopkins Press, Baltimore, 1968.

l'égard de la noblesse, dans ce dernier texte où Lacurne dresse véritablement en filigrane le programme d'une noblesse qui est devenue davantage une classe qu'un ordre.

Son projet est de même type que celui que mettra un peu plus tard en œuvre Jacob-Nicolas Moreau, qui a « voulu transformer la fonction littéraire d'historiographe de France en une mission purement politique et administrative » (Dieter Gembicki). Moreau, « le dernier des légistes », comme l'appelle justement Blandine Barret-Kriegel, est foncièrement hostile à la seigneurie féodale : pour lui, la seigneurie, c'est la guerre et le despotisme. Opposé à la thèse germaniste qui fait de la conquête l'origine de la France, il refuse à cet événement le caractère de fondement du lien social, et estime que l'on doit à la monarchie le primat de la politique intérieure sur la politique extérieure. Il est pour une administration moderne, mais il ne voit pas que l'administration monarchique n'a pas été bâtie pour la seule tâche qui puisse réconcilier la royauté et ses peuples : assurer la justice, et d'abord sur le plan de l'impôt.

En effet, il y a une contradiction entre l'organisation de la France d'Ancien Régime en corps, compagnies, ordres, et les problèmes posés par la croissance de l'impôt. Or les projets en œuvre chez nos historiens — et chez bien d'autres : Le Laboureur, Le Paige, Montesquieu qui pose définitivement au XVIIIe siècle « le problème de la constitution française » (E. Carcassonne) — ne portent que sur l'organisation des pouvoirs centraux. Il s'agit essentiellement de prévoir un contrepoids à l'exécutif monarchique. Mais le vrai problème concerne les structures de l'État dans l'ensemble du royaume [12]. Et à cet égard, deux théories s'affrontent. Les partisans de l'Ancien Régime veulent toucher le moins possible à la structure du royaume telle que l'histoire l'a produite, avec sa division en pays de généralités et en pays d'états, les états provinciaux étant nés au XVe siècle. Pour l'entourage du duc de Bourgogne et les héritiers de ce courant, la solution consiste à rétablir des états provinciaux là où ils ont été supprimés ou sont tombés en désuétude, et à en créer là où il n'y en a jamais eu. Mais les véritables réformateurs, au premier rang desquels les physio-

---

12. La question de la territorialisation des structures étatiques par la monarchie a été remarquablement mise en lumière par Paul ALLIÈS, *L'Invention du territoire*, *op. cit.*

crates, ont un projet très différent : ~~créer partout les assemblées~~ provinciales.

La différence de conception est de taille. Les états provinciaux se réunissent et votent par ordres selon les formes traditionnelles (seuls les états du Languedoc échappent à l'archaïsme ; on en fait alors le modèle de la réforme de l'institution dans tout le royaume), les assemblées provinciales obéissent à une structure beaucoup plus moderne. Lorsque, à partir de 1766 (et surtout en 1778-1780, puis en 1787-1788) des tentatives de création d'assemblées provinciales ont lieu, la représentation du tiers état y est doublée et le vote y a lieu par tête. C'est-à-dire exactement ce qui sera obtenu non sans une révolution — la Révolution même, à son premier stade — par les États généraux qui, à travers ce combat fondamental, deviennent l'Assemblée nationale. Car si cette réforme avait pu être réalisée pour les assemblées provinciales, c'est qu'elles étaient purement consultatives. De toute manière, l'opposition féroce des parlements jointe à celle des privilégiés les fera avorter tout de suite. En 1788, Loménie de Brienne reprend l'idée des états provinciaux et encourage l'Auvergne, la Normandie, la Franche-Comté à demander le rétablissement de leurs états. Dans le Dauphiné, en juillet 1788, les trois ordres de la province s'assemblent en états provinciaux reconstitués, mais cette fois sur la base d'un compromis entre l'ancienne société d'ordres et la nouvelle société de classes. L'aristocratie concédait au tiers le vote par tête et l'égalité fiscale. Ces états se réunissent le 12 décembre 1788 et, le 27, le conseil du roi déclare que les états généraux, convoqués pour l'année suivante, auront à organiser partout des états provinciaux.

Sur le plan municipal, le contrôleur général Laverdy avait également opéré en 1764-1765 une réforme importante, qui échoua elle aussi devant les mêmes résistances. Cette réforme enlevait le pouvoir aux oligarchies d'officiers pour le confier à des assemblées de notables. Comme pour les assemblées provinciales, était prévue la suppression effective des ordres : « Métier, profession, fonction et fonction sociale passent avant tout », écrit à ce propos R. Mousnier.

Le sens du compromis dans ces assemblées, tant provinciales que municipales, était que le pouvoir de décision devait y passer aux propriétaires, mais non à ceux-ci en tant que seigneurs détenteurs de droits féodaux et se souciant plus ou moins de mettre en valeur leurs terres, mais bel et bien en tant qu'investisseurs et entrepreneurs, propriétaires exploitants (directement ou non). C'est sur cette base que se liaient fonction décisionnelle et impôt et que prenait tout son sens la nécessité de réformer la structure administrative dans l'ensemble du royaume.

Cette conception de l'organisation territoriale de l'État ne peut en effet être comprise que si on la rapporte à la pensée physiocratique. Celle-ci, quoique contestée et raillée, devient dominante à partir des années 1750, avec son bataillon de plumes prestigieuses : Gournay, Quesnay, Dupont de Nemours, Mercier La Rivière, le marquis de Mirabeau, et bien entendu Turgot. Si les physiocrates — dont on ne refera pas ici la théorie — ne sont pas les premiers à avoir une pensée économique, ce sont eux néanmoins qui ont véritablement créé l'économie politique. C'est en les lisant et en les critiquant qu'Adam Smith forgera sa théorie du capitalisme. Pour la physiocratie, la terre seule est productrice de richesses, les grandes nations agricoles seules sont vraiment solides, et non celles qui vivent de l'industrie et du grand commerce international, lequel doit être réduit à sa plus stricte nécessité et non être par lui-même source de profit [13]. La terre seule produisant la richesse, c'est donc le propriétaire terrien seul qui doit payer l'impôt, c'est donc lui seul qui doit prendre part au souverain, entrer dans l'exercice de la souveraineté effective. La nouvelle administration doit donc assurer la participation permanente des propriétaires à l'exercice du pouvoir, en tant que la seule source de richesse nette.

Reprenons l'analyse de ces questions, à partir des exposés lumineux qu'en a faits Dupont de Nemours. *De l'origine et des progrès d'une science nouvelle* (1768) présente une synthèse parfaite de la pensée physiocratique sur l'impôt qui, « comme conservateur de la propriété, est le grand lien, le nœud fédératif, le *vinculum sacrum* [14] de la société ». Son but est « la conservation du droit

---

13. Dans *Richesse et puissance — Une généalogie de la valeur* (La Découverte, Paris, 1989), François Fourquet fait une série de remarques pertinentes sur la place du territoire dans la pensée des physiocrates. « La physiocratie, écrit-il, *territorialise la richesse*, qui devient purement intérieure ou endogène. Lavoisier, s'inspirant des physiocrates, articule son système autour du concept de produit *territorial* et de revenu *territorial*, car le point de vue intérieur est inhérent à la comptabilité nationale. » Néanmoins, on ne voit pas pourquoi F. Fourquet le leur reproche (« Les idées physiocratiques sont en résonance avec les valeurs territoriales de la culture française, sourde à l'appel du grand large »), comme si c'était là un défaut que le critique repérerait dans l'analyse physiocratique, un point qui aurait en quelque sorte échappé à ses auteurs. Or c'est le cœur de leur théorie, et si cette théorie se révèle à l'analyse inapte à rendre compte de la mutation que connaît le mode de production capitaliste à la fin du XVIIIe siècle — d'où la critique des physiocrates par Adam Smith —, cela n'empêche pas l'extrême cohérence de la pensée physiocratique, pensée *politique* au premier chef.

14. Souligné dans le texte, comme partout dans la suite sauf indication contraire.

de propriété et de la liberté de l'homme dans toute leur étendue naturelle et primitive », car il est prélèvement sur le produit net des richesses. D'où l'opposition à tous impôts indirects et à tous prélèvements sur les autres activités, puisqu'elles ne sont pas créatrices de richesses. En un exposé brillant, Dupont de Nemours assoit son raisonnement et conclut que « l'institution de l'impôt, loin d'être opposée au droit des propriétaires fonciers, est au contraire un usage de leur droit de propriété ». Cet impôt, qui va servir au souverain à payer les dépenses publiques, manifeste « la communauté d'intérêts entre le souverain et la nation ». Discutant la meilleure forme d'organisation du souverain, il aboutit à la conclusion que c'est celle des monarques héréditaires et absolus, car ils sont les seuls « dont tous les intérêts personnels et particuliers, présents et futurs, puissent être intimement, sensiblement et manifestement liés avec celui de leurs nations, par la copropriété de tous les produits nets du territoire soumis à leur empire ». Le monarque en effet, qui n'a plus aucun domaine en propre, est avec les propriétaires le copropriétaire de tous les revenus nets du royaume.

Cette manière de fonder l'impôt et de le lier à l'institution du souverain est capitale, c'est en elle-même une critique radicale de l'Ancien Régime, dont les forces sociales dominantes tenaient l'impôt pour chose ignoble par excellence : payer l'impôt est dégradant, ce n'est rien d'autre qu'un tribut imposé au vaincu ; mieux vaut donc, comme le font les états provinciaux et les assemblées du clergé, verser au roi un « don gratuit ». La théorie politique de l'impôt chez les physiocrates, déduite de leur théorie économique, est d'une grande cohérence pour le XVIIIᵉ siècle, c'est l'une des pièces essentielles de l'avènement de la nation en 1789 — même si l'organisation du souverain par les révolutionnaires sera tout autre, au départ et en principe du moins, que celle des physiocrates. C'est tout naturellement que Dupont de Nemours sera l'un des membres les plus écoutés de la Constituante en matière de finances.

Si la pensée physiocratique nous importe tant ici, c'est qu'elle est bien davantage qu'une théorie économique. A Jean-Baptiste Say qui définissait l'économie comme la science des richesses, Dupont de Nemours répondait que c'était un objet trop étroit : « Elle est la science du droit naturel, appliqué, comme il doit l'être, aux sociétés civilisées. » La physiocratie est avant tout une philosophie qui postule un ordre naturel établi par Dieu, ayant des lois physiques connaissables (« Tout a son essence immuable, et les propriétés inséparables de son essence », écrit Quesnay dans *Le*

Droit naturel), dont l'ordre social est la rigoureuse traduction. Les hommes doivent s'assujettir à l'ordre naturel car il « nous assure la jouissance de tous les avantages que l'ordre social peut nous procurer » (Dupont de Nemours, dans son introduction aux *Œuvres* de Quesnay). En tête de ces objets de jouissance, la propriété, que l'homme a acquise et qu'il fait fructifier. On retrouve là les idées exposées par Locke dans son *Essai sur la véritable origine, l'étendue et la fin du pouvoir civil* [15] (1690). Dans un brillant résumé de l'histoire de l'humanité, Dupont de Nemours montre que la société forme un organisme, et que la jouissance de la propriété a été viciée par les usurpations féodales et par le despotisme qui ont altéré le caractère organique de l'ordre social.

C'est au rétablissement de ce caractère que travaille la physiocratie, critiquant fortement toutes les limites d'origine féodale à la propriété pleine et entière, ainsi que toutes les formes politiques, religieuses, militaires qui garantissent ce désordre fondamental. L'ordre social étant rétabli en conformité avec l'ordre naturel, quelle doit être la tâche de l'autorité publique ? « Garantir envers et contre tous la seule chose dont la conservation importe au *public*, et à tous les particuliers également, la PROPRIÉTÉ » (ainsi souligné dans le texte). Car « plus la politique du gouvernement s'occupe du prétexte de l'intérêt général pour élever l'autorité au-dessus des lois constitutionnelles de l'ordre social, et plus elle s'écarte de cet ordre divin, qui est celui de la justice par essence ». (Dans *Le Droit naturel*, Quesnay définit ainsi la justice : « C'est une règle naturelle et souveraine, reconnue par les lumières de la raison, qui détermine évidemment ce qui appartient à soi-même ou à un autre. ») Ainsi, s'adressant aux souverains, Dupont de Nemours leur rappelle « l'exercice de vos fonctions sacrées, qui consistent principalement à ne pas empêcher le bien qui se fait tout seul et à punir, par le magistère des magistrats, le petit nombre de gens qui attentent à la *propriété* d'autrui ».

Il écrit avec une clarté parfaite, dans *De l'origine et des progrès d'une science nouvelle* :

« L'autorité souveraine n'est pas instituée pour *faire des lois*, car les *lois sont toutes faites* par la main de celui qui créa les *droits* et les *devoirs*.

« Les *lois sociales*, établies par l'Être suprême, prescrivent uniquement la conservation du *droit de propriété*, et de la *liberté* qui en est inséparable.

---

15. Édition par Jean-Louis Fyot, PUF, Paris, 1953.

« Les ordonnances des souverains, qu'on appelle lois positives, ne doivent être que des *actes déclaratoires de ces lois essentielles de l'ordre social.* »

Et plus loin : « Ainsi, ce qu'on appelle le pouvoir législatif, qui ne peut pas être celui de créer, mais qui est celui de déclarer les lois, et d'en assurer l'observance, appartient exclusivement au souverain, parce que c'est au souverain que la *puissance exécutive* appartient exclusivement, par la nature de la souveraineté même. »

Voici donc une forte philosophie — issue du nominalisme de Guillaume d'Occam comme l'a montré Michel Villey dans *La Formation de la pensée juridique moderne* [16] — liant théorie économique et organisation de l'autorité publique. L'essentiel sur ce dernier plan tient dans le refus, contre Montesquieu, de la séparation de l'exécutif et du législatif (prônant par contre l'indépendance du judiciaire, dont la fonction à partir d'une connaissance intime de l'ordre naturel est de veiller à son maintien). Mais s'il n'y a pas de pouvoir législatif indépendant du souverain, les co-associés du roi dans la gestion du produit de l'impôt n'en sont pas moins représentés, par un système hiérarchisé d'assemblées locales, provinciales et nationale. Ce plan est exposé dans le célèbre *Mémoire sur les municipalités* de Turgot (1775), écrit par Dupont de Nemours, son principal collaborateur lors de son passage au pouvoir.

On résumera brièvement ce long et très technique document, véritable projet de « constitution administrative » ou exécutive. Les états provinciaux sont écartés comme des assemblées archaïques, impropres à répondre aux besoins d'un État moderne, et le mémoire propose d'établir des « municipalités » à quatre échelons : au niveau des villages et des villes, à celui des arrondissements, élections ou districts, à celui de la province, l'édifice étant couronné par une « Grande Municipalité » ou « Municipalité générale de tout le royaume ». C'est le premier échelon qui est le plus minutieusement décrit, car il est la base de l'édifice, et c'est là que se fonde d'abord la liaison entre propriété et droit de représentation. Seuls les propriétaires, en effet, peuvent être élus. Ensuite, chaque échelon délègue au suivant. La Grande Municipalité est donc l'assemblée générale des représentants des propriétaires terriens, qui assiste le roi pour le meilleur emploi possible du produit de l'impôt. Cette assemblée n'a aucun rôle législatif, elle n'a aucun

---

16. Éditions Montchrétien, 4e éd., 1975.

droit de regard sur la politique étrangère. C'est une nouvelle *curia regis*, un grand conseil moderne du roi.

C'est là un projet de constitution fort éloigné de la philosophie politique qui mènera à la souveraineté nationale. Mais, comme bien d'autres textes parus entre 1770 et 1789, ce *Mémoire* a contribué à nourrir un débat intense sur les assemblées locales, sur la « couverture » de l'ensemble du territoire national par l'État. Les révolutionnaires qui discutent ce problème à l'automne de 1789 ne sont pas partis de rien, ni seulement de théories. Les historiens sont partagés quant à l'influence exercée par la pensée physiocratique sur les révolutionnaires de 1789. Dans un article sur « Les conceptions politiques des physiocrates », Marie-Claire Laval-Reviglio [17] estime cette influence très faible : les physiocrates, comme l'a montré Marx, ont promu un système de reproduction bourgeoise du féodalisme, par la suprématie accordée à la rente foncière. Leur projet politique demeure donc dans les limites de l'Ancien Régime. Pierre Rosanvallon [18] ne partage pas cette analyse : il considère que les physiocrates « ont joué un rôle majeur en dessinant le cadre intellectuel dans lequel les constituants ont pensé la citoyenneté », en liant administration locale, réforme fiscale et citoyenneté. Rosanvallon montre d'une façon très convaincante que « la référence au citoyen propriétaire [a] été centrale pour les hommes de 1789 », et que cette référence, attaquée dès le début de la Révolution et totalement récusée par les hommes de 1793, a traversé victorieusement la Révolution. On peut même estimer qu'elle informe puissamment la pensée politique de la première moitié du XIXe siècle, c'est la pensée centrale du régime de Juillet. Elle fonde le suffrage censitaire qui ne disparaît qu'en 1848, sans que d'ailleurs les vertus de la référence aux propriétaires terriens comme piliers de la nation soient épuisées après cette date. C'est l'une des bases de la IIIe République (dont les pères fondateurs ne sont pas seulement à gauche, comme on semble le croire trop souvent) et la création du Sénat, institution clé, est l'aboutissement ultime de cette pensée politique qui dépasse la physiocratie proprement dite mais a été la plus nettement exprimée, quant à son essence, par ses représentants.

---

17. « Les conceptions politiques des physiocrates », *Revue française de science politique*, 1987.
18. Article « Physiocrates » du *Dictionnaire critique de la Révolution française*, de François FURET et Mona OZOUF, Flammarion, Paris, 1988.

Concluons. La pensée physiocratique est l'une des plus cohérentes de la fin de l'Ancien Régime. Avec elle, le mouvement de désacralisation de l'État et de l'autorité publique, le rejet de toute autorité militaire et religieuse sont poussés comme jamais jusque-là. Le primat de la quantité sur la qualité dans l'ordre social est posé dans toute sa clarté, la qualité se retrouvant souveraine au sommet du système : le roi, incarnation de l'Être suprême. La conception physiocratique de la propriété mérite tous les éloges avant d'être critiquée : elle vise à débarrasser la propriété de tout ce dont les siècles l'avaient grevée, elle récuse la seigneurie où s'enchevêtrent fonctions économiques, judiciaires, sociales, religieuses et finalement politiques ; mais elle récuse aussi la communauté rurale au nom de laquelle les paysans s'opposent aux clôtures. La propriété n'est plus rien d'autre que le rapport social entre un homme et une terre qu'il met en condition de rendre le maximum.

Elle engendre une conception des divisions du territoire qui ne doit rien à l'histoire. Elle s'étend même aux relations entre le territoire national et l'extérieur. Mercier La Rivière, dans son important ouvrage sur *L'Ordre naturel et essentiel des sociétés politiques* (1767), s'en prend aux rivalités entre royaumes cherchant à s'agrandir au détriment les uns des autres. « Chaque nation, écrit-il, n'est qu'une province du grand royaume de la nature », de sorte qu'au système de balance de l'Europe qui lui tient lieu de droit international public depuis 1648, il faut substituer « une Confédération générale de toutes les puissances de l'Europe », dictée par l'ordre même de la nature. Les rois sont des frères, mais d'une « fraternité nationale » et non plus personnelle, car ce sont les nations elles-mêmes qui sont dans un rapport de fraternité. Reprenant les analyses de Daguesseau, Mercier écrit que « de nation à nation, la nature a établi les mêmes devoirs et les mêmes droits qu'entre un homme et un autre homme ». La vraie différence est entre les peuples à base foncière et ceux où dominent les commerçants qui, comme les militaires et les savants, sont nécessairement cosmopolites [19]. Ces peuples commerçants « diffèrent des puissan-

---

19. Dans le texte cité plus haut, F. Fourquet écrit de la pensée physiocratique : « Ces idées manquent d'air, elles ratent l'essentiel, qui se passe ailleurs, sur les sept mers du monde, pas dans le cadre fermé du tableau économique territorial. » La question est plus vaste : elle concerne les rapports entre la voie anglaise de développement du capitalisme et les diverses voies continentales, dont la française et

ces *foncières*, en ce qu'ils ne forment point de véritables corps politiques, au lieu que ces puissances ont une consistance *physique* et dont rien ne peut ébranler les fondements ». On voit que l'anglophobie qui animera si fort les révolutionnaires a des fondements doctrinaux qui sont eux aussi au principe de la sympathie des Lumières et des révolutionnaires français pour la création des États-Unis d'Amérique, nouvelle puissance foncière par excellence aux yeux des contemporains de cette création.

Le projet physiocratique l'a emporté sur les vues du cercle de Boulainvilliers, mais tous deux ont fini par se rejoindre en partie, par l'intermédiaire de Bertin, dans la lutte entre la monarchie et les parlements. Ce qui est en jeu dans ces affrontements, c'est la place de la nation, qui devient véritablement, à partir de la seconde moitié du XVIIIe siècle, une pièce essentielle des rapports sociaux, ce qu'elle n'avait jamais été auparavant.

Mais cet avènement de la nation pose de considérables problèmes, à deux niveaux : à celui des institutions centrales et proprement politiques, quant au rapport à la souveraineté ; à celui des institutions territoriales, quant à la structure administrative du royaume et son rapport au pouvoir. L'enjeu ultime des problèmes qui se jouent à ces deux niveaux, c'est la place politique de la nation, par rapport au mouvement de désacralisation de l'État ramené à un simple organisme de gestion des intérêts.

---

la prussienne — cette dernière ayant même donné son nom à une voie spécifique de développement. L'analyse s'affaiblit, en voulant court-circuiter ce que les hommes pensaient eux-mêmes à un moment donné de l'histoire et les buts conscients qu'ils donnaient à leurs productions théoriques.

3

Ordre privé et ordre public

Le mouvement par lequel la nation moderne, réalité d'ordre public, advient comme élément central des rapports sociaux, va du XVIᵉ à la fin du XVIIIᵉ siècle. Ce processus est créateur à la fois de la nation et de la conception d'ordre public qu'elle exprime, car il n'existait en Europe aucune théorie du droit public qui fasse place à la nation.

En fait, il n'y a pas de droit public du tout, le seul droit étant le droit privé ou droit civil. Ce qui réfère au droit public, ce n'est rien d'autre que l'ensemble qui régit le fonctionnement de la monarchie, ce qu'on appelle les lois fondamentales du royaume. Mais même si, à la suite d'auteurs comme Loiseau, Bodin, et Cardin Le Bret, la monarchie s'est abstraite du corps individuel du roi pour se hausser à l'impersonnalité de la fonction, même si la prééminence de la transmission héréditaire sur le sacre a détaché le trône du sacerdoce, même si le roi a perdu tout domaine propre et si la monarchie s'est affranchie de l'ancienne conception patrimoniale héritée de la conquête, on ne saurait en conclure que le royaume ressortit au droit public tel que nous l'entendons. En fait, la distinction du droit public et du droit privé, qui émerge lentement de la renaissance du droit romain au XIIᵉ siècle, ne date véritablement que de la Révolution française. Elle se limite à la France, car ni l'Angleterre, ni l'Empire germanique, ni même les États-Unis d'Amérique n'ont été le lieu d'une telle distinction.

Jusqu'à la monarchie absolue, cette confusion du droit privé et du droit public ne posait aucun problème. La grande école juridique française du XVIᵉ siècle, l'école de Bourges, bâtit un édifice où le droit romain, essentiellement droit privé, et l'énorme massif des coutumiers (plus de soixante coutumes principales) forment le socle d'une conception permettant au souverain — origine de la loi sans y être lui-même assujetti — de cohabiter avec la société de corps où les offices s'exercent à la fois dans l'ordre privé — par leur inscription dans l'ordre seigneurial — et dans l'ordre public, judiciaire et fiscal principalement.

Avec la révolution louis-quatorzienne, cette confusion ordre privé-ordre public est détruite. Alors que les juristes du XVIe siècle étaient à la fois de grands privatistes et de grands publicistes (la réflexion des monarchomaques sur la nature du pouvoir en est imprégnée), le XVIIe siècle voit disparaître quasi toute réflexion sur le droit public. Domat et Fleury sont les seuls juristes de valeur qui sous Louis XIV poursuivent un travail sur ce plan, mais il faudra attendre Montesquieu pour que la France retrouve une grande voix capable de tenir un discours à la fois privatiste et publiciste. Les historiens spécialistes du XVIIIe siècle ont privilégié le discours publiciste de Montesquieu, et c'est un grand tort, car les deux ordres sont inséparables chez lui, et la signification même de son entreprise est perdue si on les dissocie. Le XVIIIe siècle, à travers la contestation des parlements, éprouve l'urgence d'une réflexion sur le droit public, nul n'en est plus conscient que Jacob-Nicolas Moreau : tous ses efforts tendent à bâtir une théorie du droit public dans le cadre de la monarchie absolue sans toucher les bases institutionnelles de la société d'ordres. Le projet est contradictoire, voué à l'échec dans son principe même.

Mais surtout, une tout autre vision du droit public s'impose aux XVIIe-XVIIIe siècles, qui va déboucher sur la Révolution française. C'est le courant illustré par Grotius, Hobbes, Locke, Leibniz, Pufendorf, Burlamaqui, Barbeyrac, Wolff — pour ne citer que les principaux —, c'est l'école moderne du droit naturel. Aucune notion n'est plus complexe et plus confuse que celle de droit naturel. On se bornera à rappeler ici, d'après Michel Villey, que saint Thomas d'Aquin avait livré au XIIIe siècle une synthèse de la société, créée par Dieu et fondée sur le droit naturel dont Aristote avait posé les bases : l'homme est un animal social, naturellement organisé en familles et en cités. Or, à partir de la critique radicale de cette synthèse, opérée par le nominalisme à la suite de Guillaume d'Occam, et malgré la pseudo-restauration thomiste du XVIe siècle espagnol, les XVIIe et XVIIIe siècles aboutissent à un droit naturel qui part de l'homme en tant qu'individu isolé se liant par un pacte à ses semblables, pacte destiné à garantir ses droits fondamentaux, dits naturels, au premier rang desquels le droit de propriété sur son corps propre et sur ses biens, qui en sont le prolongement. Un second pacte vient ensuite lier les gouvernés et les gouvernants, ceux-ci ayant pour unique mission de faire régner l'ordre garantissant l'exercice des droits naturels de chacun.

Cette théorie ne saurait être méprisée : elle est à la base des révolutions anglaise de 1688, américaine de 1776, française de 1789, et nous lui devons le précieux acquis des droits individuels de sûreté, de liberté d'aller et de venir, de s'exprimer, et de posséder absolument des biens. Mais nous savons que c'est relativement à ce dernier point que la société née de la victoire politique de l'école moderne du droit naturel s'est heurtée et se heurte à des contradictions insurmontables, en raison du fait que le droit de posséder ne s'est pas limité à la propriété personnelle, d'usage strictement intime, familial, mais s'est étendue à la propriété des moyens de production, ce qui est tout autre chose puisque là, on aboutit à une appropriation privée d'un domaine qui relève tout entier de l'ordre social, donc public. Tant que l'Ancien Régime se maintint, cette contradiction n'apparut pas : la société de corps avec à sa base la seigneurie interdisait toute séparation du public et du privé, mais l'abolition de l'Ancien Régime allait faire apparaître la question au grand jour : la grandeur et le drame de la Révolution française tiennent à ce qu'elle fut le lieu de manifestation de la question et celui de l'impossibilité de la résoudre en termes de droit naturel moderne.

Le droit naturel classique voyait l'homme organisé naturellement, sans que soit besoin de faire appel à un quelconque pacte, en familles et en cités. Pour la famille, l'évidence s'est imposée à tous les tenants de l'école du droit naturel moderne, même si Pufendorf est allé jusqu'à supposer l'existence d'un contrat implicite entre parents et enfants, même si Jean-Jacques Rousseau a mis ses enfants à l'Assistance, geste politique en définitive, fort peu sympathique mais plus conséquent que ses adversaires ne l'ont dit. C'est pourquoi les héritiers de l'école moderne du droit naturel n'ont éprouvé aucune gêne à placer la famille à la base de la société dont l'existence même était en contradiction avec l'idée d'un lien de nature, au sens classique. Mais c'est sur le plan de la cité que la contradiction a éclaté, car là ne pouvaient jouer les légitimations d'ordre biologique, affectif et psychologique (la lenteur de la maturation du petit de l'homme) qui s'imposaient pour la famille. De la contradiction sont sorties les théories traitant des peuples comme familles — déjà sous la monarchie absolue, le roi père de ses sujets —, comme ensembles naturels, organiques, jusqu'aux théories raciales qui poussent à l'extrême la métaphore familiale dans l'ordre social. Nous verrons plus loin les manifestations concrètes de cette contradiction fondamentale, dans l'ordre du droit privé comme dans celles du droit public. Notons cependant dès à présent que, sur ce dernier plan, la nation moderne est le produit achevé de la contradiction.

Mais procédons par étapes. Avec la fiction du contrat, ou du double contrat, le droit naturel moderne est aussi peu naturel que possible, puisque l'établissement de la société suppose un lien social qui ne peut être lui-même que l'effet d'un lien social. Nous trouvons chez Hobbes, l'auteur le plus conséquent et le plus redoutable du courant jusnaturaliste moderne, à la fois l'aveu du caractère non naturel de cette théorie et le moyen de faire tenir debout la société-monstre ainsi créée. C'est l'introduction même du *Léviathan* : « La nature, cet art par lequel Dieu a produit le monde et le gouverne, est imitée par l'art de l'homme en ceci comme en beaucoup d'autres choses, qu'un tel art peut produire un animal artificiel. »

Cet animal artificiel, c'est la société instituée, l'État : c'est ce qu'à la fin du XVIIᵉ siècle est devenue la *persona ficta* des théologiens médiévaux. Puisque la nature ne fonde pas directement la société — sinon en petites communautés, comme une ville et son environnement, son *contado* ; mais tous ces problèmes sont agités dans de grands royaumes rassemblant des millions d'individus —, alors l'homme produit un artefact de nature, à partir duquel il déduira, construira le lien social. Que l'institution qui en découle soit un despote, un monarque absolu tempéré par les lois fondamentales, une oligarchie ou un corps démocratique régi par la volonté générale n'est pas sans importance, mais c'est second. Second également le fait de prôner l'individu nanti de vastes propriétés, ou de considérer la propriété comme un vol ou de rêver une république égalitaire de petits propriétaires vivant en harmonie. Car ce qui compte d'abord, c'est la notion de pacte qui repose sur une vision atomistique de la société au nom de laquelle les institutions sociales et politiques d'Ancien Régime subissent au XVIIIᵉ siècle un assaut généralisé.

Une partie de cet assaut est menée au nom des libertés bourgeoises qui ont triomphé en Angleterre en 1688, et dont Locke s'est fait le doctrinaire. Un autre courant mène la bataille au nom des libertés démocratiques du peuple ; en France, Rousseau et Mably en sont les théoriciens, nourris de Locke et de Pufendorf. Derrière la lutte que se livrent les parlements et la monarchie, la bataille décisive a lieu entre les physiocrates et leurs adversaires « de gauche » : entre ceux qui font remonter la capacité politique des propriétaires terriens au détenteur ultime de la puissance publique, et ceux qui posent la nation souveraine au-dessus des éléments individuels de la société. Entre mai et juillet 1789, ces derniers l'emportent, les révolutionnaires avec à leur tête Sieyès ayant su donner forme aux principes qu'avait rédigés Mably dès 1758 dans *Des droits et des devoirs du citoyen* : une Assemblée nationale chargée de rédiger une constitution, s'assemblant périodiquement, ayant le pouvoir législatif, contrôlant l'ensemble des finances, impôt et budget. La nation par son assemblée a seule le droit de déclarer la guerre, et si le roi garde les affaires étrangères, c'est assisté d'un conseil qui dépend de l'Assemblée. L'ouvrage de Mably, paru en 1789, fait de son auteur mort quatre ans plus tôt l'un des producteurs les plus influents de la théorie de la souveraineté nationale.

La nation qui arrive en position souveraine en juin 1789 est le produit d'une opération fort complexe, dont les deux aspects fondamentaux sont les suivants : 1) elle est l'expression du pacte conclu entre les citoyens (dans *Qu'est-ce que le tiers état ?*, Sieyès dit que la nation est « l'assemblage des citoyens ») ; 2) la souveraineté nationale n'est pas dans un rapport de continuité avec les individus isolés qui, *en se liant et en se réunissant dans les assemblées primaires*, deviennent les citoyens et concourent par l'élection à former la représentation nationale. Par la proscription du mandat impératif — pièce maîtresse de la construction, qui réduit à néant la valeur politique des cahiers de doléances et contredit l'esprit dans lequel les représentants, qui n'étaient alors que des mandataires, avaient été élus aux États généraux —, l'Assemblée nationale n'est pas le délégué de la volonté exprimée par chaque citoyen, le député individuellement pris n'est pas le représentant de ses commettants qui n'ont d'autre pouvoir que de lui donner leur confiance. C'est l'Assemblée nationale en corps qui est le représentant de la nation. C'est la proclamation de l'Assemblée nationale qui, transformant les mandataires en représentants, crée la représentation. Dès lors, les représentants ne le sont pas au sens où en droit privé un mandataire représente la volonté de son mandant et ne peut point vouloir à sa place en outrepassant ou en modifiant les instructions données par ce dernier. Qu'on retourne le problème dans tous les sens, on ne sort pas du fait qu'entre la nation se constituant, et réitérant à chaque élection cet acte fondateur, et la nation constituée, il y a solution de continuité, qui n'existait pas dans la cascade de délégations prévue par les physiocrates. Et pourtant, la construction édifiée par les révolutionnaires rejoint le projet physiocratique sur un point fondamental : la Révolution française prise dans sa totalité, et quels qu'aient été les efforts des montagnards puis les tentatives dont Babeuf est le plus important protagoniste, est la victoire des propriétaires. La Constitution de 1791 puis celle de l'an III ont institué un suffrage restreint qui donne le droit de vote aux seuls propriétaires.

Un autre aspect de la question montre bien la continuité entre physiocrates et révolutionnaires. Les physiocrates faisaient des propriétaires les seuls électeurs parce que, en tant que seuls producteurs de richesses, ils étaient la seule partie éclairée de la nation. Tous les révolutionnaires — à l'exception des montagnards plus proches des sans-culottes et des précurseurs du socialisme — partagent ce point de vue. « Une grande nation, écrit Sieyès, est nécessairement composée de deux espèces d'hommes : les citoyens et les auxiliaires. Des deux groupes distingués par le fait de l'éducation. » L'importance de l'instruction chez les physiocrates et les révolutionnaires vise à augmenter le nombre de ceux qui peuvent devenir propriétaires et être dignes de concourir à former la volonté nationale.

Quoique la notion de propriétaire ne soit pas comme telle centrale dans la théorie de Sieyès, sa distinction entre citoyens actifs et passifs rejoint celle entre propriétaires et non-propriétaires. « Les droits naturels et civils, dit-il en juillet 1789, sont ceux *pour* le maintien et le développement desquels la société est formée, et les droits politiques ceux *par* lesquels la société se forme [1]. » Tous les citoyens jouissent des premiers droits, « mais ceux-là seuls qui contribuent à l'établissement public sont comme les vrais actionnaires de la grande entreprise sociale. Eux seuls sont les véritables citoyens actifs, les véritables membres de l'association ». Est-ce éloigné de Dupont de Nemours : « La propriété foncière est le fondement de la société politique, qui n'a de membres dont les inté-

---

1. Au comité de constitution de la Constituante, les 20-21 juillet 1789. Les mots soulignés le sont dans le texte. Dans *Écrits politiques de Sieyès*, éd. par Roberto Zapperi, Éditions des Archives contemporaines, 1985.

rêts ne peuvent être séparés des siens que les possesseurs des terres ; que le territoire national appartient à ces propriétaires [...], que les propriétaires des terres sont nécessairement *citoyens* et qu'il n'y a qu'eux qui le soient *nécessairement.* » Le concept de société qui est au centre de la pensée de Sieyès est plus large que celui de Dupont de Nemours, mais entre les copropriétaires du royaume de celui-ci et les actionnaires de la grande entreprise sociale de celui-là, il n'y a qu'un pas que Boissy d'Anglas franchira en 1795 avec son mot célèbre sur le gouvernement des propriétaires qui est dans l'ordre de la nature.

Les conséquences sont capitales : la nation souveraine advenue en 1789 est théoriquement d'ordre public, mais en pratique elle est d'ordre privé, n'ayant d'autre fonction que d'être détentrice de la légitimité dont l'État tire sa puissance à mettre en œuvre les lois positives. Et les lois positives dont au bout du compte la Révolution française a accouché n'ont certes rien qui puisse contredire les intérêts de la classe bourgeoise, auteur et bénéficiaire principal de la Révolution sur le plan des intérêts matériels, nonobstant les vues de l'école dirigée par François Furet. En fait, la nation créée en 1789 est une réalité d'ordre public placée en position souveraine au-dessus d'un ordre social qui demeure fondé sur l'ordre privé.

Cela ne conduit pas pour autant à faire bon marché des conquêtes révolutionnaires sur le plan des droits civils, des libertés individuelles, et qualifier la Révolution française de bourgeoise n'a rien de réducteur, car le bouleversement social accompli par la bourgeoisie en Europe au cours du XVIIIᵉ siècle et qui a culminé en France entre 1789 et 1815 est la plus grande entreprise libératrice que le monde ait connue jusqu'alors [2]. Par rapport à ce qui a

2. Bouleversement social qui différencie radicalement la Révolution française de la Révolution anglaise de 1688 et encore plus de la création des États-Unis en 1776. Celle-ci est une révolution politique, où une nation se crée à travers la séparation d'une colonie de sa métropole, mais elle n'est en rien une révolution sociale et le « débat » de la fin du XVIIIᵉ siècle, dans la jeune République américaine, sur le statut de citoyen (ou plutôt de non-citoyen) des Noirs, est révélateur de ce qui fonde cet État. Voir Élise MARIENSTRAS, *Les Mythes fondateurs de la nation américaine,* Maspero, Paris, 1977, que l'auteur achève sur cette lucide citation de Connor Cruse, intellectuel noir américain : « L'Amérique est une nation qui se ment à elle-même sur son identité et sur sa qualité » (1967). L'Amérique n'a pas fini de payer ce mensonge et de le faire payer au monde si les citoyens lucides de ce pays ne parviennent pas à le renverser — tâche difficile et qui demande un grand courage. Ce n'est pas faire insulte aux soldats américains morts pendant les deux guerres mondiales que de dire que ce pays, après avoir passé aux yeux de millions de gens pour la patrie de la liberté, est en train de glisser aujourd'hui, par sa violence et certaines décisions monstrueuses de la Cour suprême en matière de peine de mort, sur une

suivi on ne peut qu'être critique, mais par rapport à ce qui précédait on ne peut avoir trop d'admiration et de reconnaissance envers ceux qui allèrent jusqu'au bout d'eux-mêmes pour faire triompher la liberté individuelle sur l'oppression collective qui caractérisait l'Ancien Régime. Et en particulier pour Robespierre, envers lequel les Français sont très injustes : adversaire de la déclaration de la guerre en 1792, il en assuma les conséquences à la place des Girondins incapables de faire face aux assauts des partisans intérieurs et extérieurs de l'ordre ancien, il assuma aussi dans la Terreur les conséquences de la contradiction fondamentale où était placée la nation souveraine par rapport aux individus qui la composaient. Le problème était insoluble, et porté au point de tension et de drame inouï atteint entre le printemps 1793 et le printemps 1794, il ne pouvait que broyer les individus et les consciences, non sans terribles injustices.

Revenons à l'examen des conséquences de l'avènement de la nation tel qu'il s'est produit entre 1789 et 1799. Que trois constitutions (dont une non appliquée) se soient succédé en dix ans, suivies jusqu'en 1875 d'une cascade d'autres lois fondamentales, voilà qui démontre la violence des affrontements de classes en France — contrastant singulièrement avec la stabilité des institutions anglaises et américaines —, mais voilà qui témoigne aussi de l'impossibilité pour les révolutionnaires et pour leurs successeurs de remplacer l'ordre politique de l'Ancien Régime par un ordre politique stable traduisant le remplacement d'une classe par une autre à la tête de la société. Cette impossibilité est la conséquence du divorce entre droit privé et droit public, et rien ne le montre mieux que l'extraordinaire réussite d'une institution qui, même si elle a abouti en 1804, appartient à la Révolution qui l'avait largement mise en chantier : le Code civil, qu'à bon droit Jean Carbonnier a pu appeler la « véritable constitution » de la France.

Le Code civil, comme l'a montré André-Jean Arnaud dans sa thèse sur *Les Origines doctrinales du Code civil* [3], est le résultat d'un mouvement qui a son point de départ dans l'unification des coutumes françaises amorcée par les rois au XVᵉ siècle et poursuivie par les jurisconsultes et les professeurs de droit français (institués

---

pente lourde de menaces pour la liberté des citoyens américains et du monde. Voir aussi, d'Élise MARIENSTRAS, *Nous, le peuple — Les origines du nationalisme américain*, Gallimard, Paris, 1988.

3. Thèse soutenue en 1964, publiée en 1969 à la Librairie générale de droit et de jurisprudence.

par Louis XIV en 1680). Le père du Code civil est Pothier (1699-1772), professeur de droit français à Orléans, héritier spirituel de Daguesseau, lui-même fort lié à Domat que Pothier continue.

Jean Domat (1625-1692) est le plus important jurisconsulte français du XVIIᵉ siècle. Mécaniste, sans doute stoïcien (R. Mousnier), proche de Port-Royal, il s'attache à donner une synthèse chrétienne du droit romain et du droit français, dans la ligne de la grande école de Bourges du XVIᵉ siècle. Il occupe pour le XVIIIᵉ siècle, dans la synthèse du droit privé et du droit public, la place que Loyseau avait occupée en son temps. Il a clairement posé que « le droit de propriété [...] donne au propriétaire le droit d'avoir en jouissance ce qui est à lui, pour s'en servir, en jouir et en disposer ». Ce qui pour nous est une évidence banale, mais qui n'allait pas vraiment de soi au XVIIᵉ siècle, et aboutit après un travail de plus d'un siècle au célèbre article 544 du Code civil : « La propriété est le droit de jouir et disposer des choses de la manière la plus absolue, pourvu qu'on n'en fasse pas un usage prohibé par les lois ou par les règlements. » Il n'y a pas de contradiction dans les termes, car le droit le plus absolu est limité dès sa naissance par l'utilité commune qui découle du pacte social originel, utilité commune posée par l'article premier de la Déclaration des droits de l'homme et du citoyen du 26 août 1789.

Rien n'est plus éclairant que le Discours préliminaire [4] par lequel Portalis, l'un des quatre rédacteurs du Code et le plus important politiquement, livre la philosophie du Code civil. On y voit que si le travail qui a abouti à ce recueil est dans la ligne du droit naturel moderne quant à la définition des libertés civiles et de ce qui règle la propriété (immobilière essentiellement), Portalis et ses collaborateurs ont apporté des données qui n'appartiennent nullement à cette ligne.

La France, commence-t-il, est un pays qui s'est agrandi par des conquêtes et des réunions (il parle de la croissance du royaume sous l'Ancien Régime). Or « les peuples conquis et les peuples demeurés libres ont toujours stipulé, dans leurs capitulations et dans leurs traités, le maintien de leur législation civile. L'expérience prouve que les hommes changent plus facilement de domination

---

4. Reproduit au tome I du *Recueil complet des travaux préparatoires du Code civil*, par P.A. Fenet, Paris, 1836. Il a fait l'objet, avec d'autres textes, d'une réédition dans *Naissance du Code civil*, éd. F. Ewald, Flammarion, Paris, 1989.

que de lois ». De sorte que « la patrie était commune, et les États particuliers et distincts. Le territoire était un, et les nations diverses ». Vint le bouleversement qui rendit possible l'uniformité de législation. Mais un temps de révolution est un temps de conquête, de violence, peu propice à l'établissement de lois faites pour durer. Ce temps est venu, grâce à un pacificateur que la France a le bonheur de posséder à sa tête. Et il continue :

« Mais quelle tâche que la rédaction d'une législation civile pour un grand peuple ! L'ouvrage serait au-dessus des forces humaines, s'il s'agissait de donner à ce peuple une institution absolument nouvelle, et si, oubliant qu'il occupe le premier rang parmi les nations policées, on dédaignait de profiter de l'expérience du passé, et de cette tradition de bon sens, de règles et de maximes, qui est parvenue jusqu'à nous, et qui forme l'esprit des siècles.

« Les lois ne sont pas de purs actes de puissance ; ce sont des actes de sagesse, de justice et de raison. Le législateur exerce moins une autorité qu'un sacerdoce. Il ne doit point perdre de vue que les lois sont faites pour les hommes, et non les hommes pour les lois ; qu'elles doivent être adaptées au caractère, aux habitudes, à la situation du peuple pour lequel elles sont faites ; qu'il faut être sobre de nouveautés en matière de législation, parce que s'il est possible, dans une institution nouvelle, de calculer les avantages que la théorie nous offre, il ne l'est pas de connaître tous les inconvénients que la pratique seule peut découvrir ; qu'il faut laisser le bien, si on est en doute du mieux ; qu'en corrigeant un abus, il faut encore voir les dangers de la correction même ; qu'il serait absurde de se livrer à des idées absolues de perfection, dans des choses qui ne sont susceptibles que d'une bonté relative ; qu'au lieu de changer les lois, il est presque toujours plus utile de présenter aux citoyens de nouveaux motifs de les aimer ; que l'histoire nous offre à peine la promulgation de deux ou trois bonnes lois dans l'espace de plusieurs siècles ; qu'enfin, *il n'appartient de proposer des changements, qu'à ceux qui sont assez heureusement nés pour pénétrer, d'un coup de génie, et par une sorte d'illumination soudaine, toute la constitution d'un état.* »

Il faut donc changer les lois avec prudence, et le législateur doit respecter (ou observer avec attention) « les rapports naturels qui lient toujours, plus ou moins, le présent au passé, et qui font qu'un peuple, à moins qu'il ne soit exterminé, ou qu'il ne tombe dans une dégradation pire que l'anéantissement, ne cesse jamais, jusqu'à un certain point, de se ressembler à lui-même ». « Plus ou moins », « jusqu'à un certain point » : ces indices et bien d'autres passages de ce discours montrent à quel point la pensée de Portalis flotte, car il sait fort bien qu'il est en train d'altérer la doctrine des droits subjectifs en introduisant dans les principes du droit naturel moderne ceux de l'école du droit historique (voir chapitre 5). Ces derniers principes, il en a pris connaissance lors d'un séjour de deux ans en Allemagne, après le coup d'État de fructidor (septembre 1797). Il voit bien que cette introduction pose problème, mais à quoi répond-elle ? Tout simplement à la nécessité de ranger la transformation des rapports civils née de la rupture de 1789 sous des principes politiques qui ne proviennent pas de cette rupture : il s'agit ni plus ni moins que de réduire la rupture politique créée par la constitution de la représentation nationale, qui n'est pas dans la continuité du social au politique. D'où cette référence aux éléments naturels-concrets qui définissent les peuples [5], et le fait que ce discours est en grande partie sinon essentiellement un hymne vibrant au mariage — présenté comme un véritable contrat, mais où toute l'ambiguïté de la notion de contrat éclate au grand jour — et à la famille. Et ce sont ces lignes si éclairantes pour notre propos, selon lesquelles « l'esprit de famille est si favorable, quoi qu'on dise, à l'esprit de cité. Les sentiments s'affaiblissent en se généralisant : il faut une prise naturelle pour pouvoir former des liens de convention. Les vertus privées peuvent seules garantir les vertus publiques ; et *c'est par la petite patrie, qui est la famille, qu'on s'attache à la grande* ; ce sont les bons pères, les bons maris, les bons fils qui font les bons citoyens ».

Cette analyse de Portalis reprend littéralement celle de Pufendorf : le droit de propriété engendre des devoirs que l'individu met en œuvre dans sa famille et dans la cité. La morale protestante rejoint le stoïcisme et le rigorisme janséniste qui, de Domat à Pothier, imprègnent l'ensemble de l'édifice civiliste qui aboutit au Code civil, imposant une morale sociale *entièrement tirée* de la morale individuelle. On voit ici à quel point la solution de continuité entre les individus, éléments de la nation, et la nation souveraine se trouve plus que contrebalancée par la continuité établie par Portalis et le Code civil entre la famille — groupe d'individus d'ordre privé — et la société formée de citoyens — groupe d'indi-

---

5. Et sa plaisante référence aux particularismes d'Ancien Régime à l'heure où la centralisation administrative atteint son apogée.

vidus d'ordre public [6]. La relation entre privé et public n'est pas la même sur le terrain du droit public, codifié par la Constitution, et sur le terrain du droit privé, codifié par le Code civil. Il est juste cependant d'ajouter que si la famille est traitée par le Code civil, quant au mariage, à l'autorité du père, aux successions, selon des modalités qui s'inspirent largement des solutions apportées par les juristes d'Ancien Régime, elle est en tant que groupement d'individus soumise à une organisation juridique définie par des lois qui procèdent de la souveraineté nationale. Le transfert de l'état civil des ministres du culte à l'autorité publique, l'instauration du divorce, la protection de la femme et des enfants (notamment en matière successorale), le statut des enfants illégitimes : autant de points qui font que la famille n'est pas un isolat au sein de la nation.

Il n'en demeure pas moins que le contraste est flagrant entre la rupture radicale advenue en 1789 dans l'ordre du droit public et la très large continuité avec l'Ancien Régime sur le plan du droit civil. Cette différence quant à l'abolition de l'Ancien Régime est à mettre en rapport avec la pensée des physiocrates, qui avaient un projet de rupture cohérent pour la suppression de la féodalité sur le plan économique et social, mais qui n'en avaient aucun sur le plan des institutions politiques. Les révolutionnaires français ont pu, dans l'ordre économique et social et dans le droit privé, s'appuyer sur un vaste travail accompli sous l'Ancien Régime par les juristes et la monarchie. Ils n'avaient rien de tel à leur disposition quant aux institutions politiques, pour lesquelles ils ont puisé dans des doctrines produites par des hommes qui n'étaient pas juristes (Locke, Mably, Rousseau). Le seul grand juriste chez lequel les révolutionnaires ont cherché des éléments sur le plan institutionnel est Montesquieu. Mais sans être négligeable, son influence sur la Révolution est limitée — aux modalités de la séparation des pouvoirs, à l'exercice de la fonction judiciaire —, et celle de Rousseau l'emporte de loin sur la sienne.

On l'a souvent remarqué : le Code civil, qui ne tient pratiquement aucun compte des biens immobiliers, était dès sa promulgation inadapté à la société industrielle en passe de naître. Il a donc

---

6. Il y a là un problème difficile, qu'on ne prétend pas résoudre ici sur le fond. Tout se passe comme si, à la fin du XVIIIe siècle et au début du XIXe, il s'agissait de tenter de concilier le droit naturel issu d'Aristote et la critique ravageuse qu'en a faite Guillaume d'Occam.

beaucoup changé depuis 1804 (et surtout à partir de la fin du XIXᵉ siècle), mais il a pu le faire sans heurts. Son évolution est conforme à sa gestation : cette « véritable constitution » des Français se transforme à l'anglaise ou à l'américaine, à coups d'amendements. Ce caractère du Code civil est à mettre en rapport avec un trait important de l'activité juridique théorique en France au XIXᵉ siècle : dès l'Empire apparaît le courant connu sous le nom d'école de l'exégèse qui, avec Toullier, Delvincourt, Aubry et Rau, etc., fournit un travail considérable de commentaires du Code civil, tandis qu'il faudra attendre 1835 pour voir se créer à la faculté de droit de Paris, à l'initiative de Guizot, une chaire de droit constitutionnel confiée à Pellegrino Rossi (chaire d'ailleurs remplacée en 1852 par une chaire de droit romain). Le travail théorique chez les juristes en matière de droit public date en fait de la seconde moitié du XIXᵉ siècle [7]. C'est certes une conséquence du despotisme de Napoléon, de la réaction opérée par la Restauration, mais plus fondamentalement c'est une conséquence de la situation héritée de la Révolution quant aux rapports entre ordre civil et ordre public. Le problème est tout différent dans les pays anglo-saxons, qui ne connaissent pas la distinction droit public-droit privé, et dans les pays germaniques qui, à part des voix isolées et sans influence politique réelle n'ont pas remis en cause l'Ancien Régime.

Le vaste mouvement de désacralisation de l'État et de la puissance publique a donc triomphé en France dans l'ordre privé, mais dans l'ordre public il n'a pu aller jusqu'au bout de son effort. Tout se passe comme si, dans le mouvement par lequel s'est formée la conscience nationale, entre le XVIᵉ et le XVIIIᵉ siècle, il existait un obstacle à l'achèvement de la construction de la nation dans l'ordre politique.

---

7. Voir les exposés de Jacqueline GATTI MONTI dans *L'Administration dans son droit*, Publisud, 1985.

4

Unité ou diversité ?

On a vu chez Claude de Seyssel une amorce de concrétisation de la nation, par la référence explicite à ses coutumes, à ses lois, à sa langue, à sa manière de vivre. Indiscutablement, au XVIᵉ siècle, la conscience de modes d'existence propres à une communauté existe. Le douloureux appel de la France de 1422, chez Alain Chartier, montre aussi que très tôt cette communauté était objet de sensibilité. Mais ces deux auteurs sont de l'entourage royal, et on trouverait difficilement une expression de cette conscience et de ces sentiments qui ne soient rapportés au roi, lien social par excellence. Comment en irait-il autrement ? Les auteurs qui nous permettent de saisir la conscience sociale au Moyen Age et au début de l'époque moderne sont des légistes, souvent ecclésiastiques, pour lesquels rien dans l'ordre humain ne se conçoit indépendamment de l'ordre divin, seul détenteur des significations.

Or, prendre conscience de la singularité d'une nation, c'est prendre conscience de la multiplicité et de la diversité des nations à la surface de la terre. Le plus souvent d'ailleurs, c'est au pluriel que nation est exprimé : « les nations », que les Écritures et l'histoire montrent innombrables depuis des temps immémoriaux. Comment concilier cette observation avec le fait que l'humanité est sortie d'un seul homme, Adam ?

Se pose donc la question des causes de diversification de l'espèce humaine en races et en nations. Nul besoin pour l'Europe médiévale de s'interroger : il y a les chrétiens, les juifs, les infidèles et les païens. Les hommes se sont divisés et disséminés sur la terre en conséquence de la malédiction de Babel. Par-delà cette division, l'unité de la Cité de Dieu perdure, et sur cette terre il appartient aux puissances qui ont reçu le message de la Rédemption de travailler à reconstituer l'unité du genre humain et d'œuvrer dans la cité terrestre à l'économie du salut. Mais dans le monde européen du XVIe siècle, où la cassure de l'unité chrétienne introduit un bouleversement radical, où le rêve d'unité impériale devient une chimère et où l'identité des royaumes s'impose comme une donnée politique fondamentale, le besoin se fait sentir de trouver des explications positives aux divisions de l'espèce humaine. Ce n'est certainement pas un hasard si on trouve chez le grand théoricien de la souveraineté absolue, Jean Bodin, en même temps que l'exposé d'une méthode scientifique en histoire, les premiers linéaments, avancés avec prudence et réserves, de ce qui deviendra la théorie des climats.

Cette célèbre théorie (Dubos, Arburnoth, Espiard, Montesquieu, Buffon, etc.) n'est rien moins que l'idée que les collectivités humaines, dans leur formation et leur évolution, obéissent à des déterminations physiques : climat au sens propre (chaud, froid, sec, humide...), topographie (montagnes, plaines, intérieur, littoral, grands fleuves constituant des bassins), nature du sol — avec son influence directe sur les végétaux et les animaux, donc sur la nourriture — et du sous-sol. Cette dernière partie de la série prend une grande importance dans la seconde moitié du XVIIIe siècle, qui voit se constituer la géologie, et elle connaîtra un grand essor au XIXe siècle, mais déjà Dubos dans ses *Réflexions critiques sur la poésie et la peinture* (1718) y avait largement recouru. « Climat » en définitive désigne ce que les géographes élaboreront au XIXe siècle sous le nom de « milieu » et même ce que les sociologues appelleront « environnement ». Soulignons cependant que la théorie des climats, en un sens étroit ou large, ne fera jamais l'unanimité. Turgot, Helvétius, Hume s'y opposent, de même plus tard Condorcet, Guizot, Sismondi et bien d'autres qui retiennent surtout l'état même du corps social, réalité humaine propre, et les modalités qui, à partir des mécanismes spécifiquement mis en œuvre dans la formation des langues et des idées, autonomisent la société par rapport à la nature minérale, végétale et climatique.

Mais l'idée dominante au XVIIIe siècle est que l'homme, apparu en un lieu précis (quelque part en Orient) a rencontré au fur et à mesure qu'il s'en éloignait [1] des conditions physiques qui ont pro-

---

1. Point de vue qui est celui des monogénistes, auxquels s'opposent les polygénistes, minoritaires, qui pensent que l'homme est apparu simultanément en plusieurs points de la terre. Sur tout cela, voir Tzvetan TODOROV, *Nous et les autres*, Le

duit des différenciations — de pigmentation de la peau, de taille, de langues, de mœurs, etc. Assez claire lorsqu'il s'agit d'« expliquer » les traits morphologiques, la théorie devient très sophistiquée quand on passe aux langues (la forme du larynx, la manière dont l'air frappe les cordes vocales : d'une façon plus vigoureuse chez les virils peuples du Nord, plus molle chez ceux du Midi, etc.) et encore plus aux caractères des peuples, à leur culture, leur religion... On ferait un florilège de toutes les absurdités auxquelles a conduit la théorie des climats, même chez les plus grands auteurs (les fibres de Montesquieu, secret de la vigueur des Francs). On lui doit quelques solides clichés : le Breton est mélancolique, sauvage, mystique et droit parce qu'il vit coincé entre une mer mauvaise, un sol granitique et un plafond bas, tandis que le soleil permanent rend le Méridional léger et rieur. Mais on voit aussi ce que cette théorie renferme de juste, inaugurant le grand débat sur la part des facteurs extérieurs et intérieurs — le milieu et l'hérédité — dans la formation de l'individu et des collectivités.

Dubos éclaire fortement la question lorsqu'il écrit : « C'est de tout temps qu'on a remarqué que le climat était plus puissant que le sang et l'origine. » La théorie des climats — au sens le plus large — prend en effet son essor au XVIIIe siècle, c'est-à-dire au moment où les vieilles théories aristocratiques sur le « sang épuré » sont mises à mal. Ces théories sont nées, en France, dans la seconde moitié du XVIe siècle lorsque, à travers les guerres de Religion, l'antique aristocratie féodale se transforme en noblesse, caste et bientôt classe, prétendant se séparer du reste de la société par des caractéristiques physiologiques supérieures, transmises de génération en génération. La théorie des climats est donc une puissante critique de ces prétentions, tant pour ce qui concerne les individus que les groupes sociaux à l'intérieur d'un peuple et les différents peuples. Les mythes d'origine chers aux théories aristocratiques cèdent la place aux processus de formation des peuples, à leur évolution (même si ces processus recourent eux aussi à d'autres mythes d'origine) ; et tandis que les théories raciques, plus tard racistes, sont hantées par l'idée de la dégradation — les mélanges impurs —, de la décadence et de la chute, par l'idée que les peu-

---

Seuil, Paris, 1989. L'ouvrage est passionnant comme tout ce qui sort de la plume de cet auteur, cependant le fait de traiter les idées et les théories comme si elles vivaient entre elles, dans un univers séparé du reste de la vie sociale, pose un problème. On retrouve là un mode d'approche analogue à celui pratiqué par Léon Poliakov dans ses études sur les mythes raciaux.

ples naissent, croissent et meurent, la théorie des climats tout au contraire contient l'idée de progrès indéfini — par une adaptation sans cesse meilleure de l'homme aux conditions physiques dans lesquelles il vit, par une meilleure utilisation des ressources naturelles.

Le débat entre Dubos et Boulainvilliers sur les origines de la société française — issue de la Gaule romaine pour Dubos, de la conquête franque pour son adversaire, selon les courants romaniste et germaniste promis à un bel affrontement jusqu'à la seconde moitié du XIXe siècle — repose sur une opposition plus profonde et sans doute moins simple qu'on ne la présente habituellement : la nature de Dubos est essentiellement humaine et sociologique, celle de Boulainvilliers métaphysique et essentialiste. Sur les théories sur la race comme sur la théorie des climats, il existe des travaux importants, mais ces questions demanderaient à être reprises, et nous manquons de véritables synthèses. Or ce sont là des questions capitales car, loin d'être de pures théories abstraites, voire des élucubrations de coupeurs de cheveux en quatre, elles avancent des idées qui ont fortement nourri des attitudes dans le domaine de la politique la plus concrète. C'est une partie importante de l'affrontement entre aristocratie et bourgeoisie en Europe du XVe au XVIIIe siècle.

On a longtemps présenté le XVIIIe siècle comme celui de la raison, et généralement d'une façon péjorative, comme ce fut le cas chez les romantiques. C'est une grande erreur, dénoncée depuis longtemps. Le siècle de la raison, c'est le XVIIe qui, avec Galilée, Grotius, Descartes, Port-Royal, Malebranche, Hobbes, Newton, Spinoza, Leibniz, nous offre le spectacle sublime d'une volonté de mathématiser l'univers créé par Dieu, de mathématiser Dieu lui-même, en fait. Le XVIIIe siècle, c'est celui de la nature appréhendée par la chimie, la physiologie, la zoologie, la botanique, etc., mais aussi par les sentiments, les émotions, les effusions, psychologiques, esthétiques, tout ce dont les romantiques s'attribueront la paternité alors qu'ils ne sont que les rejetons exténués du mouvement qui les a créés [2]. Nous le savons de mieux en mieux par les travaux qui, surtout chez les historiens de la littérature, envisagent

---

2. Depuis le XVIIe siècle, les jésuites ont beaucoup joué sur les émotions et les effusions ; néanmoins la recherche de l'émotivité profonde commence avec Fénelon et Jean-Jacques Rousseau.

la période charnière 1770-1830 au lieu de pratiquer la coupure chère aux historiens tout court (en France du moins) de 1789, coupure capitale certes, dans l'ordre de l'événement, mais bien peu propice à la compréhension de la période.

Il est néanmoins un point sur lequel les romantiques ont apporté au problème de la nature un élément propre et capital eu égard à ce qui nous intéresse ici : l'histoire. Ce n'est pas que le XVIII⁰ siècle l'ait ignorée, bien au contraire : les formidables travaux des bénédictins de Saint-Maur se continuent jusque vers 1770, ainsi que ceux des bollandistes ; l'Académie des inscriptions fournit une œuvre considérable ; Leibniz (qui appartient autant au XVIII⁰ qu'au XVII⁰) est l'un des fondateurs de l'historiographie allemande ; Rymer, historiographe du roi d'Angleterre en 1692, lance avec les *Rymer's Foedera* (1704-1713) le modèle des grands recueils de documents historiques, Hume ouvre les études modernes sur l'histoire de la Grande-Bretagne, qui avec Gibbon donne au monde à la fin du siècle une colossale histoire de l'Empire romain, etc. Lorsque Augustin Thierry entreprend ses grands travaux sur les communes, il a derrière lui les vastes chantiers ouverts par Bréquigny dans la seconde moitié du XVIII⁰ siècle, et, comme le rappelle B. Barret-Kriegel, la découverte de Champollion a été préparée de loin par Fréret et ses collègues de l'Académie des inscriptions.

Mais le but poursuivi par l'histoire au XVIII⁰ siècle est précis : mettre en évidence les invariants, la « structure » de la nature humaine. De sorte que l'histoire au XVIII⁰ siècle est aussi peu « historiciste » que possible, l'idée de devenir en est absente, tandis qu'elle est dès lors au centre des sciences naturelles. La phrase célèbre qui ouvre la première partie de *L'Esprit des lois* est tout un programme : « Les lois, dans la signification la plus étendue, sont les rapports nécessaires qui dérivent de la nature des choses. » C'est cela qui est postulé par la théorie des climats : entre l'ordre matériel, physique, et l'ordre social et politique, il existe des rapports nécessaires. Ces rapports sont universels dans le temps et dans l'espace, ils apparaissent dès que l'on dépasse la singularité de telle époque, de tel peuple, de telle race. L'espoir placé par le XVIII⁰ siècle, Leibniz en tête, dans la découverte d'une langue universelle qui surgirait de la confrontation systématique de toutes les langues connues, vivantes et mortes (et qui serait la résurrection d'une langue primitive commune à toute l'humanité d'avant la dispersion) est l'un des aspects les plus spectaculaires de ce postulat.

De même la recherche des fondements humains de la religion pardelà les diverses croyances, et cette idée que même dans les religions les plus apparemment éloignées du christianisme — en Chine par exemple, ou chez les Indiens d'Amérique —, on peut retrouver les traces d'un credo universel, d'avant la Chute. Idée qu'exprime au XVIIᵉ siècle entre autres Pierre-Daniel Huet, l'un des fondateurs de la littérature comparée, et qu'on retrouve en plein cœur du XIXᵉ chez Lamennais.

L'attitude intellectuelle qui est à la base de ce mouvement est la référence à la loi naturelle, d'où se tire ce droit naturel dont nous avons vu la portée. Il en résulte que le XVIIIᵉ siècle pose la diversité des nations, mais n'y met rien qui correspondrait à notre idée de « spécificités nationales ». Ce qui pour les gens des Lumières serait spécifique au sens de fermé à toute influence extérieure, d'origine strictement endogène, ce seraient les lignées royales et aristocratiques, ces tiges d'une nature qualitativement différente du reste du genre humain ; pour les tenants de l'idée de race, cette nature spécifique est fondée dans la nature, elle est à protéger et à réactiver ; pour leurs adversaires, elle résulte de ce que ces hommes se sont eux-mêmes par leurs pratiques de caste (mariages notamment) mis à part du reste de l'humanité, et elle est à critiquer et à abolir. Les révolutionnaires français distingueront la partie du peuple qui peut être « régénérée » et celle, ultraminoritaire, qui doit être coupée, comme on coupe une branche morte.

La pensée du chancelier Daguesseau est bien caractéristique de la manière dont le XVIIIᵉ siècle situe la nation. Prenons la dixième de ses *Méditations métaphysiques* (écrites entre 1722 et 1727). Il y pose comme première la société formée par tout le genre humain, « uniquement fondée sur les liaisons communes que la nature a formées entre tous les hommes ». C'est d'abord vers cette société que l'amour des hommes doit être dirigé. Mais ils ont aussi des devoirs envers « ces sociétés moins étendues qui ne sont formées que d'une seule nation soumise à un même gouvernement ». A la première société correspond le droit naturel, aux secondes correspond le droit des gens, constitué « dans les règles que l'amour raisonnable d'une nation pour elle-même lui prescrit, soit à l'égard des peuples qui l'environnent, soit à l'égard de ceux qu'elle renferme en son sein ». « Ce n'est point, continue-t-il, la nature qui a divisé la terre en royaumes ou en républiques », mais la volonté positive des hommes. Le droit des gens, ou droit des nations, n'est donc pas tout le droit naturel, mais il doit lui convenir. En effet, les nations ont toutes en leurs intérêts « quelque chose qui leur est commun, ou en quoi elles conviennent toutes, et quelque chose qui leur est propre, ou en quoi elles diffèrent l'une de l'autre ». Ce qui les différencie, c'est la forme du gouvernement, de l'administration publique, les modalités de l'impôt, etc. Et ce qui leur est commun, c'est ce qui touche à la perfection des habitants, à leur sûreté, à leur bonheur. De sorte, conclut-il avec une clarté admirable, que « ce que j'appelle donc ici le droit des gens [3], pour le définir avec plus de précision, n'est autre chose que l'application des règles du droit naturel à ces grands corps qui forment les nations ».

Et Daguesseau de chercher, par une fine dialectique entre droit naturel et droit des gens, comment doit être trouvé le salut de la patrie, devoir premier du citoyen, par l'accord du peuple et du souverain — l'un et l'autre devant se conformer au droit naturel —, salut qui ne peut par essence contredire le salut du genre humain tout entier. Il en résulte entre autres que « les lois qui composent ce qu'on appelle le droit civil de chaque pays ne peuvent avoir que deux objets principaux : l'un est l'explication du droit naturel [...], l'autre est l'explication du droit des gens ». Le ressort profond de l'accord entre les deux est l'amour (de soi, de sa patrie, de l'humanité) en quoi l'on reconnaît chez Daguesseau l'héritage de Domat qui a cherché à fonder le droit sur le christianisme. Bien entendu, Daguesseau est hostile à la guerre de conquête, seule la défense est légitime.

Cette pensée est grande, et d'autant plus importante que Daguesseau n'est pas seulement un théoricien. Chancelier, il a mis en œuvre des ordonnances qui anticipent le Code civil, et il a mis en chantier les grands travaux historiographiques menés à l'Académie des inscriptions, destinés comme on l'a vu à dégager le droit — public et privé à la fois — de la monarchie. Au fond, ce que Daguesseau tente de penser, en grand commis de l'État qu'il est, c'est un État qui demeure tel dans une société qui est en train de le désacraliser. Mais la priorité qu'a chez lui le droit privé, comme

---

3. Du latin *jus gentium*, dont on a maintes fois souligné que la traduction par « droit des gens » était étrange et ambiguë. *Gentium* vient de *gens*, qui est la famille romaine au sens large, le clan, et n'a rien à voir avec l'individu ou « les gens ».

chez son maître Domat et son héritier Pothier, montre toute la difficulté de mener à bien ce projet.

En fin de compte, Daguesseau ne se demande pas pourquoi il y a des nations. Il le constate, et aussi qu'il existe des souverains chargés de faire des lois positives pour le bien des citoyens (le terme est sous sa plume) de leurs États. En ne faisant pas dériver de la nature la division de la terre en États, il récuse la théorie des climats, et il n'en propose pas une autre. Mais par son effort de penser la relation droit naturel-droit des gens, il marque son éloignement des théories aristocratiques de la race, qui se servent de l'histoire pour justifier leur domination sociale et politique. C'est un légiste et un pragmatiste, plus soucieux d'aboutir sur le terrain législatif que de théorie. Et ce n'est pas un cosmopolite, son insistance sur le devoir prioritaire du citoyen envers sa patrie en fait foi.

Cette attitude se retrouve chez l'abbé Grégoire, proposant à la Convention le 23 avril 1793 de rédiger une Déclaration du droit des gens : « Le cosmopolitisme de système et de fait n'est qu'un vagabondage physique et moral ; nous devons un amour de préférence à la société dont nous sommes membres » ; « la patrie conserve nos vies et nos fortunes, il y a réciprocité dans les obligations » (interprétation subtile et intéressante du contrat social, qu'on trouve aussi chez Daguesseau). Mais « le patriotisme n'est point exclusif », il n'empêche pas de « resserrer les nœuds de la fraternité entre les diverses sections de la famille humaine ». « La société primitive s'est divisée en plusieurs sociétés particulières », mais il y a une « loi de la sociabilité entre les peuples [qui] n'est autre que la loi naturelle appliquée aux grandes corporations du genre humain ». Et il propose, sans être suivi par la Convention, de « déclarer solennellement les droits des nations ».

Pas plus que Daguesseau, Grégoire ne se demande comment « la société primitive » s'est divisée en sociétés particulières. Son rejet du cosmopolitisme (au passage, il s'en prend à Fénelon) le conduit en fait à réaffirmer l'universalisme qui est le fond de toute la pensée des Lumières. Et lorsque Hume étudie l'histoire d'Angleterre, Gibbon celle de Rome, Voltaire le siècle de Louis XIV, que font-ils d'autre que chercher à mettre en évidence les principes fondamentaux de la civilisation ? Là où l'accent se porte sur les caractères particuliers des États, c'est lorsque l'histoire cherche à dégager des principes politiques, comme chez Boulainvilliers, Montesquieu. Mais même dans ces cas, ce qui est recherché en définitive, ce sont les lois fondamentales de la nature, comme Bossuet cherchait la Loi de Dieu à travers les peuples qui ont incarné l'histoire universelle. Ce qui est frappant quand on lit Hobbes, Spinoza, Daguesseau, Rousseau, c'est l'absence à peu près totale de toute analyse de sociétés particulières en tant que telles. Si cela intervient, ce n'est que comme exemple.

Dans un essai sur *L'Idée de peuple en France du XVIIe au XIXe siècle*[4], Gérard Fritz croit pouvoir écrire que les *Considérations sur le gouvernement de la Pologne*, de Jean-Jacques Rousseau, est « le premier manifeste "nationaliste" ». Si G. Fritz veut dire que ce texte introduit à la littérature nationaliste du XIXe siècle, rien n'est plus faux. Certes, Rousseau commence par dire que chaque pays doit se doter d'une constitution qui lui soit spécifique, qui soit appropriée à son peuple défini comme singulier. Mais ce n'est là qu'un vœu, une pétition de principe formulée au début du texte. Par la suite, Rousseau nous donne un traité de droit constitutionnel dans la grande tradition du XVIIIe siècle. On chercherait vainement dans tout l'ouvrage la moindre allusion à la géographie, à la langue, aux mœurs, aux coutumes, à l'histoire, à la littérature, à la religion, à l'ethnographie, à la sociologie de la Pologne. Dans son essai sur la constitution de la Corse, on trouve au début, dans sa description géographique et économique de l'île, quelques notes allant dans le sens d'une approche de type XIXe siècle. Mais il ne s'agit que d'une introduction au problème qui seul véritablement l'intéresse : la possibilité de fonder un partage égalitaire des terres et une économie agraire aux antipodes de la vie urbaine honnie. Enfin, si l'on regarde l'*Essai sur l'origine des langues* de Rousseau, là encore on reste pleinement dans le XVIIIe siècle : on n'y trouve rien qui annonce l'approche historiciste et philologique qui démarre avec Grimm, Rask, Diez, etc.[5]. Qu'il y ait chez Jean-Jacques une sensibilité qui facilitera l'essor du romantisme, soit, mais il demeure tout entier, en opposant, dans le monde des Lumières.

---

4. Presses universitaires de Strasbourg, 1988. Le livre est intéressant, rempli de notations justes, mais sa volonté d'opposer une nation française dans le droit fil de la raison à une nation allemande dans le droit fil de l'irrationnel le conduit à l'impasse.

5. Cette approche existe au XVIIIe siècle, chez Court de Gébelin par exemple, mais en raison de ses erreurs et de ses outrances, elle n'est pas fondatrice.

Le cas de Leibniz est très différent. Il appartient d'autant plus à cet universalisme (qu'on ne dira pas abstrait, comme la langue de bois invite à le faire) qu'il est d'abord un homme du XVIIe siècle, et l'un des plus sublimes protagonistes du débat entre la raison et la nature créée par Dieu. Mais son refus du mécanisme cartésien, sa critique de la théorie de la force et du mouvement vont le conduire à une position qui échappe totalement au XVIIe siècle et nous introduisent à un mode de pensée des rapports du particulier et du général en rupture totale avec l'universalisme que nous avons vu jusqu'à présent. Le mouvement que nous allons décrire ne procède pas seulement de Leibniz, mais c'est lui qui en a donné la formulation la plus poussée, si subtile d'ailleurs que ses « disciples » n'en sauront pas maintenir toutes les exigences, et que le leibnizianisme va donner lieu à toutes sortes de glissements, parfois pitoyables, que Leibniz lui-même n'aurait évidemment pas acceptés. Comme l'écrit à son propos Yvon Belaval, « c'est dans la confusion qu'un auteur se diffuse ».

Nous n'aborderons évidemment ici que les aspects de l'œuvre de Leibniz qui concernent notre sujet, mais il faut les replacer dans l'ensemble de cette œuvre immense, la plus ambitieuse de son temps, qui n'était rien moins que la volonté de *prouver* la divinité du christianisme. Infiniment sensible au double caractère de tout ce qui est dans l'univers perceptible, l'unité et la diversité, il ne pouvait pas ne pas s'intéresser aux caractères distinctifs des communautés humaines. Juriste, philosophe, théologien, mathématicien, il devient en 1685, et jusqu'à sa mort en 1716, historiographe du duc de Brunswick qui le charge d'écrire l'histoire de la maison de Hanovre. Celle-ci étant liée à celle des Este, il voyage en Italie de 1687 à 1690 pour collecter des sources. Là il noue des contacts qui avivent un intérêt déjà ancien pour les fossiles et la géologie, et au retour son projet historiographique s'élargit : étudier d'abord l'histoire naturelle et originelle de la Basse-Saxe, des pays entre Elbe et Weser, autrement dit faire l'histoire du sous-sol et du sol avant d'aborder celle de ses habitants et de leurs institutions.

Il en résulte en 1691-1692 un ensemble de notes et un texte qui, partiellement publié en 1693 dans le *Journal de Leipzig*, restera inédit jusqu'en 1749 (il fut cependant connu en France à l'Académie des inscriptions en 1719). Il s'agit du court ouvrage en latin connu sous le nom de *Protogaea*, dont une traduction française paraîtra en 1859 sous le titre *Protogée ou De la formation et des révolu-*

tions du globe. Leibniz y pose les fondements de la géologie, tentant de concilier les théories neptuniennes (le travail des eaux) et vulcaniennes (le travail du feu central) promises à un bel avenir. Il envisage l'érosion, le travail des fleuves et des volcans, la sédimentation, l'action des vents. Il aborde aussi la question des fossiles, qu'il reconnaît comme des restes d'animaux ayant vécu dans les mers, récusant au passage toutes sortes de théories sur les « jeux de la nature » imitant des formes animales ou produisant spontanément de l'animé à partir de l'inanimé. L'ouvrage est illustré de nombreux dessins de fossiles animaux et végétaux découverts par les mineurs.

C'est surtout l'occasion pour Leibniz de récuser les idées de génération spontanée, d'origine épicurienne et qui vont être si en vogue au XVIIIᵉ siècle, et de poser l'idée d'une transformation des espèces animales, puisque les fossiles nous montrent des formes disparues. Pour lui, la structure vivante « naît toujours d'un germe produit par un être semblable, comme étant formé à l'avance ; et tout ce qu'on a pu dire sur les vertus prolifiques de la putréfaction et sur d'autres générations équivoques n'est qu'invention aussi grossière qu'erronée ». Leibniz sera toujours le tenant d'une création divine achevée une fois pour toutes, et se reproduisant ensuite par ses propres lois de génération en génération (il ne nie pas le miracle, mais celui-ci ne peut être que très exceptionnel).

Cette analyse est révolutionnaire en ce que, systématisant et enrichissant des observations faites avant lui, il pose deux principes fondamentaux :
— Il y a continuité du vivant, de Dieu à l'animal, de l'animal à l'humain (puis, ajouterons-nous par référence à d'autres écrits du philosophe, de l'humain à Dieu par l'intermédiaire d'êtres subtils tels les anges) ; c'est le principe de continuité : la nature ne fait pas de sauts ;
— La configuration des sociétés humaines à la surface de la terre ne peut être séparée de ce qui est au-dessous de cette surface.

Il y a là une importante construction, qui enracine l'homme dans la nature physique et en fait une partie de cette nature (quoi d'étonnant si Marx admirait tant Leibniz[6] ?). Mais en posant l'origine divine, Leibniz se sépare des interprétations matérialistes et sauve l'homme des déterminismes étroits posés par la théorie des

---

6. Nonobstant le fait que Marx ait consacré sa thèse à Héraclite, philosophe épicurien.

climats. La nature de Leibniz est entièrement spiritualisée, elle est à la fois matière et esprit.

Avant de voir les implications de cette vision, posons un autre aspect des travaux de Leibniz, conséquence aussi de son entreprise historiographique. En effet, de même qu'il a élargi son sujet de l'histoire humaine à l'histoire de l'humanité dans la nature et dans la terre, il est passé de l'histoire de la maison d'Este-Brunswick et du Hanovre à l'histoire de l'Empire germanique, puisque les ducs de la maison de Brunswick, qui remonte à Henri le Lion, ont été constamment mêlés à l'histoire de l'Empire. D'où la question : que sont les Allemands, et d'où viennent-ils ? Ce qui conduit Leibniz d'une part vers l'origine des Francs, peuple à partir duquel s'est formé l'Empire germanique, d'autre part vers les langues d'Europe, car selon lui le facteur linguistique a été dès le début de l'Europe moderne un élément clef de discrimination.

Son champ d'étude s'élargit sans cesse — c'est la marque même de Leibniz que de vouloir tout saisir de la réalité perceptible pour en tirer les lois divines enfouies dans le sein des structures visibles —, et il en vient à constituer deux groupes à la fois linguistiques et ethniques : le groupe japhétique au nord, le groupe araméen au midi. Le groupe japhétique forme l'ensemble celto-scythe, comprenant les Scythes (Turcs, Sarmates, Finnois) et les Celtes, qui sont composés des Gaulois et des Germains. Toutes les études de Leibniz sur l'origine des Francs se situent à l'intérieur de cette unité postulée des Gaulois et des Germains, et vont donner lieu à une multitude d'articles dont les plus importants publiés de son vivant paraissent de 1710 à 1716.

Là encore le lien à la nature est fort, puisque Leibniz refuse la théorie de l'arbitraire du signe linguistique, et consacre de nombreuses pages à montrer comment les langues sont l'expression même de la nature par le rapport intime entre les sons et les choses. Il accorde une grande importance aux onomatopées ; il tente, par exemple, de mettre en rapport le son du mot allemand *Schlaf* (sommeil) avec le bruit léger et propre à endormir du murmure de l'eau qui court. Ces approches se retrouveront chez Herder, grand lecteur de Leibniz, dans son *Traité sur l'origine de la langue* (1770).

Ce n'est pas ici le lieu de faire la critique des théories historiographiques et linguistiques de Leibniz[7]. En leur temps, ces théo-

---

7. Voir en particulier Sigrid VON DER SCHULENBURG, *Leibniz als Sprachforscher*, paru en 1973, et Daniel DROIXHE, *La Linguistique et l'appel de l'histoire*, 1978.

ries ont fait l'objet de débats, notamment l'assimilation des Gaulois aux Germains qui a valu, entre autres, à l'illustre philosophe une réplique du père Tournemine parue dans le *Journal de Trévoux* en janvier 1716 : s'il y a une parenté entre les deux peuples, c'est parce que les Germains sont en fait des Gaulois qui passèrent le Rhin sous Sigovèse, « l'origine des Français [à la fois Francs et Français] est donc toute gauloise ». Thèse déjà exposée au XVIe siècle, nourrissant une belle querelle qui ne sera pas encore éteinte sous le second Empire.

Moins que la critique, c'est la portée des théories de Leibniz au XVIIIe siècle qui nous intéresse ici. Elle doit être appréciée sur deux plans : celui, général, concernant la signification de la nature ; celui, plus particulier, des distinctions nationales.

Concernant le premier point, Leibniz, « critique de Descartes » selon le titre d'un livre fameux d'Yvon Belaval, pose une construction d'une ampleur impressionnante. Si le XVIIe siècle avait été celui du mécanisme, le XVIIIe est celui du vitalisme et de l'organicisme. En France comme en Angleterre, un peu plus tard en Allemagne — qui a du mal à se débarrasser de la scolastique mélanchthonienne —, se développent des visions matérialistes de la nature, liant l'inanimé à l'animé, le matériel au spirituel. Locke, contre sa visée première, est l'un des grands responsables de ces visions, édifiées à partir du primat de la sensation. Qu'est-ce qui sent ? Un être complet, doté d'une âme et d'un esprit immatériel, ou seul le corps qui informe cette substance spirituelle ? Et si c'est le corps, est-ce le corps tout entier, ou chacune de ses parties ? Et si c'est chacune de ses parties, si un os, un ongle, un cheveu sentent, alors pourquoi pas un chien, une feuille d'arbre, un caillou même ne sentiraient-ils pas puisque aussi bien, même si l'unité cellulaire du vivant ne sera mise en évidence qu'au XIXe siècle, l'idée de la structure atomistique de toute réalité fascine les esprits. On sait jusqu'où Diderot, dans *Le Rêve de d'Alembert*, poussera la « rêverie » à cet égard, on sait jusqu'où Helvétius poussera le matérialisme, heurtant même Diderot par sa dissolution de la conscience humaine dans la matière. Mais c'est tout le siècle qu'il faudrait passer en revue, fasciné par les polypes (ces « animaux-plantes » qui se régénèrent à partir d'un seul morceau) et par tout ce qui concerne la génération et les formes hybrides de la création, fusionnant, selon l'esprit du temps, plusieurs règnes en un seul corps.

Or Leibniz a fourni à toutes ces questions une réponse fort complexe, dont les idées-forces sont : la continuité de la nature,

la théorie des « petites perceptions » (il y a des perceptions incons-
cientes, l'être vivant vit d'une vie multiforme qui perçoit et les
constituants élémentaires et l'unité), et enfin l'admirable construction de la monade. Les monades qui « sont les véritables atomes
de la nature et en un mot les éléments des choses ». Dans son édition de *La Monadologie*, Émile Boutroux annote : atomes physiques très différents de ceux de Démocrite, ayant « l'unité sans
l'étendue », « une unité véritable et, au lieu d'une existence purement phénoménale, une existence interne et substantielle ». La
monade de Leibniz, on le sait, est dotée de l'*appetitio* et de la *per-
ceptio*, c'est donc une substance ouverte sur le monde, même si les
monades ne communiquent pas entre elles. C'est ici que Leibniz
atteint le sommet de sa construction : chaque monade est perçue
par les autres et les perçoit, elle trouve en chacune des autres une
image partielle de la perfection vers laquelle elle tend et, sans rien
incorporer de l'extérieur, puisqu'il n'y a pas d'échange entre elle
et le monde, elle tend à se « mouler », s'harmoniser à l'image du
monde que lui offrent toutes les autres monades ensemble, pour
réaliser le maître mot de la pensée de Leibniz : l'harmonie universelle. Ainsi l'unicité absolue du Dieu des chrétiens est-elle entièrement vécue à travers la diversité absolue de la nature.

Cette vision grandiose et subtile — trop subtile — est d'un intérêt capital pour la manière dont le XVIIIe siècle a posé le problème
de la diversité et de l'unité du genre humain, partie de la nature.
Sans rien céder ni au mécanisme ni au matérialisme, Leibniz
concilie la diversité et l'unité de la matière et du vivant, l'harmonie du corps et de l'âme, de la partie et du tout. Par la monade,
il fait passer le spirituel (par les facultés de perception et de désir
que possède la monade) au sein du matériel. Le matériel extérieur
à l'individu humain : la nature physique, géographique, la langue
et les langues, les peuples au sein desquels tout individu naît et
grandit ; mais aussi le matériel intérieur à cet individu : son propre corps, entité singulière en même temps que lieu de la diversité.

Les spécialistes de Leibniz débattent sur l'existence ou non d'une
relation interne entre sa philosophie et ses travaux historiographiques. Bornons-nous à remarquer ici que, seul de tous les grands
penseurs du XVIIIe siècle, il nourrit ses analyses les plus abstraites
de faits historiques, ethniques, linguistiques, c'est-à-dire de faits
singuliers, contingents, uniques. Ces faits ne sont pas chez lui des
exemples, des métaphores, ce sont les modes mêmes d'incarnation
du divin et du spirituel car il n'en est pas d'autres. De sorte que

chez lui l'histoire humaine, si en dernière analyse elle demeure le paradigme de la grandeur de Dieu, ne l'est qu'à travers les singularités événementielles.

L'œuvre de Leibniz fut fort mal connue au XVIIIᵉ siècle : seuls (à part la *Théodicée*) des articles parurent de son vivant, quelques recueils suivirent de peu sa mort, mais il faudra attendre 1765 pour voir paraître les *Nouveaux Essais sur l'entendement*, écrits contre Locke, et l'édition Dutens des *Opera omnia* en quatre volumes (1768) pour que l'Europe commence véritablement à prendre la mesure de l'homme et de son œuvre (comme on sait, l'édition des œuvres complètes de Leibniz n'est pas près de voir le jour ; c'est, en partie, la rançon d'une œuvre trop immense). Son influence fut médiocre en France (Buffon et Diderot eurent cependant en main la *Protogaea*) et Voltaire n'eut pas trop de sarcasmes envers le « docteur Pangloss ». En revanche, elle fut énorme en Allemagne. Et c'est là que commencent les glissements par lesquels les conceptions universalistes de la nation propres au XVIIIᵉ siècle vont faire place à des théories particularistes, qui entendent aussi maintenir un universalisme, mais d'une tout autre nature que celui du siècle des Lumières[8].

Ce nouvel universalisme, qui apparaît au XIXᵉ siècle et s'épanouit au XXᵉ, porte un nom : l'internationalisme. Bien que, comme le font remarquer les juristes, ce qui est qualifié d'international concerne en fait les relations entre États, la référence au fait national n'est pas usurpée. Il n'est en effet aucun État, quelle que soit la manière dont la chose se concrétise, qui ne se reconnaisse comme la nation organisée. Or qu'est-ce que la nation ? C'est un ensemble qui lie un territoire délimité et la population qui y vit, ses traits de caractère, ses coutumes, sa ou ses langues, ses valeurs intellectuelles et spirituelles communes (harmonieuses et conflictuelles), ses institutions et ses lois[9]. Chacun de ces ensembles est tenu pour spécifique, ce qui veut dire que les éléments qui précèdent

8. L'universalisme des Lumières est directement universaliste, celui du XIXᵉ siècle passe par la médiation de la nation. Mais celle-ci est tantôt considérée comme l'expression de la totalité humaine réalisée dans un modèle parfait (l'Allemagne des romantiques, la France de Michelet et de Hugo), tantôt comme une expression singulière concourant avec les autres nations à la formation de ce tout. Voir sur ce débat l'ouvrage de T. TODOROV cité plus haut.

9. Ce n'est pas ma définition, c'est là ce que les XVIIIᵉ et XIXᵉ siècles entendent par nation.

sont présents dans toutes les nations, mais qu'ils se combinent dans chacune d'une manière originale et irréductible dans l'instant. De sorte que l'humanité dispose d'un « stock » quasi inépuisable de formes d'existence vécues par chaque ensemble national et susceptibles d'être adoptées, et adaptées, par les autres. Les combinatoires des jeux de miroir des monades (pour Herder, la nation est une monade) sont infinies.

Telle est de fait la situation jusqu'à nos jours. Si en effet l'introduction en France du jazz, du blue-jean, du couscous ou de la paella ont pu se faire sans que l'État ait à en connaître et le Parlement à en légiférer, c'est que ce sont là des domaines où la vie de la société civile s'exerce en toute liberté individuelle [10]. Ce qui tient à ce que la possibilité de manger un couscous ne porte en rien atteinte à celle de manger un bœuf bourguignon. D'une autre portée est ce qui entraîne un abandon de fait — publier un article scientifique en français n'est pas interdit par la loi mais devient de fait de plus en plus difficile —, *a fortiori* ce qui résulte d'un changement de législation, comme le met en œuvre l'intégration européenne. La rencontre des diversités mène dans un cas à leur addition, et dans l'autre à leur suppression. Là, on enrichit ; ici, on appauvrit.

Mais ce sont là des questions qu'on reprendra plus loin. Car pour pouvoir les poser en pleine connaissance de cause, il nous faut d'abord voir comment les nations se sont constituées. La littérature sur le sujet étant immense (et ayant remarquablement peu produit de connaissances utilisables pour faire avancer l'analyse, du moins jusqu'aux dernières décennies), on cherchera seulement ici à définir les principes du mouvement. L'essentiel tient à ce que Bernard Guenée écrit en parlant du Moyen Age et qui vaut plus encore pour l'époque moderne : c'est l'histoire, et ce sont plus précisément les historiens qui ont dominé le processus de constitution des communautés humaines en nations. La démarche de Leibniz est ici fondatrice : alors que, dans son travail sur la maison de Hanovre, il partait d'une analyse fondée sur l'époque moderne, il fut conduit à devenir un médiéviste puis à plonger dans l'immensité des temps géologiques. Habitué à la relative rapidité du travail mathématique, il pensait mener à bien en deux ans son travail d'historiographe. Il y engouffra toute sa vie, et ses fameuses

---

10. Ce n'est pas le cas partout : voir les pays de l'Est jusqu'à une époque récente, et les pays musulmans.

Annales Imperii, qui ne seront publiées par Pertz qu'en 1843, le menèrent fort péniblement jusqu'à l'année 1005. Mais ce qui compte, c'est qu'il fut conduit à constituer un domaine unique avec l'histoire du sous-sol et du sol, l'histoire géologique, ethnique, linguistique, politique et institutionnelle. L'histoire de la nation moderne commence avec Leibniz.

Le principe de la continuité du matériel au spirituel trouvait là en effet un terrain particulièrement fécond. De même la théorie des petites perceptions, à partir de laquelle on pouvait établir qu'une multitude d'éléments discrets pouvait, une fois réunis et organisés, permettre de passer d'un niveau d'inconscience (le travail de la nourriture et du climat sur les flexions de la voix et l'évolution spontanée de la langue d'une génération à l'autre) à celui des productions les plus élaborées (littérature, institutions, croyances). Leibniz lui-même était trop intelligent, trop prudent, et surtout trop soucieux de ne rien réduire abusivement, pour verser dans un déterminisme grossier. Le principe spirituel qui anime la monade dès l'origine de la création et sa théorie de la force et du mouvement venaient chez lui à tout instant contrebalancer ce qui pouvait basculer soit dans le mécanisme matérialiste, soit dans un organicisme où force et esprit se dissolvaient en un principe vital, comme il apparaît dans la seconde moitié du XVIIIe siècle sous l'influence du néo-spinozisme et dans ce qui va s'épanouir en Allemagne pour culminer dans la *Naturphilosophie* dont l'œuvre de Schelling, avatar de la philosophie romantique, sera le couronnement.

La construction de Leibniz était en effet trop exigeante, elle obéissait à une inspiration trop foncièrement chrétienne, violemment mise en cause par les Lumières sur sa gauche et par la théosophie sur sa droite, pour pouvoir être maintenue dans son intégrité, d'autant que ses successeurs n'eurent souvent de sa pensée qu'une connaissance fragmentaire et appauvrie par ses disciples (Wolff le premier). L'idée de continuité semblait fournir à l'historicisme un solide garant philosophique, d'où l'essor d'une historiographie proprement nationale en Allemagne d'abord — ici, elle prend la tête —, dans le reste de l'Europe à sa suite. Cette historiographie pose les nations comme des organismes singuliers, entités fermées se développant à partir de leurs propres origines et suivant leurs propres lois internes, mais étant les unes par rapport aux autres comme les monades : chacune tendant à l'autre (et à toutes les autres) un miroir dans lequel elle se regarde, elle-même et autre à la fois. Celui qui a le mieux exposé cette vision est Herder, dans ses *Idées pour servir à la philosophie de l'histoire de l'humanité* (1784-1791), un Herder qui reste fidèle (en dépit des analyses souvent désolantes par leurs réductions qu'en a faites Max Rouché) aux exigences universalistes. Mais les romantiques qui ont puisé dans son œuvre n'auront pas les mêmes exigences, et Herder lui-même autorisera plus d'un glissement.

Mais il y a beaucoup plus grave, et le XVIIIᵉ siècle a produit à partir de l'idée de continuité et d'harmonie universelle des œuvres proprement aberrantes, qui nous stupéfient ou nous amusent, mais ont eu en leur temps un grand crédit. Prenons deux exemples.

Le naturaliste genevois Charles Bonnet (1720-1793), célèbre par sa découverte de la parthénogenèse du puceron, a édifié une œuvre monumentale, fortement nourrie dès 1745 de la lecture de Leibniz, qui culmine en 1764 dans sa *Contemplation de la nature*. On y trouve un exposé complet de la continuité de la matière, depuis les éléments primordiaux (feu, air, eau, terre) jusqu'à l'homme et au-delà, par l'assomption des corps glorieux, illustrant le principe selon lequel « le développement organique consiste en fait dans la métamorphose ». *Métamorphose* : le grand mot est lâché, qui peut s'autoriser de Leibniz et qui pourtant le trahit, ce mot que Goethe placera au centre de son œuvre et qui, comme le montre Jacques Marx dans son *Charles Bonnet contre les Lumières*[11], a des liens étroits avec l'idée d'unité de composition organique que mettra en œuvre le XIXᵉ siècle (Geoffroy-Saint-Hilaire, Cuvier, Flourens). L'influence de Bonnet sera grande, en Allemagne et en France, jusque vers 1840. Même Lamarck, qui rompra avec la vision évolutionniste du XVIIIᵉ siècle tout entière informée par l'idée de métamorphose, pour imposer celle de transformisme, l'a lu avec intérêt. Diderot, Dupont de Nemours, Bonneville, Sieyès, les idéologues, Sainte-Beuve, Balzac, Ballanche, Nodier, etc., en France, et en Allemagne Herder, Lavater, etc. (mais Bonnet rencontrera de fortes oppositions chez Blumenbach, Kant) en sont imprégnés.

Le principe de continuité et les théories de la génération qui refusent la génération spontanée imposent irrésistiblement cette idée de métamorphose : toute forme est incluse dans celle qui la précède et qui l'engendre, de sorte que l'histoire — et toute la vie des sociétés humaines — n'est plus un lieu où agissent des rapports de

---

11. 2 volumes publiés dans *Studies on Voltaire*, n° 156-157, Oxford, 1976.

causalité, mais un lieu où les collectivités humaines sont des ensembles organiques qui fonctionnent de la même manière que les individus. Considère-t-on que les enfants sont causés par leurs parents ? Non, ils sont engendrés, ce qui n'est pas du tout la même chose. La question est d'autant plus capitale au XVIIIᵉ siècle que la plus grande confusion y règne quant aux mécanismes de la conception, et que la bataille fait rage entre les tenants de la préformation et ceux de l'épigenèse, avec toutes les théories intermédiaires. Mais l'important, ici, est que les courants organicistes et vitalistes, pour lutter contre les matérialistes tenants de la génération spontanée (et de la théorie des climats dans son acception la plus étendue), sont conduits à éliminer tout processus impliquant des relations de cause à effet. La mise en cause de la théorie cartésienne de l'étendue par Leibniz — mise en cause dont il ne s'est jamais sorti de façon satisfaisante — exerce à la fin du siècle des effets ravageurs.

Il faut y insister. La promotion de l'idée de métamorphose, en effet, a pour corollaire celle de la notion d'*analogie*, « concept » qui dès le milieu du XVIIIᵉ siècle est la pierre de touche de toutes les attaques contre le principe de causalité. Celui-ci règne en maître dans la mécanique, et il triomphe avec Descartes et Newton. Mais ses adversaires, se saisissant de l'obscurité de la notion de force chez Newton, glorifient ce dernier tout en l'annexant à la cause adverse. A partir de la promotion de l'histoire, de la biologie, de la zoologie et de la paléontologie, le principe de causalité devient incertain, malaisé à mettre en évidence, et les exposés hésitent entre causalité et analogie, soit par reconnaissance honnête de la difficulté, soit par volonté de briser la lumière de la raison et de proclamer — ce n'est ni la première ni la dernière fois ! — son impuissance à comprendre le réel. Cette confusion autorise aussi le mélange entre visées scientifiques et visées artistiques, mélange que pratiqueront systématiquement les romantiques allemands (voir chapitre 8). Lorsque l'historiographie sera dominée par l'école du droit historique, l'histoire des nations sera tout entière assujettie à la vision d'un organicisme panthéiste, négation à la fois du Dieu des chrétiens et de la raison.

Je me demande si nous ne trouverions pas, dans la difficulté d'étendre aux sciences de la vie et de l'homme le principe de causalité triomphant dans la mécanique, la cause profonde de l'échec de l'érudition en France à la fin du XVIIᵉ siècle que Blandine Barret-Kriegel a essayé d'expliquer.

L'hostilité de la fin du siècle face à l'érudition a plusieurs causes. Il y a certes l'effroi devant les résultats de la critique biblique entreprise par Richard Simon, qui mobilise Bossuet; et plus encore, l'inquiétant Spinoza, en rupture de ban avec la communauté juive de Hollande. Mais les raisons sont plus profondes : le dédain de Descartes pour l'histoire, le rejet de cette discipline par Pascal, mathématicien doublé d'un théologien, par Rancé, libertin brusquement plongé dans la mystique de la nuit trappiste, c'est toute la gloire du siècle qui se détourne de la tentative d'analyser la société, de la connaître et de la critiquer en ces constituants mêmes. C'est toute la recherche intellectuelle du XVIIIᵉ siècle qui se trouve par avance condamnée (et cela, nous continuons de le subir); seul Leibniz aura le courage de s'atteler à jeter un pont entre les deux époques.

Le second exemple est fourni par Jean-Baptiste Robinet (Rennes 1735-Paris 1820), grand lecteur de Bonnet, dont l'ouvrage *De la nature* (1761 et années suivantes) aura un énorme retentissement — il influencera Diderot — avant de sombrer dans le discrédit total. Robinet provoqua l'ire de Bonnet qui y retrouvait ses propres idées sous une forme outrée, et tandis que Bonnet tentait de maintenir une vision chrétienne en spiritualisant la matière, Robinet versait dans une théorie matérialiste — l'exact revers du spiritualisme — où les corps minéraux, la mer, les astres, etc., étaient sexués, tout chez lui étant à la fois matière et organe. Au tome IV (1766) de son livre, il écrit : « Les maisons que nous habitons, avec tous les matériaux dont elles sont bâties, pierres, métaux, sable, ciment, etc., les meubles dont nous ornons ces maisons, autant pour le luxe que pour l'utilité; les ustensiles dont nous nous servons; les habits que nous portons : tout cela est de la matière organique, des germes propres à être fécondés, destinés à perpétuer la nature. C'est pour cela que les villes sont englouties et réduites en cendres dans les vastes flancs de la terre. Là se dissolvent tous ces ouvrages de l'art et reviennent peu à peu à leur état naturel. La terre se nourrit de leurs débris. Il s'en forme un suc qui sert de nourriture aux minéraux et aux végétaux. Ces minéraux et ces végétaux servent eux-mêmes d'aliments aux animaux. Ainsi la matière devient successivement métal, pierre, plante, animal. Que dis-je ? Elle passe encore par tous les composés artificiels auxquels l'industrie humaine l'emploie. Tant de métamorphoses ne changent rien à son essence, et ne lui enlèvent point l'organisme qui lui est inhérent. » Bien que les idées d'Épicure et de Lucrèce se retrouvent chez Robinet, il s'en sépare par le refus de la génération spontanée. Comme Leibniz, comme Bonnet, il tient pour la préexistence des germes ; pour lui la vie est la matière organique douée d'âme, tout entière et une fois pour toutes créée par Dieu et se régénérant sans cesse par des cycles de métamorphoses.

Peu importent les excès de Robinet et de bien d'autres à la fin du siècle et sous la Révolution (tel Nicolas de Bonneville). Car, ramenées à un corpus plus mesuré, ces idées portent loin. Sans elles, on ne peut rien comprendre à la poussée nationale qui envahit tout le XIXᵉ siècle.

Elles aboutissent à un retournement du sens de la théorie des climats : d'appel aux causes extérieures de la nature physique, cette théorie combinée au spiritualisme panthéiste place déjà dans cette nature les significations que l'homme n'a plus qu'à aller chercher, ramener au jour (la fascination de Novalis pour l'intérieur de la terre). Puisque Dieu a inscrit le sens dans le sous-sol, dans le paysage, dans les agrégats d'atomes formant les plantes, les animaux, l'homme, alors il n'y a aucun sens à produire, rien à créer : tout est donné, la seule vraie tâche de l'homme est de montrer, de contempler et de louer. Comment s'étonner si le XIXᵉ siècle exploite jusqu'à satiété les « correspondances » entre le sous-sol et le « sur-sol » [12], comme le font par exemple en 1841 Elie de Beaumont et Dufrenoy dans leur *Explication de la carte géologique de la France* en s'appuyant sur les travaux de Cuvier sur les fossiles du sous-sol du Bassin parisien : « Même dans les pays où les lois, les langages sont les mêmes, un voyageur exercé devine par les habitudes du peuple, par les apparences de sa demeure, de ses vêtements, la constitution du sol de chaque canton, comme d'après cette constitution, le minéralogiste philosophe devine les mœurs et le degré d'aisance et d'instruction. Nos départements granitiques produisent, sur tous les usages de la vie humaine, d'autres effets que les calcaires : on ne se logera, on ne se nourrira, le peuple, on peut le dire, ne pensera jamais en Limousin ou en Basse-Bretagne

---

12. Ce système trouve son exact pendant à l'échelle de l'individu : le sous-sol est l'intérieur du corps, avec la sémiologie du cerveau, du cœur, des poumons, des reins, et surtout du sang ; la taille, la silhouette, les traits du visage constituent la topographie, la surface délimitée par la peau ; au-delà, c'est le « sur-sol », formé par le tempérament, le caractère, la personnalité avec ses traits intellectuels, moraux et spirituels. La célèbre physiognomonie de Lavater, à la fin du XVIIIᵉ siècle, est la plus belle illustration de cette série analogique. Mais la psychologie bâtie par le XIXᵉ siècle lui doit aussi beaucoup.

comme en Champagne ou en Normandie. » Comme le dit, tout content de lui, Proudhon : « Je suis de pur calcaire jurassique. » (Cité par G. Fritz.)

Leibniz eût modérément apprécié de devoir admettre — quoi qu'il en eût — qu'il était le grand-père de fortes considérations de ce genre. Néanmoins, deux remarques s'imposent :

— Beaucoup de connaissances positives sont nées de cette approche (ce qui eût consolé Leibniz) ; par exemple, l'ouvrage que l'on vient de citer est la première grande synthèse scientifique sur la géologie de la France. Cela tient à ce que, chez les chercheurs véritables, le travail évolue, passant de la constatation d'analogies à la recherche des rapports de causalité ; ainsi, de la métamorphose arrive-t-on au transformisme, à force d'exigences méthodologiques. Goethe a bien senti cela, qui, s'il n'est pas le grand physicien qu'il aurait voulu être, s'est retenu de glisser vers la *Naturphilosophie* en épurant son panthéisme foncier grâce à l'acuité de sa conscience artistique.

Ainsi, les idées que nous venons d'exposer ont joué un grand rôle dans l'essor de la géographie humaine et des mouvements régionalistes en France à la fin du XIXᵉ siècle. Les notions de région naturelle, de pays (l'ancien *pagus* gaulois cher au cœur des géographes et des historiens qui analysent les microsociétés rurales) en sont le produit. Cela tient à ce que l'école française de géographie humaine, sous la direction de Vidal de la Blache, a su réagir contre les excès et relever l'importance de l'observation sur le terrain — équivalent de l'expérience dans les sciences exactes — par rapport à toute construction théorique. La notion de « genre de vie » accorde un grand poids aux facteurs sociaux, sociologiques, politiques et spirituels. Beaucoup de travaux féconds en sont sortis. La géographie, cependant, même vidalienne, n'a pas su se dégager de façon décisive des rapports entre déterminismes géographiques et formations sociales. Et surtout, comme le montre le passage de Beaumont et Dufrenoy cité plus haut, ces analyses n'ont été pleinement efficaces qu'à l'échelle de la géographie régionale et locale. A l'échelle des nations, un certain mystère plane, et il faut faire appel, comme l'écrit Vidal, à ce « je-ne-sais-quoi qui flotte au-dessus des différences régionales ».

— Les théories organicistes chères à un certain XVIIIᵉ siècle ont rencontré en leur temps de fortes oppositions : le danger qu'elles faisaient courir à la vision chrétienne de l'homme, les influences épicuriennes, le néo-spinozisme, sources de libertinage et de dévergondage ; l'accent mis sur les facteurs purement humains et sociaux de la connaissance : tout cela tendait à réduire la part de liberté de l'homme, et tout le monde n'était pas disposé à l'accepter.

Les courants marqués par le stoïcisme et le jansénisme, le gallicanisme, des gens aussi lucides que Turgot ont maintenu le primat du caractère politique des sociétés humaines, les uns accentuant le cosmopolitisme faisant de l'humanité entière une seule nation, les autres la préférence pour la patrie. De Fénelon à Grégoire en passant par Daguesseau, mais aussi Mably et même Rousseau, une partie importante du XVIIIᵉ maintient le primat de l'esprit raisonnable sur les forces instinctives. L'un et l'autre courant peuvent trouver chez Leibniz des justifications.

On peut même dire (le pire n'étant pas toujours sûr !) qu'en fin de compte la prééminence des forces spirituelles — au sens le plus large — et politiques sur les forces matérielles s'est imposée. Mais la difficulté du débat ne fut pas sans conséquences sur le processus de formation des nations, car tout ce qui était connoté par « histoire » s'intégrait difficilement dans le domaine institutionnel.

5

Le Nord et le Midi

La première partie (1784) des *Idées pour servir à la philosophie de l'histoire de l'humanité* de Herder permet de voir comment la « théorie des nations » s'appuie sur la théorie des climats tout en s'en distanciant. Après être parti de la position de la Terre dans le cosmos, et avoir décrit la disposition des terres et des mers sur la planète, Herder expose sa philosophie à partir de ce que l'homme « est partout sur la terre tout en étant cependant particulier en chaque contrée, c'est-à-dire la forme qu'a pu seule lui donner la riche diversité des hasards entre les mains de la nature : voilà ce qu'il nous faut considérer comme l'intention de la Nature. N'allons pas chercher et trouver pour lui une forme favorite, une contrée favorite ». (D'autres plus tard n'auront pas ces scrupules.) Plus loin, il récusera de même l'idée du peuple supérieur en soi (selon une approche qui rappelle la théorie vidalienne des contingences : une région n'est pas en soi pauvre ou riche. Que l'homme maîtrise la production d'électricité, et les Alpes deviennent un formidable réservoir d'énergie hydraulique. L'homme a apporté quelque chose, l'électricité, production de la nature, mais qui n'était pas là de manière spécifique et qualitative ; les Alpes, en l'occurrence, sont un lieu où il y a de l'eau en abondance et de fortes dénivellations qui lui donnent naturellement une grande vitesse d'écoulement).

Le principe de continuité est appliqué avec prudence : Herder pose une analogie de formes entre végétaux, animaux et hommes, « un exemple éclaire l'autre » (chaque monade révèle les autres) et chaque créature « n'agit qu'à l'aide de forces incluses dans son organisation ». Les peuples sont des organismes pareils à la plante, chacun forme une individualité qui naît, croît et meurt. Ils sont dans la nature, mais les « climats » — entendons l'ensemble des conditions physiques — ne sont pas l'origine des divisions nationales de l'humanité ; la nature opère une sorte de régulation des éléments internes, favorisant tel ou tel élément, dont l'ensemble forme une culture. La nation herdérienne est essentiellement culturelle. Le piétiste Herder reste de bout en bout un homme de l'*Aufklärung*, qui se garde de la théosophie et de la mystique des cercles piétistes exaltés. C'est un homme de Weimar.

Qu'on relise Herder, dont on fait couramment le fondateur du nationalisme allemand : on ne trouvera chez lui rien d'autre que l'affirmation que la langue, la littérature, la culture d'un peuple sont les supports et les véhicules d'une Idée dont ce peuple est le porteur et le messager. L'organisme de Herder est entièrement spirituel. Le même Herder exalte la culture allemande et exècre l'État frédéricien ; il partage très largement l'apolitisme de Weimar dont Goethe est le champion. L'admiration que voue Herder au Moyen Age allemand ne le porte en rien à exalter l'Allemagne médiévale sur le plan politique. Herder illustre bien le fait que l'énorme mouvement de pensée issu de Leibniz ne tend à rien d'autre qu'à mettre en évidence que les cultures relèvent exclusivement de l'esprit et que leur essence n'est d'aucune portée pour ce qui regarde les rapports sociaux.

Les *Idées* sont l'histoire du principe national depuis les origines de l'humanité. Chaque peuple étant l'expression d'une forme de l'essence humaine, Herder les passe en revue, depuis la Chine ancienne jusqu'aux peuples de l'Europe moderne. Il n'y a pas de peuple supérieur, mais certains d'entre eux ont eu une forme qui s'est imposée avec une force particulière : par exemple Rome dans l'Antiquité, les Allemands à la fin du XVIIIᵉ siècle. En fait l'œuvre de Herder, héritier de Lessing, signifie que le temps est venu pour les peuples du Nord de délivrer leurs significations, en prenant la tête de la civilisation après que celle-ci a été conduite par les peuples du Midi.

C'est par cette extension du principe national à toute l'humanité depuis ses origines que Herder, tout en restant un homme de l'*Aufklärung*, va alimenter le mouvement romantique. Aucun auteur avant lui n'avait accompli ce saut, c'est avec lui que la nation-organe, exprimée par une littérature populaire [1] irréducti-

---

1. « Populaire » ne voulant nullement dire produite par le peuple, comme le XIXᵉ siècle voudra le croire, mais renvoyant à la *Volkskunde* « connaissance sur le peuple », discipline relevant de l'ethnologie en formation, de la statistique, de la

ble à toute autre, entre pleinement dans l'histoire comme élément clef et fondement de la vie politique. On ne peut séparer ce fait de l'hostilité constante que Herder manifeste à l'égard de l'État prussien et de Frédéric II, roi-guerrier, despote stérilisateur, ennemi de la langue et de la culture allemandes.

La distinction peuples du Nord-peuples du Midi est l'une des plus importantes dans le processus que nous mettons en évidence ici. Elle n'a, semble-t-il, jamais fait l'objet d'une grande étude. Son origine est évidemment la conséquence des « invasions » germaniques à partir desquelles l'Europe a vécu sur le double apport de la culture et des institutions méditerranéennes et nordiques. Étant donné la part prise par les Francs en Gaule et en Allemagne, par les Saxons en Angleterre, par d'autres peuples germaniques en Gaule, en Allemagne, Italie et Espagne, la construction de l'État est évidemment référée aux peuples du Nord, car bien que l'*imperium* soit une notion romaine, ce sont les peuples du Nord conquérants qui ont aboli la distinction romaine entre ordre civil et ordre militaire au profit du second. Or le travail qui s'effectue à la fin du XVIIIᵉ siècle, et dont le pacifiste Herder est l'un des principaux protagonistes, consiste à montrer que le véritable apport des peuples du Nord n'est pas du côté de l'État, mais du côté de la nation[2]. Le vrai débat qui se déroule en Allemagne depuis Winckelmann et son exaltation de la sculpture grecque, c'est la confrontation entre culture du Midi et culture du Nord. Weimar est par excellence, avec Goethe et Schiller, le lieu de recherche d'une synthèse harmonieuse entre les deux. La vision des Allemands comme Grecs modernes est le thème central de la culture allemande entre 1750 et le début du XIXᵉ siècle. Or ces Grecs sont vus par beaucoup d'auteurs comme appartenant en fait non au Midi mais

---

philologie et de l'esthétique (au sens développé au chapitre 8 du présent ouvrage). Sur la naissance de la *Volkskunde* et le sens de littérature populaire chez Herder, voir la remarquable étude de Wolfgang BRÜCKNER, « Histoire de la *Volkskunde* », dans *Ethnologie en miroir*, éd. par Isac CHIVA et Utz JEGGLE, Ed. de la Maison des Sciences de l'homme, Paris, 1987.

2. Ce en quoi Herder est battu d'avance, lui qui n'a pas de mots trop durs pour fustiger Frédéric II, contempteur de la langue et de la littérature allemandes. Le programme lancé par Hertzberg à l'Académie de Berlin (voir note 9, p. 31) montre que déjà l'État s'est emparé de la question de la nation allemande, et qu'il entend bien la gérer à son profit. La création de l'université de Berlin en 1810 en est la conséquence logique.

au Nord [3] : un Simon Pelloutier, que nous allons retrouver, fait d'eux des héritiers des Celtes, et plus se dessinera le groupe linguistique indo-européen, plus les Grecs seront vus comme appartenant à cet Orient dont le Nord est le glorieux produit. Déjà dans ses travaux linguistiques, Leibniz avait établi un rapport étroit entre le grec et l'allemand.

La France louis-quatorzienne, quoique franque par ses origines, est fille du Midi : la grande idée de la monarchie est de faire du français une langue égale au latin en puissance rhétorique et expressive. Mais au tournant du siècle, l'Angleterre de 1688 s'affirme comme le gardien des libertés individuelles face au despotisme français. A la révocation de l'édit de Nantes en 1685 répond l'édit de Tolérance en 1689. Une réponse d'importance comparable avait été donnée à Berlin le 29 octobre 1685 (onze jours après la révocation) : le Privilège par lequel le roi de Prusse donnait aux protestants réfugiés un statut qui allait faire d'eux, dans les domaines administratif, militaire, culturel et religieux, l'un des piliers avec la Poméranie de la construction de l'État prussien. Ainsi le Nord apparaît-il comme le gardien de la liberté, et dans la théorie germaniste des origines de la France selon Mably, ce sont les Francs qui portent cette liberté, contre l'absolutisme romain défendu par Dubos.

Alors que, après le formidable bouleversement provoqué par Luther et la Réforme, l'Allemagne avait connu, avec la guerre de Trente Ans et ses suites, une stagnation et même une régression, et que, comme puissance internationale, elle était réduite à néant, voici qu'au XVIII⁰ siècle elle se réveille de son « sommeil dogmatique ». Les influences anglaises et françaises se conjuguent pour aboutir, avec la génération de Lessing, de Klopstock, de Herder, à la volonté de placer l'Allemagne à la tête du continent. Plus que tout autre pays, elle a contribué à bâtir l'école moderne du droit naturel, avec Leibniz, Pufendorf, Wolff (héritier mais aussi réducteur de Leibniz) ; l'université de Halle, prussienne jusqu'en 1806, est l'un des hauts lieux de cette école. Mais un autre courant va

---

3. On trouvera de nombreux développements et des références bibliographiques intéressantes sur ces questions dans *Primitivisme et mythes des origines dans la France des Lumières, 1680-1820*, Presses de l'université Paris-Sorbonne, 1988. En particulier D. DROIXHE, « Le primitivisme linguistique de Turgot ».

naître et prendre une importance sans cesse croissante, autour de la nouvelle université créée dans le Hanovre en 1737, à Göttingen. C'est là que, chez les juristes, les historiens, les théologiens, vont être posés les fondements de l'école dite du droit historique.

Il n'y a pas de véritable différence de fond entre les deux écoles. Alfred Dufour a montré que l'école du droit historique est un avatar de celle du droit naturel moderne et Zdenek Kryštûfek a pu parler à propos de Savigny, la gloire de l'école du droit historique, d'« historicisme ahistorique [4] » ! Le Discours préliminaire de Portalis évoqué au chapitre 3 fournit une éclatante illustration des rapports étroits entre droit naturel moderne et droit historique. Mais il faut néanmoins les distinguer, et la distinction tient en ceci : contrairement à l'école moderne du droit naturel qui pose des droits universels, individuels mais impersonnels, l'école du droit historique pose une communauté concrète, un corps social régi par des liens établis par la coutume. Ce corps social est particulier, notamment par sa langue, et c'est par son inscription dans cet ensemble singulier que l'individu acquiert une qualité personnelle. Ce corps est un peuple, un État — mais au sens d'Ancien Régime : État patrimonial avec structure d'ordres — et il évolue par ses seules forces internes. L'un des historiens majeurs de cette école est Justus Möser, étudiant à Göttingen, grand lecteur des Anglais et de Montesquieu, administrateur de l'évêché d'Osnabrück. Dans ses *Fantaisies patriotiques* (1778-1786) et dans son *Histoire d'Osnabrück* (1762-1768), il pose le principe de la « raison locale » — association de termes proprement monstrueuse, mais ô combien significative —, qui est exprimée par la coutume. Tel est le point de départ des études sur le droit allemand où vont s'illustrer Gustav Hugo [5], d'origine française, professeur de droit romain à

---

4. En l'absence de synthèses (encore une question où l'érudition française présente une lacune navrante !), on se référera aux précieuses études d'Alfred Dufour sur l'école du droit historique parues dans les *Archives de Philosophie du Droit* (1974, 1978, 1981, 1982). L'article de Z. Kryštûfek, « La querelle entre Savigny et Thibaut et son influence sur la pensée juridique européenne », est paru dans la *Revue historique de droit français et étranger*, 1966. On dispose enfin des très belles monographies (en italien) de Giuliano Marini, *Jacob Grimm* (1972) et *Friedrich Carl von Savigny* (1978), Guida Editioni, Naples.

5. Giuliano Marini a aussi publié un livre sur Gustav Hugo. Formé à Montbéliard, Hugo est entre 1790 et 1800 le fondateur de l'école du droit historique, à travers une critique du jusnaturalisme et du volontarisme juridique du XVIIIᵉ allemand et européen. Son *Lehrbuch des heutigen römischen Rechts* (« Manuel de droit romain contemporain »), Berlin, 1789, provoqua la stupeur en Allemagne. Il y développe l'idée que les générations présentes ne peuvent changer ce que les générations

Göttingen à partir de 1788, son disciple Savigny, l'élève de ce dernier Jakob Grimm, Puchta, Eichhorn et une pléiade d'auteurs du XIXᵉ siècle.

L'école du droit historique offre un paradoxe maintes fois souligné : ses plus illustres représentants, Hugo, Savigny, Puchta, ont consacré leur vie non au droit allemand mais au droit romain. Cela découle de la fameuse Réception [6] par laquelle, aux XIVᵉ et XVᵉ siècles, le droit romain fut reçu comme droit officiel de l'Empire germanique, tandis que les rois de France en limitaient l'enseignement depuis le XIIᵉ siècle, les prétentions impériales à l'hégémonie européenne se fondant sur l'idée que l'Empire germanique était l'héritier de Rome. A côté d'un droit allemand tombant en désuétude et nullement enseigné jusque très avant dans le XVIIIᵉ siècle, le droit romain tenait donc lieu de droit public et privé de l'Allemagne. Étudier le droit romain, c'était donc pour Hugo et ses successeurs étudier le droit de l'Allemagne au Moyen Age et dans les Temps Modernes. Il y avait tout de même là une contradiction entre les faits et l'idéal proclamé, c'est ce qui fera éclater l'école du droit historique dans les années 1840. Mais cette confusion — à vrai dire produit de l'histoire allemande dans laquelle les auteurs veulent introduire une cohérence et une pureté qui n'y ont jamais existé — sert l'idée que, comme les Grecs, les Romains appartiennent en fait aux peuples du Nord : le latin est sorti de l'ensemble celto-scythe de langues posé par Leibniz.

Le programme des romantiques allemands a donc été largement préparé par le XVIIIᵉ siècle, en particulier par l'affaiblissement de l'enseignement du leibnizianisme à l'université de Halle et surtout par le travail novateur des milieux de Göttingen. Jakob Grimm pour la linguistique, Görres, Arnim et Brentano pour la littérature populaire, Creuzer pour la mythologie antique et Görres encore pour la mythologie germanique, Niebuhr pour l'histoire, les frères Schlegel pour l'histoire littéraire, Novalis pour la mystique politique, Schelling pour la philosophie, Schleiermacher pour la religion, Adam Müller pour l'économie politique, Schinkel pour

---

passées ont fait : celles-ci ne pouvant prendre part à un vote actuel, leurs voix vont automatiquement à l'état existant. Les vivants s'appuient donc sur les morts pour former une majorité conservatrice. C'est ce que mettra en avant le journal allemand de Trenck VON DER TENDER à partir de 1790, *Conversations politiques avec les morts*. Soulignons au passage que cette pensée est parfaitement tyrannique mais nullement « irrationnelle », comme on se plaît à caractériser trop souvent tout ce qui vient d'Allemagne.

6. Avec une majuscule : *Rezeption* est le nom officiel de la chose.

l'architecture, Runge, Caspar David Friedrich et les nazaréens pour la peinture, un peu plus tard Sulpice Boisserée pour le mouvement autour de la cathédrale de Cologne : avec cette pléiade brillante et d'autres encore, s'épanouit tout ce que le XVIIIᵉ siècle avait mis en place.

Dans ce passage du XVIIIᵉ siècle au romantisme, le détournement de sens de l'héritage de Leibniz joue un rôle clef. Ce détournement n'est pas une critique du leibnizianisme (la critique, elle, s'opère chez Kant), mais une utilisation des points sur lesquels Leibniz avait buté. Là où l'harmonie universelle des monades devenait trop subtile, les adversaires de la raison s'engouffrent comme dans une brèche. Comme le souligne Martial Guéroult (*Spinoza*, tome I, 1968) : « Rien d'étonnant alors à ce que le contact intime avec les choses ait été finalement recherché ailleurs, dans la profondeur des perceptions obscures, par où s'établit comme une communication souterraine avec l'ensemble de la nature et que, à côté de la *Verständnisphilosophie* [philosophie de l'entendement], le leibnizianisme ait pu frayer la voie en Allemagne à la *Gefühlsphilosophie* [philosophie du sentiment] et à l'*Innigkeit* [intériorité]. »

Ce déplacement du sens du leibnizianisme porte sur la théologie, la philosophie et les sciences humaines qui prennent leur essor, comme l'ethnologie et particulièrement l'histoire et la linguistique. C'est pourquoi les travaux de Leibniz dans ces deux derniers domaines ont été d'une grande importance pour la suite, en mettant au premier plan des questions qui n'avaient alors été que peu étudiées ou de façon marginale et sans lien avec la vie intellectuelle de l'ensemble de la société, à savoir les constituants de la personnalité nationale allemande. Aussi peut-on dire que Leibniz est l'un des pères spirituels du principe des nationalités qui va bientôt nous occuper.

Leibniz était très soucieux de l'élévation du niveau culturel de l'Allemagne. Bien qu'ayant fort peu écrit en allemand — toutes ses grandes œuvres sont en latin et surtout en français —, il a rédigé des textes sur l'amélioration nécessaire de la langue allemande, et l'Académie de Berlin dont il fut le fondateur en 1701 était pour lui l'un des instruments privilégiés du relèvement intellectuel et culturel de son pays. Aussi sa vision du groupe celte, formé des Gaulois et des Germains, a-t-elle eu une influence considérable, en Allemagne d'abord, en France ensuite. Parmi ceux qui ont développé cette question, l'un des auteurs les plus importants est Simon Pelloutier.

Fils de réfugiés français, pasteur de l'Église prussienne, professeur au Collège français de Berlin (pépinière de leibniziens), Pelloutier s'intéresse à l'histoire des Celtes à partir des années 1730 et ses recherches l'occupent jusqu'à sa mort en 1757. Une lettre à Beausobre du 15 mai 1733, publiée dans la *Bibliothèque germanique* l'année suivante, le montre décidé à redresser la cause des « peuples du Nord », dont les auteurs grecs et latins ont si mal parlé. Ces peuples, ce sont les Celtes et les Germains, qui n'en font qu'un. Tout cela aboutit à une *Histoire des Celtes et particulièrement des Gaulois et des Germains*, dont le premier tome paraît en 1740 et le second dix ans plus tard.

En réalité, ce n'est pas une histoire des Celtes, mais un portrait de leurs mœurs et de leurs institutions, et surtout de leur religion. Bien que l'auteur admette la barbarie des Celtes, il brosse de leur religion un tableau qui ressemble beaucoup à celle que l'*Aufklärung*, très religieuse à la différence des Lumières françaises et de l'*Enlightenment* anglais, s'efforce de promouvoir. Les Celtes croyaient en un Dieu unique (avec des dieux subalternes) et ils pensaient que « tout ce qui se fait par les lois de la nature est l'ouvrage même de la Divinité et non pas le simple effet du mécanisme des corps ». Leibniz est passé par là. Quant aux idoles mâles et femelles dont on trouve des traces, « elles n'appartiennent pas proprement à la religion des Celtes. Partout où on en trouve, l'ancienne religion était déjà altérée par des idées et des superstitions étrangères, qui se provignèrent insensiblement des Provinces méridionales de l'Europe jusque dans le fond du Nord ». Donc les Celtes, dans leur fond originel, n'ont rien à voir avec ces cultes délétères venus du paganisme du Midi. Quant à la métempsycose des Celtes, elle « n'était autre chose que la résurrection des morts ». Inutile de continuer : les Celtes étaient un peuple à la spiritualité élevée et aux institutions politiques quasi démocratiques (« le peuple, connaissant qu'il ne pouvait se passer de maître, choisissait lui-même les ducs et juges qu'il croyait les plus capables de commander une armée ou d'administrer la justice ; n'est-ce pas l'ordre naturel ? » — lettre à Beausobre).

Le dessein de Pelloutier était vaste : faire l'histoire dont il n'a écrit que le préambule, aller jusqu'au point où les Celtes se partagent en plusieurs branches, « pour se plonger ensuite, s'il avait assez vécu, dans l'histoire d'Allemagne, où il était profondément versé », à ce qu'expose Formey dans son *Éloge de Pelloutier* paru au tome XIII des *Mémoires* de l'Académie de Berlin (1757).

Cet *Éloge* est placé en tête de l'édition de l'*Histoire des Celtes* (et de nombreux autres textes) de Pelloutier publiée à Paris par Chiniac de la Bastide en huit volumes parus en 1770-1771.

L'édition de Pelloutier par Chiniac est le résultat d'une révélation. Chiniac appartient à une famille d'érudits et de magistrats, il est à la fois historien et légiste, auteur d'un ouvrage sur l'Église gallicane. En 1769, il publie un *Discours sur la nature et les dogmes de la religion gauloise*, qui dès l'avant-propos se réfère à Pelloutier, qui devait, écrit-il, parler de cette question au tome II de son *Histoire des Celtes*. Ce qui veut dire qu'à cette date il ignorait que ce tome II avait paru, il ne connaissait que le texte de 1740. La découverte soudaine par lui de l'existence de ce tome II eut l'effet d'une étincelle puisque, non content de rééditer l'*Histoire des Celtes*, Chiniac publie un vaste ensemble de documents comprenant d'autres textes de Pelloutier (dont un mémoire sur les Galates couronné en 1742 par l'Académie des inscriptions de Paris), les comptes rendus, très élogieux, parus à Paris sur son ouvrage, la polémique de Pelloutier avec l'érudit alsacien Schœpflin — opposé à l'assimilation Gaulois-Germains —, ainsi que des inédits de Pelloutier envoyés par le neveu de celui-ci avec la collaboration de Formey, l'omnipotent secrétaire de l'Académie de Berlin, d'origine française lui aussi.

Telle qu'elle se présente dans cette édition, l'œuvre de Pelloutier va faire date et marquer fortement le celtisme européen jusqu'au premier tiers du XIXᵉ siècle. Ce qui fait l'importance de cette œuvre — qu'on ne peut comprendre si l'on n'en situe pas l'apparition dans les milieux leibniziens du Collège français et de l'Académie de Berlin —, c'est qu'elle apporte une vision tout compte fait civilisée des Celtes, en dépit de leur violence et de leurs sacrifices humains (la grande douleur de tous les celtophiles). Il y a de toute évidence pour Pelloutier une civilisation celtique, capable de rivaliser en hauteur de vues avec le monde gréco-romain, de le dépasser en fait sur le plan métaphysique. A l'heure où Ossian — l'« Homère du Nord » lancé au début des années 1760 par des érudits d'Édimbourg, l'« Athènes du Nord » — est en train de faire la conquête de l'Europe lettrée, il y a là un tournant important. Pour nombre d'auteurs (dont Mallet, *Histoire du Danemark*, 1758, *Edda, ou Monuments de la mythologie et de la poésie des anciens peuples du Nord*, 1787), civilisation celtique, germanique et scandinave n'en font qu'une, qu'expriment aussi bien les poèmes bardiques du Pays de Galles — que les érudits anglais et gallois sont en train de découvrir — qu'Ossian ou l'Edda.

L'idée d'une primauté des Celtes n'est pas nouvelle. La vague celtomane du XVIe siècle si bien décrite par Claude-Gilbert Dubois, des œuvres comme celle de dom Pezron (1705) ou de Jacques Le Brigant (à partir de 1762), la celtophilie anglaise en essor depuis le XVIIe siècle avaient déjà entrepris de relever la réputation des Celtes. L'ouvrage de dom Jacques Martin sur *La Religion des Gaulois* (1727) témoigne d'un effort important en ce sens, et ce n'est pas par hasard si Colbert, lançant le projet d'un recueil des historiens de la France, insistait dès 1676 sur la nécessité de faire une place importante à la Gaule. Retardé, le projet ne verra le jour qu'en 1738, avec le volume I du *Recueil des historiens des Gaules et de la France*, entreprise bénédictine dirigée par dom Rivet. Ce volume est consacré à la Gaule d'avant Clovis.

Mais ici des distinctions s'imposent, que les meilleurs historiens ne prennent pas toujours la peine de faire[7]. On sait que les Celtes n'ont pleinement fait leur entrée dans l'histoire de France qu'au XIXe siècle[8]. Cela ne signifie nullement que le XVIIIe siècle s'en était désintéressé. Dans une étude inédite sur la place de la Gaule dans l'histoire de France au siècle des Lumières, l'historien Raymond Mas (que je remercie de sa communication) relève près d'une centaine de titres sur le sujet. Le nombre d'ouvrages croît dans la première moitié du siècle, avec un pic en 1740-1749 (19 références), puis après un creux de nouveau un pic en 1770-1779 (21 références). Cela corrobore ce qui ressort du dépouillement que j'ai fait des cinquante volumes de *Mémoires* publiés par l'Académie des inscriptions au XVIIIe siècle, surtout pour ce qui concerne la

---

7. Tel Jean Meyer, estimant que les historiens bretons bénédictins de la congrégation de Saint-Maur ont frayé au XVIIIe siècle les voies à la celtomanie (*Histoire littéraire et culturelle de la Bretagne*, sous la direction de Jean BALCOU et Yves LE GALLO, Champion-Slatkine, 1987, 3 vol. ; tome I, p. 280). La celtomanie vient de dom Pezron, de Jacques Le Brigant, du chanoine Bullet (de Besançon) et en partie de Court de Gébelin. Les bénédictins, quelles que fussent au départ leurs intentions, ne se sont pas occupés de la langue et de la littérature. De plus, leurs collègues éditeurs de l'*Histoire littéraire de la France* sont fort hostiles aux thèses en faveur du celtique comme origine de la langue française.

8. Voir *Nos ancêtres les Gaulois*, colloque tenu en juin 1980 et dont les actes ont été publiés en 1982 par la faculté des lettres de l'université de Clermont-Ferrand.

période 1740-1749. La Gaule a beaucoup sollicité les académiciens, notamment avec des études de géographie historique.

Mais les deux décennies dominantes ne sont pas qualitativement semblables. Au tome 38 (1777) des *Mémoires* de l'Académie, on trouve un texte dû à Foucher sur « Les théophanies indiennes, péruviennes, ausoniennes et celtiques » où la vision de Pelloutier sur la religion celtique religion mère (de la religion grecque entre autres) est pleinement exposée. Si l'on rapproche un tel essai des ouvrages sur la langue celtique du chanoine Bullet, de Besançon (1754, 1759 et 1771), et surtout du *Monde primitif* de Court de Gébelin (1773-1784) dominé par le thème du celtique langue mère, on constate que dans la seconde moitié du XVIIIᵉ siècle se développe fortement une vision spiritualiste du monde celtique qui va nourrir ce que le XIXᵉ siècle appellera la celtomanie, ou tendance obsessionnelle à voir du celte partout. Mais même là il faut distinguer entre deux approches : celle, qu'on peut appeler celtophile, visant à dresser un portrait des Celtes porteurs d'une civilisation élevée, de vertus pacifiques — le Gaulois paisible, agriculteur, l'emportant sur le Gaulois farouche se lançant à l'assaut du Capitole — et d'une spiritualité renouant avec le platonisme et les arcanes du pythagorisme ; celle, essentiellement philologique, qui tire sa vision des Celtes d'une pratique des étymologies des plus discutables (tout le contraire de ce que Turgot avait prôné dans son article « Étymologie » de l'*Encyclopédie*). C'est cette dernière approche qui seule doit être véritablement qualifiée de celtomane, même si l'on trouve les deux plus ou moins mêlées chez la plupart des auteurs. Le grand clivage reste cependant entre approches celtophile et celtomane d'une part, et les grands travaux menés sur la Gaule autour de l'Académie des inscriptions d'autre part.

Ces travaux proprement érudits portent moins sur le monde celtique en général que sur la Gaule romaine, et outre les questions de géographie historique[9], ils concernent essentiellement le point de savoir comment, à travers les cinq siècles d'occupation romaine, la langue gauloise a pu jouer un rôle dans ce qui deviendra la langue française. Une ardente polémique scientifique s'élève entre les érudits à partir de 1742. L'académicien Lévesque de la Ravallière a soutenu que la part du gaulois dans le français était importante, à quoi dom Rivet a répondu dès 1743 et surtout au tome VII du

---

9. Très importantes : les travaux de d'Anville ont directement influé sur la conscience nationale française moderne en formation. Voix X. DE PLANHOL, *op. cit.*

Recueil des historiens des Gaules (1746) que le fond du français était le latin. Le débat sera encore bien vivant à la fin du XIXᵉ siècle, on ne peut d'ailleurs pas le tenir pour clos. L'essentiel ici est que ce débat est né dans les années 1740 — années charnières à bien des égards dans l'histoire européenne — et qu'il s'agit d'un débat scientifique, même si les termes de l'époque sont évidemment caducs, débat de contenu tout différent de celui, philosophico-spiritualiste, dominé par Pelloutier sur la religion et Court de Gébelin sur la langue. Mais non seulement les contenus sont différents, mais surtout la position même de la question. Car en schématisant un peu (c'est-à-dire en laissant de côté les multiples nuances qu'une étude spéciale se devrait d'apporter), l'essentiel est que le débat scientifique se déroule dans le cadre de la Gaule romaine, c'est-à-dire dans l'aire des peuples du Midi, tandis que le courant celtophile-celtomane se situe tout entier dans celle des peuples du Nord. C'est en cela que le XVIIIᵉ siècle modifie totalement les termes de la question du celtisme. Au XVIᵉ siècle, la problématique Nord-Midi n'était pas constituée (certains éléments en étaient posés, chez les érudits allemands et français, notamment autour des problèmes posés par l'expansion du royaume de France en direction de la Meuse et surtout du Rhin), et le statut de nation demeurait fort discret, mais au XVIIIᵉ siècle il s'élargit considérablement et le poids des facteurs intellectuels et culturels donne à cette problématique une importance considérable. Comme il apparaîtra clairement (et dramatiquement) au XIXᵉ siècle, ces facteurs sont partie intégrante de la lutte politique et même militaire qui mettra aux prises l'Allemagne et la France. L'affrontement du XIXᵉ siècle ne peut-être compris que si l'on va en chercher les prodromes en plein cœur de ce XVIIIᵉ siècle que l'on continue beaucoup trop de voir dominé par des questions politiques et juridiques.

Soulignons au passage que la confrontation entre aire du Midi et aire du Nord à propos des Celtes est directement à l'origine de l'invraisemblable complication de tout ce qui concerne les Celtes et les Gaulois dans l'érudition et l'historiographie française depuis deux siècles. Parmi les conséquences de cette situation, notons en particulier les problèmes concernant la représentation et la place de la Bretagne dans le clivage Nord-Midi où ils prennent leur source. Dans mon étude sur le bretonisme, j'ai étudié les deux courants majeurs qui se partagent l'historiographie bretonne au XIXᵉ siècle : le courant lié aux antiquités nationales, qui travaille dans le cadre de la Gaule romaine, et le courant celtophile-celtomane, qui travaille dans le cadre d'une Bretagne receltisée à partir de l'émigration venue du Pays de Galles et de la Cornouaille britannique. C'est en raison d'une insatisfaction quant aux fondements de ces deux courants, dont je situais l'apparition sous la Restauration, que j'ai été amené à remonter de là à l'Empire et à la Révolution, puis à plonger au cœur du XVIIIe siècle [10]. Même si l'essor et la constitution des deux courants appartiennent effectivement aux années 1820, il faut en chercher les origines beaucoup plus haut, au sein des débats menés en France, en Angleterre et en Allemagne au XVIIIe siècle. J'y reviendrai en détail dans un autre ouvrage.

Mais ce n'est pas seulement à propos des Celtes que la problématique Nord-Midi a pris au XVIIIe siècle une ampleur considérable. Ce siècle a aussi posé la question de l'origine de la langue et de la littérature française et placé au centre de ses recherches la langue d'oc et la littérature des troubadours.

Ceux-ci n'avaient jamais été oubliés, mais ce n'est qu'avec les travaux de Lacurne de Sainte-Palaye que le problème est véritablement posé. Les travaux de Lacurne sur le provençal prennent leur source dans le programme d'études médiévales tracé en 1727 par Camille Falconet pour l'Académie des inscriptions. Parmi les priorités, un glossaire du vieux français. Au fur et à mesure que se développe le débat sur les origines du français, la question de la langue d'oc prend une place croissante. Mais elle se double d'un intérêt accru, déjà manifesté au XVIe siècle par Étienne Pasquier, au XVIIe par Huet, Chapelain et d'autres, sur les origines de la littérature française. Dans l'*Histoire de la poésie française* de Mervesin (1706), les troubadours ont déjà une place définie : leur littérature fut au XIIe siècle la première littérature moderne de l'Europe, la mère de la littérature italienne, de Dante et de Pétrarque. Dans les années 1740, Falconet et Lacurne s'attellent au recueil des sources linguistiques et littéraires ; Lacurne se tourne

---

10. Le fait que 1789 est une date majeure dans l'histoire politique et sociale de la France ne devrait entraîner en rien que cette date fonctionne comme coupure historiographique. Grâce entre autres aux historiens de la littérature (Jean Fabre, Simone Balayé, Edouard Guitton, etc.), l'étude de la période 1760-1820 a déjà ouvert des brèches importantes, mais il faut absolument faire voler en éclats cette coupure stérilisante qui distingue, d'une façon assez ridicule, les « modernistes » et les « contemporanéistes », les « dixhuitiémistes » et les « dixneuviémistes ».

tout naturellement vers l'Italie, en avance sur la France à cet égard. Au cours de ses voyages en 1739 et 1749, il rassemble plusieurs milliers de pièces de vers et des vies de poètes. Des textes, il passe au vocabulaire et à la grammaire. Ce qui devait être une entreprise achevée en deux ans devient un travail monstrueux, qui dans un premier temps aboutit à l'*Histoire littéraire des troubadours* (Paris, 1774, traduction anglaise en 1779).

L'ouvrage, très attendu de l'Europe savante mais aussi du public amateur de la littérature, déçoit : Lacurne est demeuré trop soucieux d'érudition, il n'a pas su faire passer l'élégance poétique. Mais le mouvement est lancé et, jusqu'aux grandes publications de Raynouard sous la Restauration, l'intérêt pour les troubadours ne cesse plus : Millot, Mouchet (collaborateur et continuateur de Lacurne), Legrand d'Aussy (*Fabliaux, ou contes du XIIe et du XIIIe siècle*, 1779), Louis-Aubin Millin (*Essai sur la langue et la littérature provençale*, 1808), Roquefort (travaux publiés de 1808 à 1818), Ginguené dans son *Histoire littéraire de l'Italie* (1811-1819), pour ne citer que les plus connus, illustrent ce que Lacurne avait écrit dans le *Discours préliminaire* de son édition de 1774 : « L'origine de la littérature moderne est donc en Provence, c'est-à-dire dans les provinces méridionales de la monarchie française. » L'accord cependant n'est pas unanime, et des gens comme Legrand d'Aussy tendront à privilégier une origine picarde, d'autres se tournant vers la Normandie.

Quant à la masse de documents sur la langue recueillis par Lacurne, ils connaîtront grâce à Mouchet un début de publication en 1781, mais l'ensemble aboutira au cabinet des Chartes créé par Moreau, que la question n'intéresse pas. Moreau demeure dans l'univers des légistes, fermé à cet aspect de manifestation des nations. Il faudra attendre L. Faure pour voir publié de 1875 à 1882 le *Dictionnaire historique de l'ancien langage français*.

L'Allemagne fut l'un des pays où les recherches sur la langue et la littérature d'oc suscitèrent le plus vif intérêt. Avant 1770, on ne trouve qu'une communication sur le sujet à l'Académie de Berlin (en 1737), mais trois avant la fin du siècle. Surtout Herder, dans la quatrième partie des *Idées* (1791), consacre des pages très chaleureuses à « la mère de toute poésie européenne », dont les *Minnesänger* allemands ne sont qu'un « écho tardif et rude ». Herder lie le domaine provençal au monde arabe, source du merveilleux, et il voit l'essor de la civilisation moderne dans la conjugaison entre ce puissant courant du Midi et celui créé au Nord par les Normands, la France étant le lieu par excellence de leur rencontre et de leur synthèse. C'est là, expose-t-il, la source du génie français. Celui qu'on a trop souvent présenté exclusivement comme ayant levé l'étendard de la révolte contre la prépondérance littéraire de la France en Europe — et qui a effectivement contribué à cette révolte — a su aussi exprimer son admiration pour la civilisation française carrefour du Nord et du Midi. C'est qu'il s'est produit chez lui une évolution comparable à celle de Goethe [11], la quatrième partie des *Idées* est beaucoup moins imbue que les trois autres de la supériorité du Nord.

Il n'est pas possible dans le cadre de cet ouvrage de suivre en détail ce courant d'études en Allemagne. A partir des travaux de Raynouard, il mènera à la fondation de la romanistique par Friedrich Diez (premières publications en 1826). Mais entre Raynouard et Diez, il y a un échelon important : l'apport des frères Schlegel, Friedrich et August Wilhelm, qui s'intéressent aux troubadours dès 1795 (A.W. viendra travailler à Paris sous le Consulat) ; c'est par eux et non par Herder que la question linguistique et littéraire en Allemagne prendra un tour nettement antifrançais et anti-peuples du Midi. Dans ses *Observations sur la langue et la littérature provençale* (Paris, 1818), A.W. Schlegel pose la distinction des langues synthétiques (le grec, le latin et surtout le sanscrit) et des langues analytiques (les langues modernes, nées de la décomposition des premières). Les langues germaniques sont dans une situation intermédiaire et Schlegel — qui préparait un grand travail sur l'histoire de la langue française mais a été devancé par Raynouard — écrit pour combattre la préférence de Raynouard et de bien d'autres pour les langues analytiques : ce sont des langues assujetties à la logique, tandis que les langues synthétiques sont celles de l'imagination et de la sensibilité. Ce qui intéresse Schlegel dans l'étude du provençal, c'est de pouvoir y saisir un processus très ancien — jugé plus ancien que dans la formation de l'italien, l'espagnol ou le portugais — de décomposition du caractère synthétique du latin.

Les analyses de Schlegel ne sont nullement méprisables, l'homme a une forte culture littéraire et linguistique. Mais ses études sont totalement viciées par une aigreur sous-jacente face à tout ce qui

---

11. Lequel Goethe devait à Herder lui-même, lors de leur rencontre à Strasbourg en 1770, un enthousiasme pour le gothique, art allemand par excellence selon eux, et pour les littératures primitives (Ossian). Concernant Ossian, l'un et l'autre en reviendront.

vient de France. C'est un jaloux. Les frères Schlegel, fondateurs de l'*Athenaüm* (1798-1800), sont au cœur du romantisme allemand, et leur entreprise de critique littéraire rejoint l'exaltation du Moyen Age chez Savigny et chez son élève Jakob Grimm, fondateur de la germanistique. Comme les Schlegel, Grimm (qui lui aussi travaille avec son frère) voit une langue allemande directement liée aux origines, propre par son caractère synthétique intégralement maintenu à exprimer une mythologie analogue à celle des Grecs : les peuples grec et allemand sont frères. Cette idée de l'allemand langue des origines intégralement maintenue au cours des siècles se retrouve également dans les *Discours à la nation allemande* de Fichte (1807), nourris des cours faits à Berlin sur la littérature par A.W. Schlegel en 1804-1805. Notons quand même que, partant de ces présupposés outrés sur la supériorité de la langue et de l'esprit allemands, Jakob Grimm n'en produira pas moins, par épuration successive de ses idées au contact de la recherche, une grande œuvre scientifique qui débouche en 1819 sur le tome I de la *Deutsche Grammatik*.

Si succincts et excessivement schématiques que soient les développements qui précèdent, on peut voir que le XVIIIe siècle, et pas seulement dans quelques cercles fermés d'érudits, a largement abordé la question des nations telle qu'elle sera popularisée au XIXe siècle. Le XVIIIe siècle a mis l'accent sur l'idée de civilisation, et a porté une grande attention aux langues et aux littératures. Concernant les langues, le courant issu de la *Grammaire de Port-Royal* a toujours maintenu le cap sur les structures générales de l'esprit humain (Dumarsais, Fréret, Maupertuis, Condillac, Turgot, etc.), menant aux études sur la grammaire chez les idéologues (Destutt de Tracy). Mais sous l'influence de Leibniz et des historiens de l'Académie des inscriptions, le comparatisme et l'histoire font une entrée en force. Les deux courants du reste ne sont pas nécessairement antagonistes (Leibniz et Turgot, par exemple, appartiennent aux deux [12]) mais le second, évidemment, travaille à mettre en valeur les différences nationales et, par une liaison plus poussée langue-littérature, à nourrir la vision des nations comme ensembles sensibles-imaginatifs, comme des milieux de création spécifi-

---

12. Sur l'intérêt *a priori* surprenant de Turgot pour Ossian, voir le texte de D. Droixhe cité à la note 3 de ce chapitre.

que. Le premier courant maintient quant à lui l'universalisme du XVIIIᵉ siècle.

La problématique peuples du Nord-peuples du Midi — qui deviendra un lieu commun au XIXᵉ siècle, et est loin d'avoir disparu de la conscience contemporaine — est l'un des moments les plus importants de l'avènement des nations modernes. La prépondérance anglaise au XVIIIᵉ siècle, considérée à partir de 1770 par les Allemands comme le « coup d'envoi » d'une suprématie définitive du Nord sur le Midi (Shakespeare étant la gloire littéraire commune aux Anglais et aux Allemands, pour son traducteur A.W. Schlegel comme pour Jakob Grimm). Le Nord ainsi compris, c'est l'héritier de l'Orient primordial, dont la Grèce fait partie, l'Allemagne est la Grèce des temps modernes. Orient et Grèce, et Allemagne, sont les sources d'une mythologie enfermant et exprimant les secrets perdus de l'humanité vouée au divin. De là est venue une civilisation barbare certes en ses débuts (la Grèce des années 1770 est une Grèce primitive, dont l'aboutissement est Homère, bien plus que la Grèce classique de Platon et Aristote, mère de la Raison), mais virile, morale, chaste — respectueuse de la femme —, seule apte à mettre en pratique les valeurs fondamentales du christianisme. En face, le Midi d'origine latine, c'est-à-dire une civilisation de seconde main — les Romains élèves médiocres des Grecs —, abâtardie, efféminée, sensualiste, productrice de despotes esclaves de leurs appétits de jouissances et d'une gloire égoïste. Quoique héritière de l'Empire et du droit romains, l'Allemagne du Moyen Age avait su selon cette vision épurer cette source trouble, et la Réforme avait édifié un christianisme du Nord, le seul vrai...

C'est à l'Allemagne romantique qu'il revient de dresser ce tableau dans toute son ampleur. Le romantisme allemand est un mouvement fort complexe, et on doit se garder de toute simplification abusive [13]. Nous sommes en particulier victimes des antagonismes brutaux qui, non sans motifs, ont amené les intellectuels français, dans les années 1860 et surtout après 1870, à brûler ce qu'ils avaient adoré.

Il n'est pas sûr que le romantisme ait exercé une influence aussi

---

13. Mais aussi de toute adulation systématique, comme le font des auteurs tels que Michel Le Bris ou Georges Gusdorf.

grande qu'on a voulu le voir, dans l'évolution de l'Allemagne au XIXᵉ siècle. Mais ce qui nous intéresse ici, c'est qu'il a exercé une influence considérable sur une partie importante de la société française. Le groupe de Coppet, autour de Mme de Staël — A.W. Schlegel, Sismondi, Benjamin Constant —, a contribué à façonner de manière décisive la vie intellectuelle et la conception politique de la nation en France.

Les deux romantismes, allemand et français, sont très différents l'un de l'autre — et le romantisme anglais est encore autre chose. Mais c'est dès le départ qu'il apparaît entre romantismes français et allemand une différence fondamentale. Le romantisme allemand s'est compris comme transcendant la politique. Non seulement — en réaction contre ce qu'ils considéraient (les uns dès 1792, d'autres en 1795, 1798 ou 1800) comme l'échec de la Révolution française —, les romantiques allemands ont refusé d'entreprendre la critique politique de l'état de l'Allemagne, mais surtout, comme l'a montré Jacques Droz, ils ont travaillé à justifier l'ordre social de leur temps. En définitive, ils ont été les auxiliaires des aristocrates tenant de la grande propriété terrienne féodale, des chantres des *Stände*, les assemblées corporatives; en jouant de la rivalité entre la Prusse et l'Autriche pour la domination de l'espace allemand, ils ont conforté la *Kleinstaaterei*, le morcellement de l'Allemagne en une multitude de petits États archaïques.

Roger Ayraut fait une remarque intéressante à propos des romantiques allemands, que l'on place si volontiers aux origines du nationalisme allemand : « C'est l'État et non la nation que leur pensée politique s'appliquera enfin à définir, se complaisant parfois envers lui dans un culte étrangement idolâtre. » Friedrich Schlegel, Novalis *(Foi et Amour)*, Adam Müller, Fichte lui-même, etc., par leur absence de critique réelle des institutions politiques et de l'état social de l'Allemagne, ont abouti à une consolidation de l'État d'Ancien Régime. Ce qu'on peut reprocher aux romantiques allemands, ce n'est pas d'avoir trop pensé la nation, c'est bien au contraire de ne l'avoir pas assez fait.

Il en va tout autrement des premiers romantiques français : Mme de Staël, Constant, Sismondi sont au cœur d'un processus politique qui s'origine dans la destruction de l'Ancien Régime, et qui se structure entre 1795 et 1799 à partir de l'impossibilité pour la France de stabiliser ses institutions politiques républicaines. Constant a bien écouté le Sieyès du Directoire, dont on ne dira jamais assez que c'est la période clef pour la compréhension de la France moderne [14]. Le romantisme français est fondamentalement dans sa visée première une tentative de penser les rapports de l'État et de la nation. Ces rapports ont été au cœur du débat politique français tout au long du XVIIIᵉ siècle et surtout à partir des années 1760, mais avec l'apport des courants et des travaux que nous avons étudiés dans ce chapitre, le problème se modifie considérablement entre 1795 et 1815. La nation est devenue un ensemble singulier, et nous sommes en marche vers l'État national, notion à laquelle personne n'était véritablement arrivé jusque-là.

---

14. La question est *stratégique* : les historiens spécialistes de la Révolution française ont dans leur immense majorité privilégié la période 1789-1794. Malgré d'importants travaux (G. Lefebvre, J.-R. Suratteau), nous sommes quant au Directoire face à un cruel manque de synthèses. C'est catastrophique : le XIXᵉ siècle en devient inintelligible. Thiers, lui, avait compris !

6

Du droit des peuples à disposer d'eux-mêmes au principe des nationalités

La question des rapports de l'État et de la nation a été totalement bouleversée par l'introduction dans le droit international du droit des peuples à disposer d'eux-mêmes, dont la première formulation apparaît en 1790. Le 22 mai, la Constituante avait solennellement répudié le droit de conquête. C'est ce qui permit à Merlin de Douai de répondre aux princes possessionnés d'Alsace, qui protestaient contre l'abolition de la féodalité dans leurs seigneuries au nom du fait qu'ils n'étaient pas français, que la volonté des Alsaciens fondait leur appartenance à la France, et non les traités de 1648 ou la conquête de Louis XIV. Que donc cette population était libre de s'affranchir d'un droit qu'elle avait répudié en tant que partie du peuple français.

C'est ainsi que selon les désirs de la population, Avignon et le Comtat Venaissin furent réunis à la France en septembre 1791, provoquant la protestation du pape devant l'Europe.

Malgré sa simplicité apparente, la question était grosse de redoutables implications. Car le droit des peuples à disposer d'eux-mêmes désigne deux choses distinctes. D'une part, les révolutionnaires français ont affirmé que tout peuple constitué dans un État avait le droit absolu de changer ses institutions sans que le souverain de cet État soit fondé en droit à le lui contester et sans que les souverains d'autres États puissent légitimement chercher à s'y opposer. D'autre part, ils ont affirmé que tout peuple, toute collectivité humaine avaient le droit de se séparer de l'État dont ils faisaient jusque-là partie, soit pour former un nouvel État (ce

---

1. Voir Jean-François GUILHAUDIS, *Le Droit des peuples à disposer d'eux-mêmes*, Presses universitaires de Grenoble, 1976.

sera le principe de la formation des républiques sœurs sous le Directoire), soit pour s'agréger à un autre État.

Concrètement, dans l'esprit des révolutionnaires, ces deux acceptions se rejoignaient : se constituer en nouvel État ou s'agréger à la République française était pour un peuple le moyen de modifier son état social et ses institutions dans le sens de la liberté. Il était donc capital que toute modification de la carte politique de l'Europe résultât non de conquêtes mais de la volonté librement et clairement exprimée des populations.

Tout cela épurait singulièrement le droit international classique pour le ramener à ses origines : le droit des gens. Le *jus gentium* [2] remonte à l'Antiquité et s'est développé en Europe au cours du Moyen Age et surtout des XVᵉ-XVIᵉ siècles. C'est une mise en forme des principes du droit naturel. Son fondement est que toute autorité s'exerçant tant sur un individu que sur un groupe social (une communauté paysanne, une ville, une province, une corporation, etc.) doit être légitime, justifiée et mesurée ; elle doit être reconnue par tous les intéressés (amorce possible pour la notion de pacte social) et s'exercer selon les modalités énoncées — par exemple les lois fondamentales du royaume. L'aboutissement du droit des gens est la doctrine selon laquelle il est légitime de tuer un tyran, celui qui de façon constante et systématique transgresse ces principes. Car aucune autorité, même l'absolutisme louis-quatorzien, ne peut s'affranchir de certaines règles fondamentales du respect des individus et des groupes sociaux — surtout ces derniers, du reste, les corps constitutifs de la société d'Ancien Régime. L'école moderne du droit naturel a poussé très loin les exigences du droit des gens, en posant le principe de la sûreté des personnes et des biens, en revendiquant la liberté de conscience et d'expression : elle a déplacé ces principes des corps sociaux aux individus, contribuant ainsi puissamment à la dissolution de ces corps. L'une des voies par lesquelles le droit des gens est à l'origine de la démocratie est l'affirmation du droit des sujets d'un État à consentir à l'impôt au lieu de le subir comme un tribut extorqué.

Le droit des gens s'applique aussi entre autorités politiques souveraines : c'est en son nom que Philippe Auguste rejette la prétention de l'Empire germanique à dominer le royaume de France, et que Philippe le Bel récuse la volonté de la papauté de régenter les royaumes. Mais ici, le droit des gens se transforme en droit inter-

---

2. Voir note 3, chap. 4, et les pages sur Daguesseau au chapitre 4.

national. Celui-ci s'est développé surtout à partir des XVᵉ-XVIᵉ siècles, au moment où achèvent de se constituer les grandes monarchies. Apparaissent alors les ambassades, les règles du droit de la guerre, le principe de la liberté des mers, et les congrès comme mode normal de règlement des conflits. Les traités de Westphalie en 1648, résultat des conférences de Munster et Osnabrück, sont la consécration du droit international et fondent le droit public de l'Europe jusqu'à la Révolution française.

Mais, comme on l'a noté depuis longtemps, ce droit international est bien mal nommé, puisqu'il ne concerne que les relations entre États (même le droit international privé en dépend); les nations en effet n'étaient en rien, on l'a vu, des réalités sur le plan juridique institutionnel et politique. C'est précisément sur ce point que la Révolution française a changé la nature du droit international, en proclamant la souveraineté nationale, en plaçant les institutions — l'État — en position d'instruments de la nation, et en posant comme un axiome que si les États monarchiques d'Ancien Régime étaient par nature belliqueux, les nations, elles, ne pouvaient, par leur nature même, qu'entretenir des rapports de fraternité. L'idée qui cheminait à travers tout le cosmopolitisme du XVIIIᵉ siècle s'épanouit en 1789 : dès lors que tous les peuples auront renversé leurs monarques ou auront institué le contrôle de leurs décisions, la fraternité universelle en résultera nécessairement.

Mais quel est le sujet exclusif du bouleversement du droit international ? C'est ce qu'on appelle les rapports sociaux, c'est-à-dire les droits civils, le droit de propriété individuel — la liberté économique —, le passage de l'état de sujet à celui de citoyen. C'est ce que les Français entreprennent de réaliser à partir de 1789 et que, ce faisant, ils encouragent et aident les autres peuples qui le désirent à entreprendre aussi. Rien de ce qui est ethnique ou culturel ne regarde cette transformation. Pas davantage le religieux, à cette réserve près que la papauté est un État et que l'Église est une institution fortement impliquée dans la sphère des droits civils.

Les Constituants ont laissé au roi la politique extérieure, sous le contrôle de l'Assemblée nationale. Lorsque la Législative vote en avril 1792 la guerre, elle prend soin de la déclarer « au roi de Bohême et de Hongrie » — pas même à l'empereur germanique —, et en fin 1792 le mot d'ordre sera « guerre aux châteaux, paix aux chaumières » : on ne fait pas la guerre aux peuples, mais à leurs souverains et aux aristocrates qui les soutiennent. De la guerre on n'attend nulle conquête, mais la défaite de l'Ancien

Régime à l'étranger et la libération des peuples qui, en révolutionnant leurs rapports sociaux et leurs institutions, se mettront à leur tour dans les conditions d'exprimer l'humanité fondamentale que les rois retenaient captive en eux.

Après avoir repoussé à Valmy l'offensive des rois de Prusse et « de Bohême et de Hongrie » flanqués d'une poignée d'émigrés, les armées de la République sortent en octobre 1792 des frontières et entreprennent d'aider concrètement la libération des peuples frères. C'est alors que surgit dans la conscience politique le thème des frontières naturelles : les limites de la France sont tracées par la nature, elles sont le Rhin, les Alpes, les Pyrénées et la mer. Ce qui correspond au territoire de la Gaule romaine. Autrement dit une donnée historique et naturelle à la fois, qui n'est pas d'ordre ethnique mais peut y conduire, qui est plutôt d'ordre culturel et, par l'association de la nature et de l'histoire — c'est-à-dire de la raison et de l'histoire —, tend à fonder une spécificité. Il y a donc là quelque chose qui, dès les débuts de la Révolution et dès que le bouleversement du droit international apparaît comme une donnée politique générale et non plus d'application locale (comme en Alsace et dans les possessions papales), va au-delà de la sphère des droits civils. On n'est plus dans le domaine des rapports interindividuels.

Le thème des frontières naturelles était présent, dans les milieux entourant le roi de France, depuis le XVe siècle, chez les légistes et plus tard chez les intellectuels, mais c'est un thème idéologique et culturel, pas une donnée politique. Contrairement à ce qui a été soutenu jusqu'à l'entre-deux-guerres, ce thème n'a jamais dicté la politique extérieure de la monarchie. C'est donc à la fin de 1792 qu'il entre pour la première fois dans l'ordre politique. Ardemment soutenu par les Girondins, par Grégoire, Carnot, Danton et la majorité des révolutionnaires (mais pas Robespierre), le thème des frontières naturelles sert à justifier la politique d'annexions. Ainsi en décembre 1792 la Savoie entre-t-elle dans la République française comme « République des Allobroges » : elle devient partie intégrante de la terre de la liberté et de la fraternité universelle par le détour de l'histoire et de la nature physique. Il en va de même avec la Belgique, puis les Provinces-Unies — la République « batave », espace non gaulois mais mis sur le même plan que celui de la Gaule originelle et naturelle — et l'expansion vers la rive gauche du Rhin. Mais à ce moment-là (printemps 1793), la première coalition menée par l'Angleterre, qui ne peut accepter la domination française aux bouches de la Meuse, de l'Escaut et du Rhin, oppose de sérieux obstacles à la croisade libératrice de la France.

C'est alors que, en avril 1793, par la voix de Danton, la France renonce à la politique des frontières naturelles, se bornant au territoire qu'elle a reçu de l'Ancien Régime accru des réunions opérées jusqu'en 1792. L'extension de la guerre extérieure, la révolte dite fédéraliste, la Vendée, les menées des royalistes du Midi amènent au pouvoir, dans le Grand Comité de Salut public, des hommes peu sensibles à l'idée des frontières naturelles. Robespierre et les autres membres du Comité mènent la guerre avec vigueur, jusqu'à ce que les armées étrangères quittent le territoire en fin 1793 et que la contre-Révolution intérieure soit écrasée. Au printemps 1794, les armées révolutionnaires débouchent de nouveau en Belgique (Fleurus, 27 juin 1794) et en Allemagne sur la rive gauche du Rhin. Mais Robespierre tend à une politique d'équilibre, hostile à toute conquête. C'est pourquoi son renversement est ressenti par les coalisés comme une perte.

A partir de Thermidor arrivent au pouvoir des hommes qui, tout en bloquant toute possibilité de progression révolutionnaire à l'intérieur, entendent barrer la route au retour de l'Ancien Régime. Mais la République française est financièrement aux abois et l'expansion est le seul moyen de se procurer des ressources, car la guerre ne peut être arrêtée sous peine de voir l'Europe appuyer de façon irrésistible les forces qui en France cherchent à rétablir la monarchie. Le thème des frontières naturelles revient alors au premier plan. Lorsque, en novembre 1795, le Directoire entre en fonctions, sa personnalité dominante est François Reubell, Alsacien, qui tentera obstinément jusqu'à sa sortie du Directoire en mai 1799 de gagner à la France la rive gauche du Rhin, garant de la sécurité de l'Alsace et de la France vis-à-vis de l'Allemagne. Reubell est avec Sieyès, qui joue de nouveau un rôle capital depuis 1795, le plus ardent partisan des frontières naturelles.

Lors de l'installation du Directoire, la France a fait la paix avec la Prusse (traité de Bâle, avril 1795), la Belgique est incorporée (octobre 1795), et les Provinces-Unies transformées en République batave sont devenues en mai 1795 un allié (et satellite). Juriste de formation, homme politique d'envergure, Reubell n'est point obnubilé par les aspects « culturels » de l'idée des frontières naturelles. La continuité linguistique lui est indifférente. Depuis 1792, la Rhénanie est un champ de bataille capital, militaire, mais surtout politique. Si toute l'Allemagne fut remarquablement réceptive à la Révolution (Marita Gilli a noté qu'aucun pays n'était plus disposé à lui faire écho), c'est, avec la région de Hambourg et la Prusse, en Rhénanie que la Révolution a trouvé le terrain le plus favorable. Là seulement, autour des patriotes rhénans (Forster, Görres, Rebmann, etc.), l'Allemagne voit une mise en pratique de la « révolutionnarisation », avec des clubs qui poussent à l'annexion à la France comme moyen de changer les rapports sociaux, ou à la création d'une République cisrhénane étroitement liée à la France.

Qu'entendre par « patriotes rhénans » ? Entre 1792 et le coup d'État de Bonaparte en novembre 1799, ce sont des Allemands qui, en tant que tels et au nom même de leur appartenance à la culture allemande, mettent en œuvre un patriotisme dont le but est de libérer leurs compatriotes — fonctionnaires, bourgeois, paysans — en réalisant en Rhénanie les conquêtes effectuées par la France dans le domaine des rapports sociaux. Leurs ennemis ne sont pas les Français — même s'ils sont choqués par l'occupation brutale des militaires, les pillages organisés, les tributs prélevés et les contributions forcées, l'amoralisme des libérateurs —, mais les multiples princes qui règnent sur les États de la région. Dissoudre le morcellement de la *Kleinstaaterei* (l'Empire germanique compte toujours quelque 350 États) est le but des patriotes rhénans, et allemands de façon générale.

La masse rhénane, bourgeoise et surtout paysanne, étant incapable de se soulever — malgré des grèves et des révoltes antiféodales çà et là —, les patriotes rhénans sont conduits à réclamer l'incorporation à la France de la rive gauche du Rhin ou son érection en république sœur. Francisée, une partie de l'Allemagne sera libérée, base pour la libération du reste : ainsi naîtra la nation allemande, libre et moderne, sur les ruines de l'Empire moribond dont Joseph Görres appelle de ses vœux la disparition. Incorporée une première fois en mars 1793, évacuée par les Français dans l'été, la Rhénanie est de nouveau occupée en 1795. En 1797, sous la direction du général Hoche, une République cisrhénane est préparée avec le soutien de Reubell. La mort de Hoche en septembre 1797 met fin à ce projet et après le coup d'État de Fructidor (octobre), on s'achemine vers l'intégration pure et simple. L'annexion est effective en novembre. L'ancien régime féodal et civil est aboli par une série de décrets décisifs de janvier 1798, la Rhénanie est organisée en départements. Ce n'est cependant qu'en 1801, au traité de Lunéville, que cette annexion sera ratifiée par l'Empire germanique.

Le problème est que, de 1792 à 1801, le peu d'audience des patriotes rhénans dans la masse allemande est mis en évidence. Lors des votes de réunion en 1793, une partie infime du peuple a voté. La participation aux réformes en 1798 est dérisoire. Ce n'est pas que la masse du peuple soit favorable à ses anciens maîtres, elle est amorphe et se plaint seulement des conditions matérielles de l'occupation qu'elle ressent, à juste titre, comme opérée au seul profit de la République française. Nulle fidélité d'Ancien Régime, nul patriotisme allemand, ni dans un sens assimilationniste à la France ni dans un sens proprement allemand. Le patriotisme allemand alors n'existe pas. Mais il en résulte que le principe fondamental du droit des peuples à disposer d'eux-mêmes, à savoir la libre volonté exprimée de choisir ses institutions, est singulièrement mis à mal, comme il l'avait déjà été en Belgique. Il devient donc difficile de distinguer l'entrée de ces territoires dans la République française d'une conquête pure et simple, selon le mode d'Ancien Régime.

La situation est d'autant plus difficile que, depuis avril 1796, un élément décisif est intervenu dans la politique intérieure et extérieure de la France, qui va bouleverser toutes les données du problème : cet élément se nomme Bonaparte. Nous avons ici la clef de la France moderne, ce qui fait que la France ne reviendra pas à l'Ancien Régime, mais n'accomplira pas la transformation des rapports sociaux au-delà de ce qui a été gagné entre 1789 et 1793. Cette clef se situe sous le Directoire, et elle fait apparaître, à ce moment essentiel, que politique intérieure et politique extérieure sont intimement liées, mieux : elles sont une seule et même politique. Le bouleversement du droit public de l'Europe par la Révolution française produit ici ses effets maximaux avant l'apparent retour aux fermetures des États au XIXᵉ siècle. La période du Directoire est un vaste champ de travail ouvert aux historiens, car malgré les travaux existants, on est loin d'avoir mis en évidence toute la portée de cette période redoutablement compliquée.

Sans prétendre ici dégager cette portée, on peut du moins éclairer la signification capitale du changement de ligne politique dû à

Bonaparte. Déjà en paix avec l'Europe continentale du Nord, la République signe un traité d'alliance avec l'Espagne en août 1796. Les seuls adversaires encore en lice sont donc l'Angleterre et l'Autriche. Au printemps de 1796, le Directoire lance une offensive contre Vienne. Le gros de l'attaque est confié aux armées d'Allemagne (Jourdan et Moreau), le jeune Bonaparte se voyant placé à la tête d'une petite armée chargée de fixer en Italie le plus de troupes autrichiennes possible. Comme on sait, les événements ont déjoué ces plans : tandis que les armées d'Allemagne se virent rapidement contraintes à la retraite, l'armée d'Italie faisait une campagne fulgurante. En un mois, Bonaparte était à Milan, et s'il lui fallut six mois pour faire tomber Mantoue, dès avril 1797 il franchissait les Alpes en direction de Vienne. Ce fut la panique dans la capitale autrichienne qui signa à Leoben (à cent kilomètres de Vienne) les préliminaires de paix. L'aboutissement définitif sera le traité de Campo-Formio le 18 octobre.

Au cours de cette campagne éclatante — que Thiers célèbre dans son *Histoire de la Révolution* en parlant des « jours immortels » de la victoire de Rivoli en janvier 1797 —, le génie militaire de Bonaparte s'est imposé au Directoire et à l'opinion publique. Mais l'essentiel est que, dès le début des opérations, Bonaparte a entrepris de son propre chef une politique de réorganisation de l'Italie et une action diplomatique en direction de Vienne qui ne tient aucun compte des vues du Directoire. C'est là qu'est le cœur de la question : dans cette liaison *immédiate* du militaire et du politique. Le « système du Rhin » de Reubell se voit remplacé *de facto* par le « système italien » de Bonaparte. A Campo-Formio, le triomphe de la France semble total : l'Autriche reconnaît enfin la République en traitant avec elle, elle ratifie la perte de la Belgique (anciens Pays-Bas autrichiens) et de la Lombardie devenue République cisalpine, et reçoit la Vénétie. Quant à la rive gauche du Rhin, annexée de fait par la France, son sort définitif au regard du droit international est renvoyé aux discussions d'un congrès qui va s'ouvrir à Rastadt.

Pour ne pas se mettre en opposition excessive avec les directeurs, Bonaparte a dû tenir compte de leur volonté concernant la Rhénanie. Mais en réalité cette question ne l'intéresse nullement. Plus grave, la politique qu'il amorce dès 1796 et qui sera la sienne jusqu'à sa chute en 1814 ne tend en rien à favoriser la subversion de l'Ancien Régime dans les pays conquis. De même se soucie-t-il comme d'une guigne du consentement des populations. Cela s'ajoute à la constatation faite par les directeurs que les populations des pays conquis demeurent passives, de sorte qu'à partir de 1797 la France ne cherche plus du tout à révolutionner la Belgique, la Rhénanie et l'Italie : elle les administre et les aménage en fonction de ses besoins, s'associant pour les rangs inférieurs des fonctionnaires issus de ces pays. Déjà mis à mal entre 1792 et 1796, le droit des peuples à disposer d'eux-mêmes est mort en 1797. Lorsque par la suite Bonaparte réorganisera l'Allemagne (acceptation du Recès d'Empire par la Diète en février 1803), il ne tiendra aucun compte de la volonté explicite des populations.

Ce n'est pas à dire cependant que les pays conquis, et plus tard les royaumes que Napoléon occupera ou créera, en Allemagne notamment, n'aient pas en fin de compte profité de la présence française. L'abolition de l'Ancien Régime, la départementalisation (l'Empire des 130 départements), l'introduction du Code civil (là où il peut être introduit et traduit) : autant de bienfaits dont les effets ne seront pas tous abolis lors du retour de l'Ancien Régime en 1814. Si la Rhénanie apparaît dès la Restauration comme la région d'Allemagne la plus avancée politiquement et économiquement, elle le doit largement à la présence française. Lorsque, au congrès de Vienne, la Prusse recevra la Rhénanie, il apparaîtra clairement que la grande masse de la population n'est nullement favorable à un retour des anciennes formes de domination de la noblesse. De 1815 à 1848, le libéralisme rhénan sera à la pointe du combat pour la transformation de la Prusse en monarchie parlementaire fondée sur la souveraineté nationale. De même en Italie, face aux souverains d'Ancien Régime et à l'Église, l'influence française a laissé de fortes traces qui vont agir dans le Risorgimento dont les fondements politiques datent du Directoire.

Mais restons à la période charnière de 1797-1799. Le Directoire a perdu le contrôle militaire et politique des armées, il a été obligé de céder devant Bonaparte qui met au point en Italie les formes d'administration (les préfets) qu'il va imposer à la France après 1799. Le département est né en France, mais le préfet est né dans les pays conquis. Le bouleversement des institutions dans ces pays contredit le dogme de la souveraineté nationale ; l'effet en retour se fera sentir en France même dès que Bonaparte en sera le maître. La Constitution de l'an VIII (13 décembre 1799) ne parle plus de souveraineté nationale mais de « droit de cité ».

Que s'est-il passé ? Georges Lefebvre a clairement dégagé la portée de la répudiation du droit de conquête et de la proclamation du droit des peuples à disposer d'eux-mêmes en 1790 : « Désormais, la volonté de l'homme, librement exprimée, asservissait au contraire le sol : l'État territorial et dynastique cédait la place à la nation. » Telle est la transformation du « statut » du sol qui s'est accomplie en France même à partir de 1789. La conviction absolue qui portait les révolutionnaires héritiers du XVIIIe siècle, que les peuples voisins délivrés de leurs souverains réaliseraient eux aussi une telle subversion de leurs États dynastiques et permettraient ainsi à la fraternité universelle des nations de se concrétiser, a été désavouée. Ces peuples n'ont rien subverti, de sorte que les États territoriaux conquis par la France ont été transformés par celle-ci sans que rien permette de légitimer ces transformations au nom d'une souveraineté nationale émanant de ces peuples eux-mêmes. La non-subversion politique entraîne la non-subversion du caractère territorial.

Ce que je soutiens ici, c'est l'idée que, du traité de Bâle (1795) à la paix de Lunéville (1801), la France et l'Allemagne ont formé un couple dont chaque élément détenait une partie de la réalisation effective du droit des peuples à disposer d'eux-mêmes. Mais pour que cette réalisation eût lieu, il fallait nécessairement que chaque élément se libère par sa propre volonté, afin que, par cet acte, à la fois il se libérât lui-même et achevât la libération de l'autre. Autrement dit, ou les deux se libéraient, ou aucun. La question dépasse évidemment la France et l'Allemagne, elle est mondiale ; mais c'est par la relation franco-allemande à ce moment précis de l'histoire qu'elle s'est historiquement posée.

De 1789 à 1792, la France s'est libérée dans l'ordre intérieur : la nation s'est imposée à l'État territorial et dynastique et l'a subverti. Et l'Allemagne ? D'où peut venir son propre mouvement libérateur ? De l'histoire, elle a hérité trois ensembles : l'Empire, entre les mains des Habsbourg, centré sur l'Autriche, puissance en déclin ; la Prusse des Hohenzollern, qui a connu une ascension foudroyante au XVIIIe siècle ; les petites et moyennes principautés civiles et ecclésiastiques, les royaumes de second rang (Saxe, Bavière, etc.). Pour qu'il y ait libération, il faut qu'un quatrième élément intervienne : le peuple, se constituant en nation par le renversement de toutes ces puissances et la dissolution de tous les États territoriaux. Or il est clair que lorsque, en 1794-1795, les armées révolutionnaires reprennent leur mouvement vers l'espace allemand (la rive gauche du Rhin), ce quatrième élément n'interviendra pas. Il n'y a que des peuples en Allemagne, il n'y a pas de peuple alle-

mand prenant conscience de lui-même en faisant éclater son car-
can. Il n'y a même pas le minimum qui donnerait un semblant de
crédibilité à une République cisrhénane.

Restent les États. Peut-on entreprendre avec eux une libération
allemande, dans une sorte de partenariat qui ne se ramènerait pas
à une alliance classique de type Ancien Régime ? Laissons de côté
les petits et moyens États, qui n'ont pas le poids nécessaire. De
l'Autriche, rien à attendre, elle est tout entière une puissance
d'Ancien Régime. Mais la Prusse ?

Lorsqu'en 1756 Louis XV, par le fameux renversement des
alliances, avait choisi l'Autriche des Habsbourg contre la Prusse
des Hohenzollern, il avait provoqué un tollé chez les partisans des
Lumières. Ceux-ci avaient pour la Prusse de Frédéric II
(1740-1786) une admiration sans bornes, et de Mirabeau à Talley-
rand (encore en 1830) en passant par Reubell et Sieyès, nombreux
sont en France ceux qui misent beaucoup sur la fécondité d'une
alliance entre la Prusse et la France. Mais malgré des efforts con-
tinus, la neutralité obtenue à Bâle en 1795 ne pourra être trans-
formée en alliance. Sieyès est envoyé dans ce but en ambassade à
Berlin de juin 1789 à mai 1799, il est très lié aux patriotes allemands (Œlsner en particulier [3]) dont la visée profonde est une
Allemagne unitaire et démocratique, et son prestige est immense
dans toute l'Allemagne. Celle-ci est pour lui la patrie de Kant, avec
lequel il tente d'entrer en contact. La Prusse est pour beaucoup,
en Allemagne et en France, l'État dont on attend qu'il prenne la
tête de la régénération de l'Allemagne. Ainsi pourrait être réalisée l'idée, si forte au XVIIIᵉ siècle et au XIXᵉ, d'une Europe conduite
par un trio formé par l'Angleterre, la France et l'Allemagne. Placée au milieu des deux, participant à la fois des peuples du Nord
et des peuples du Midi, la France combinerait harmonieusement
le *self government* local anglais et l'efficacité de l'État prussien.
Appuyée par celui-ci, la France lutterait victorieusement contre le
système économique anglais, fondé sur l'utilitarisme et l'égoïsme
individuel, alors que d'Allemagne tient avec Kant — un Kant bien
mal connu et encore plus mal compris — un puissant système de

---

3. Carl-Ernst Œlsner, né en Silésie en 1764, vit la Révolution et l'Empire en
grande partie à Paris, donnant au journal de Hambourg *La Minerve* des articles
sur la politique française et militant avec les milieux républicains. Il sera aussi diplomate au service de la Prusse, en légation à Paris, après 1815. Il est mort à Paris
en 1828. On lui doit une traduction en allemand des œuvres de Sieyès (dont la
France attend toujours les œuvres complètes !).

morale publique. Il est clair que pour Sieyès, l'inspirateur de la création des départements et celui qui a le plus intensément tenté de penser des institutions centrales à l'abri de toute confiscation personnelle du pouvoir et propres à assurer l'exercice du gouvernement par la partie éclairée de la société (les propriétaires), une Prusse démocratisée a été un espoir considérable.

Tout cela n'est qu'illusion, mais cette illusion est le produit d'une intuition qu'a Sieyès (entre autres) de la nécessité, pour fonder la liberté de la France dans l'ordre extérieur, de pouvoir lier la libération intérieure de la France à une forme crédible de liberté allemande. La thèse de Marcelle Adler-Bresse sur la mission de Sieyès à Berlin en 1798-1799 le montre remarquablement : grâce à la grande popularité dont il jouit en Allemagne, il garde le contact avec les patriotes et les révolutionnaires allemands, mais il joue aussi la carte de l'État prussien [4].

Sieyès, on le sait, a été berné par Bonaparte en Brumaire, et ses amis allemands ne le lui pardonneront pas. Œlsner le méprisera autant qu'il l'a aimé. Mais la question n'avait-elle pas déjà été réglée à Campo-Formio deux ans plus tôt, lorsque Bonaparte, écartant le système allemand du Directoire, avait traité avec l'Autriche ? L'Autriche, puissance avec laquelle il réglera définitivement (jusqu'à sa chute en 1814) le sort de la rive gauche du Rhin.

La politique allemande du Directoire était inconsistante, mais il faut se garder de l'accabler trop vite : elle résulte de la volonté de maintenir en politique extérieure une ligne révolutionnaire, et ce n'est pas un hasard si Sieyès, personnage clef de la Révolution en France à ses débuts — la subversion de l'ordre intérieur — se retrouve en position centrale en 1799 au moment où se pose de façon décisive le problème de la révolution en Allemagne, et par là même celui de la Révolution française dans l'ordre extérieur. Face à cette politique, Bonaparte a fait de 1797 à 1801 preuve d'un réalisme total en traitant avec l'Autriche, c'est-à-dire en tournant résolument le dos à la ligne révolutionnaire impuissante à se réaliser dans l'espace allemand. Il avait d'ailleurs déjà commencé ce virage en Italie, lors de l'aménagement de la République cisalpine.

---

4. Dans cette thèse (*Sieyès et le monde allemand*, Atelier des thèses de Lille, 1977), elle avance l'hypothèse que Sieyès aurait poussé la liaison France-Allemagne jusqu'au projet de restaurer la monarchie en France au profit d'un prince prussien dont il aurait été le tout-puissant premier ministre. Ce n'est pas invraisemblable.

L'erreur — l'illusion — des révolutionnaires français tient à une interprétation totalement fausse de la nature de l'État frédéricien, à l'égard duquel ceux qui vont assurer le relèvement de la Prusse après 1806 n'ont aucune volonté de rupture. Durant ses onze ans de neutralité, de 1795 à 1806, la monarchie prussienne n'a entrepris aucune réforme, ni sur le plan administratif ni sur le plan social. La féodalité, particulièrement lourde en Poméranie (région chérie de Frédéric II), y demeure intégrale. Après le choc de la défaite éclair de 1806, un commencement de réformes interviendra sous l'impulsion de Stein, partisan des doctrines libérales d'Adam Smith et ministre prussien depuis 1804. On sait que Napoléon obligera Frédéric-Guillaume III à se séparer de lui en 1808, mais déjà ses tentatives de réformes avaient rencontré une opposition résolue dans la noblesse prussienne. Son successeur Hardenberg ne pourra guère aller plus loin. De 1815 à 1848, les efforts des libéraux allemands et en particulier rhénans connaîtront un échec complet, définitif lorsqu'en 1849 le roi de Prusse refusera la couronne d'Allemagne offerte par le Parlement de Francfort. La Prusse restera donc une monarchie bureaucratique et militaire fondée sur la noblesse terrienne. « L'éducation politique de la nation lui a fait défaut », écrit Jacques Droz *(Le Libéralisme rhénan 1815-1848)* qui souligne la portée incalculable de cette situation : la Prusse puis l'Allemagne de Bismarck « ne s'associera pas la nation, satisfaite économiquement mais qui demeure politiquement passive ». L'institution du parlementarisme et le suffrage universel masculin n'y changeront rien. Jamais l'unité allemande ne sera celle de la nation, ce sera celle de l'État.

Le schéma historiographique sur lequel repose en France l'enseignement de l'histoire du XIXᵉ siècle européen me semble entièrement à revoir : l'idée d'une conception de la nation née en France entraînant, par similitude (l'Italie, les nationalités d'Europe centrale) ou par réaction (l'Allemagne), l'unité nationale dans toute l'Europe, ne correspond à aucune réalité. L'unité nationale allemande n'a rien à voir avec l'unité française, non pas parce qu'il y aurait une différence de conception de la nation entre la France et l'Allemagne, mais parce que les rapports de l'État et de la nation dans les deux pays sont totalement différents.

Dans le mouvement allemand, la position romantique est capitale. Bien peu nombreux furent les intellectuels allemands à ne pas vibrer à la Révolution française entre 1789 et 1792. A partir de 1793, devant la radicalisation — l'exécution de Louis XVI en janvier et surtout le coup de force contre la Gironde en avril-mai —, le trouble s'installe dans les esprits. Néanmoins, notamment en Rhénanie, une poignée de Cisrhénans autour de Görres tentent de maintenir un cap révolutionnaire. Le coup d'État de Brumaire anéantira leurs espoirs : comment une Rhénanie francisée peut-elle entrer dans la voie de la liberté si la France devient une dictature militaire et renie la souveraineté nationale ?

En réalité — Jacques Droz l'a amplement montré dans *L'Allemagne et la Révolution française* (1949) —, l'attachement des patriotes allemands à la France révolutionnaire repose sur un profond malentendu. Ces patriotes, tous nourris de Kant (dont ils ont en fait surtout retenu l'impératif catégorique exposé dans la *Critique de la raison pratique*), ont cru voir dans la France de 1789 la réalisation du *Vernunftstaat* (« État de raison ») cher à l'*Aufklärung*. Contrairement aux Lumières françaises, l'*Aufklärung* est profondément morale et religieuse, piétiste, et l'idée des patriotes allemands est que la réforme morale des populations est préalable à celle des rapports sociaux. C'est en cela que le romantisme allemand entend transcender la sphère politique. Autrement dit — et c'est la manière dont l'école moderne du droit naturel a agi sur l'Allemagne, voir Pufendorf —, il s'agit de réformer les individus en tant qu'êtres de conscience et de responsabilité, de les « libérer » intérieurement, à partir de quoi ils « libéreront » leurs relations réciproques. La réforme par l'ascèse. Les patriotes allemands écrivent et agissent sur le plan des institutions et des libertés civiles (une action fort limitée, en définitive), mais peu se soucient de la féodalité, du servage et des multiples entraves apportées à la liberté économique. Même sur le plan politique, rares sont ceux qui ont lutté pour la création d'une Assemblée nationale allemande avant 1814. La plupart, Görres en tête, demeurent attachés au système des *Stände* (États), assemblées d'ordres où la noblesse est fortement majoritaire et qui en aucun cas ne peuvent avoir ou acquérir de caractère représentatif.

Au fil des années, la déception s'accroît chez les patriotes allemands. La violence révolutionnaire, l'incapacité du Directoire à stabiliser les institutions, le comportement des troupes françaises dans les pays occupés ou annexés, et surtout ce qui leur apparaît comme l'amoralisme foncier d'un peuple français déchristianisateur : tout cela les conduit à cette idée que les Français n'étaient pas mûrs pour la liberté, et que le peuple allemand seul, parce que peuple essentiellement moral, est capable de régénérer l'humanité.

Caractéristique est l'évolution de Schiller, puis de Fichte, le plus « jacobin » des philosophes allemands, de même que celle de Hegel (Habermas : « Hegel veut révolutionner la réalité en se passant de révolutionnaires »).

Les rapports sociaux — civils, politiques, économiques — n'ont guère été bouleversés en Allemagne, et lorsqu'ils l'ont été ce fut le fait des Français, mais dans une mesure bien moindre que ce qui était advenu en France. En France même, Bonaparte entend bien qu'il n'y ait pas de retour à l'Ancien Régime, mais en définitive le seul véritable bouleversement des rapports sociaux, ce sera la consolidation du régime des propriétaires. La différence est profonde entre la propriété en France, dégagée de la féodalité et des modes de l'Ancien Régime, et en Allemagne où celui-ci demeure largement (en Prusse presque intégralement). Il n'en demeure pas moins que, dans l'un et l'autre espace, c'est, entre 1799 et 1815, l'État bureaucratique et militaire qui l'emporte[5]. Produit de l'absence de révolution dans l'Europe conquise par la France, Napoléon interdit que la transformation des rapports sociaux au plan civil, social et économique en France soit achevée par une transformation au plan politique. De sorte que ce que signifiait la nation pour le XVIIIᵉ siècle, c'est-à-dire l'émancipation complète de la société civile, a finalement été vaincu. La contradiction entre ordre civil (privé) et ordre public que nous avons vue au cœur du droit naturel moderne a trouvé en Napoléon celui qui entend la résoudre en la niant, et stabiliser des institutions unitaires dans un ordre politique chargé d'encadrer un état social fondé sur des clivages de classes.

Devons-nous en conclure que le « mouvement national » a disparu, résorbé dans la victoire de l'État ? Bien au contraire, il va se développer plus que jamais, et c'est maintenant que tout le travail du XVIIIᵉ siècle que nous avons exposé au chapitre précédent va s'épanouir. Du côté des rapports sociaux et de leur traduction

---

5. On mesure en particulier à quel point l'armée française est un instrument de l'État quand on considère l'échec total de la garde nationale. L'institution, née des milices communales bourgeoises du printemps 1789 (mais à partir d'une tradition plus ancienne), connaîtra jusqu'à sa suppression en 1871 une existence précaire. Elle sera toujours considérée par l'armée avec suspicion et raillerie. Les premières années de la monarchie de Juillet tenteront en vain de lui donner un second souffle. *Nation armée, armée de la nation*, autant de thèmes pour de brillants essais et discours, mais projets inapplicables en dehors de périodes brèves tout à fait exceptionnelles : par exemple de septembre 1792 à la fin de 1793, et durant l'Occupation (les maquis armés, les FTP réalisèrent alors au plus près ce que peut être la nation armée).

politique, la voie est barrée. Il ne reste donc que le domaine de la culture, et c'est là que le mouvement national va se déployer. Mais étant donné l'aboutissement des luttes de la Révolution et de l'Empire et la clôture des États nationaux, le cosmopolitisme culturel du XVIIIᵉ siècle va faire place à ce que nous désignons aujourd'hui par les spécificités nationales. Autrement dit, le territoire va se voir réinvesti, *recréé*, par la nation cette fois, et non plus par la dynastie. D'où l'importance nouvelle, politique, des signes culturels (langues, mœurs, littératures régionales). Nous verrons plus loin que le mouvement, après avoir institué la partition culturelle de l'Europe, engendrera des partitions à l'intérieur même des États nationaux, créant à leur tour des spécificités régionales.

Avant de voir les conséquences de ce déploiement de la conscience nationale dans l'espace culturel, et les manifestations de cette politisation de la culture, il nous faut voir pourquoi il était nécessaire, c'est-à-dire inévitable, qu'il en fût ainsi.

Au tome II de son *Précis du droit des gens* (1935), Georges Scelle définit l'un par rapport à l'autre le droit des peuples à disposer d'eux-mêmes et le principe des nationalités. Le droit des peuples à disposer d'eux-mêmes est « l'aboutissement, en droit international public, du principe démocratique du droit interne relatif à l'institution, au contrôle et à la destitution des gouvernants ». Autrement dit, c'est l'application au droit international des principes de l'école moderne du droit naturel en matière de libertés civiles. Le droit de la nation est bâti sur le modèle de la liberté de l'individu. Sieyès l'a fortement exprimé dans *Qu'est-ce que le tiers état ?* : la nation se forme par « un nombre plus ou moins considérable d'individus isolés qui veulent se réunir. Par ce seul fait, ils forment déjà une nation ». Qu'est-ce que la volonté d'une nation ? « C'est le résultat des volontés individuelles, comme la nation est l'assemblage des individus. » Cet assemblage se forme sur la base d'« un contrat réciproque, volontaire et libre de la part des co-associés » (*Discours au comité de constitution*, 20-21 juillet 1789). Ce contrat définit la « volonté commune » des citoyens (actifs seulement, rappelons-le) que la souveraineté nationale est chargée de légitimer. Mais cette souveraineté nationale, quoique procédant de l'assemblage des co-associés, est une et indivisible : les individus constituants sont isolés, la nation constituée est une ; au-dessus de ses constituants, elle est d'une autre nature qu'eux.

Nous avons là la manifestation de ce que Georges Scelle appelle

« la fiction anthropomorphique de personnalité collective ». Scelle, on le sait, appartient aux courants de juristes (Duguit, Hauriou) et de sociologues (Gurvitch) qui, contre Carré de Malberg, refusent toute réalité aux instances collectives considérées comme des personnes. On ne saurait donner tort à ce courant : qui ne voit que le fameux pacte constitutif, cher à tout le XVIIIᵉ siècle, est une pure fiction, et ce produit achevé de l'école moderne du droit naturel n'est plus admis par personne depuis longtemps comme réalité fondatrice des rapports sociaux.

Mais alors, pourquoi faudrait-il faire comme si, au plan politique, il conservait une validité qu'il a perdue au plan civil ? Il est évident que Sieyès se trompe complètement en voyant la nation sortir de la volonté de plusieurs individus de se réunir. Sitôt mise à l'épreuve, cette vision a été cruellement démentie par la réalité : les individus isolés allemands n'ont pu — sauf précisément à titre individuel (Rebmann, Reinhard [6]) — se réunir aux individus isolés français pour former une nation qui ne trouve pas son origine dans l'histoire, mais au contraire la fonde.

Car en réalité, les individus français ne sont supposés d'abord isolés que pour produire la fiction permettant de les poser unis à partir de leur représentation. Mais ces Français, en fait, formaient déjà avant 1789 un ensemble produit par l'histoire. Cet ensemble n'était pas de nature politique, du fait que l'ensemble politique formé par le royaume de France ne prenait pas en compte le peuple, « les Français », en tant qu'entité dotée d'une personnalité collective spécifique, manifestée dans des caractéristiques propres, irréductible à toute autre personnalité nationale. Or, au contact de l'extérieur, la Révolution rencontre des individus isolés, des « citoyens de l'humanité » qui partout, quel que soit leur enthousiasme au départ, se trouvent tôt ou tard confrontés à la difficulté de concilier leur adhésion aux principes politiques de la Révolution et leur héritage propre, ce qui les a constitués en individus revendiquant de devenir sujets de droit. Cet héritage — les sou-

---

6. Rebmann (1768-1824) : il a mis sa plume de journaliste au service de la Révolution ; resté jacobin sous le Directoire, contrairement à la plupart des Allemands qui ont admiré la Révolution et qui étaient du côté girondin, Rebmann sera nommé juge en Rhénanie et finira sa carrière à la tête de la cour d'appel de Trèves, en 1818. — Reinhard, ami de Sieyès, fut placé par celui-ci à la tête du ministère français des Affaires étrangères en l'an VIII. Voir Georges LEFEBVRE, *La France sous le Directoire*, texte édité par J.-R. SURATTEAU, Éditions Sociales, Paris, 1977.

verainetés dynastiques et territoriales d'Ancien Régime, et leur traduction culturelle et spirituelle — s'opposait à leur avènement en
tant que sujets de droit. Pour qu'ils le deviennent, il fallait qu'ils
récusent ces souverainetés, mais leur fallait-il aussi abandonner cet
héritage culturel et spirituel ?

Goethe (et il n'est pas le seul) ne se laissa pas troubler par le problème, se trouvant parfaitement à l'aise dans l'univers des souverainetés dynastiques et territoriales qu'il dominait aisément par la
puissance, elle-même souveraine, de son art. D'autres, tel Rebmann, considérèrent que leur accès au statut de sujet de droit passait par le refus de toute solidarité avec leur monde d'origine, et
devinrent des patriotes français d'origine allemande. Les romantiques et patriotes allemands, eux, se partagèrent en deux courants :
ceux qui, au nom de l'héritage culturel, se crurent obligés de se
déclarer au côté des souverainetés d'Ancien Régime (Görres [7]), et
ceux qui au nom de ce même héritage s'engagèrent dans une voie
libératrice à la fois culturelle et politique. Ces derniers, tels Henri
Heine ou Ludwig Börne, furent bien peu nombreux et leur position devint rapidement intenable en Allemagne.

Le groupe majoritaire, celui qui demande ici une explication,
c'est celui des romantiques et patriotes qui mirent leurs forces au
service de l'Empire germanique et de la Prusse après 1806 et surtout 1813, lors du soulèvement contre Napoléon, ou de la *Kleinstaaterei* d'une façon plus générale.

Bien des admirateurs français de ces romantiques allemands font
preuve d'une étrange cécité quant à leurs choix politiques. On les
comprend : l'engagement résolu de ces fiers partisans de l'indivi-
dualisme absolu au côté de l'Ancien Régime — engagement que
J. Droz a parfaitement mis en évidence — est assez gênant. Mais
ici, il ne s'agit ni d'admirer, ni d'excuser, ni de condamner ; il
s'agit de comprendre.

A l'heure des choix décisifs, entre 1797 (Campo-Formio) et 1805
(moment où Napoléon a définitivement interdit tout retour des
Bourbons à l'intérieur et toute politique extérieure d'équilibre européen), la situation est la suivante :
— L'Allemagne s'est engagée depuis les années 1760 dans un mouvement d'affirmation culturelle (linguistique, littéraire et historio-

---

7. Lequel ne renoncera pas pour autant à l'idée d'une souveraineté nationale allemande aux côtés de la souveraineté monarchique. Cela lui vaudra de gros ennuis
après 1814.

graphique). Ce mouvement s'accélère à la fin du siècle, où se conjuguent les influences de Göttingen, de Weimar, de Iéna puis de Heidelberg. Même si Vienne constitue pour la résistance anti-napoléonienne et antifrançaise une base politique importante, un lieu de repli en raison de la neutralité persistante de la Prusse, c'est l'espace proprement allemand qui est concerné par cette évolution ;
— La France maintient son rayonnement intellectuel et spirituel. La Révolution a pour la première fois fait entrer les questions linguistiques dans l'ordre politique, en proclamant la nécessité pour tous les citoyens de la République de parler français, et en entamant la lutte contre les patois et dialectes à l'intérieur du territoire hérité de l'Ancien Régime. Mais peut-on parler d'impérialisme culturel ? Certainement pas. Ni Reubell ni Sieyès n'ont de vues assimilatrices sur ce plan à propos de la rive gauche du Rhin. Napoléon n'a guère le projet de franciser — au sens culturel — l'Allemagne, pas plus que l'Italie ou les Pays-Bas. En revanche, la France mène une politique active au plan des rapports civils : démantèlement de la féodalité, introduction du Code civil. Mais pas de subversion proprement politique : collaboration avec les souverainetés en place et utilisation des nationaux au service de l'administration de l'occupant sont les principes directeurs de la domination napoléonienne.

Les deux éléments qui émergent de ce double constat sont l'essor culturel allemand (en partie patriotique à son origine) et le maintien des souverainetés dynastiques et territoriales. C'est par la conjonction des deux que va naître le nationalisme allemand. Ce qui signifie que, aux yeux de la majorité des patriotes allemands, il n'y a pas de contradiction entre le maintien d'une sujétion politique (pas de citoyens représentés, associés aux rois ou les contrôlant) et l'émancipation culturelle. Autrement dit, la voie allemande de libération ne passe pas par la victoire du droit des peuples à disposer d'eux-mêmes.

Mais la question qui s'impose ici est la suivante : au moment où l'expansion française place les patriotes allemands face à ce choix, la France à laquelle ils sont confrontés est-elle encore, dans son ordre intérieur, le pays du droit des peuples à disposer d'eux-mêmes ? On a vu que la réponse est non. Alors qu'est-elle ? Pour répondre à cette question, il nous faut nous tourner maintenant vers un autre principe : le principe des nationalités.

La différence entre le peuple du droit des peuples à disposer d'eux-mêmes (celui de Sieyès en 1789) et le peuple doté d'une personnalité nationale spécifique s'éclaire en effet quand on se réfère à la définition du principe des nationalités donnée par Georges Scelle. Celui-ci, écrit-il dans l'ouvrage cité plus haut, part d'un « complexe de faits-conditions », d'une contexture de la collectivité qui légitime une déclaration de volonté à partir de l'affirmation d'une solidarité matérielle. Dans le droit des peuples à disposer d'eux-mêmes, un peuple n'est en rien préalable à son autodisposition, puisqu'il ne forme un ensemble qu'en tant qu'il se constitue comme tel par le contrat social. Dans le principe des nationalités, un peuple est un fait réel, une donnée première antérieure à toute déclaration de volonté, et c'est ce fait réel qui légitime sa volonté. Ce qui signifie que, selon le principe des nationalités, un peuple est *d'abord* un ensemble ethnique, linguistique, culturel et spirituel qui peut légitimement, à partir de ces traits propres, récuser la domination politique qu'il subit et les formes institutionnelles de cette domination. Il s'ensuit que l'exaltation de cet ensemble national conduit à privilégier la lutte contre la domination extérieure, étrangère, mettant au second plan ou même écartant totalement la lutte contre la domination intérieure.

Le peuple du droit des peuples à disposer d'eux-mêmes est le produit d'une rupture radicale avec le passé. Le peuple du principe des nationalités est le produit même du passé. On attribue généralement à l'Allemagne et aux romantiques allemands la doctrine du principe des nationalités (dont la formation demanderait à être regardée de près) et l'on fait volontiers du groupe de Coppet, marqué comme on sait par la pensée allemande, l'introducteur de cette doctrine en France après 1815. Soit. Il n'en demeure pas moins qu'on en trouve l'idée centrale déjà énoncée chez Portalis, et à une date bien antérieure à l'influence du groupe de Coppet. Lors de la rentrée de l'Académie de législation [8] en novembre 1803, Portalis prononce un fort intéressant discours. Étant donné ce que nous avons vu au chapitre 3, nous ne serons pas sur-

---

8. Établissement privé qui, à la suite de la disparition des anciennes universités, a assuré à Paris un enseignement de droit de haut niveau entre le Directoire et la création de l'école de droit (la faculté de droit de Paris) en 1805. Son principal inspirateur est Lanjuinais, qui a introduit l'influence allemande dans l'enseignement du droit en France. Voir. G. THUILLIER, *La Bureaucratie en France aux XIXe et XXe siècles*, Economica, Paris, 1987, qui donne le programme de l'académie de législation et le texte du discours de Portalis, p. 617-622.

pris de le voir y récuser fortement les principes de l'école moderne du droit naturel : « Le droit naturel dérive des rapports qui tiennent à la constitution même de notre être. Ce n'est point un vain recueil de notions abstraites, fondées sur l'hypothèse d'un prétendu pacte social, ou sur celle d'un état prétendu de nature, qui n'exista jamais. » Puis il déclare ceci : « *La société n'est point un pacte, mais un fait**. » Portalis a dû quitter la France après le coup d'État de fructidor et il a vécu deux ans en Allemagne ; on sait que la philosophie et le droit allemand ont influé sur lui. Néanmoins, ce n'est pas ici sous l'influence d'une pensée importée que Portalis énonce ces positions, qui sont entièrement cohérentes avec son travail sur le Code civil. Comme Lanjuinais, il est en réaction contre la rupture voulue par les révolutionnaires de 1789, il est conscient de ce que toute société est le produit d'une longue histoire. Contrairement à ce qui se fera à l'école de droit (en fait la faculté de droit de Paris), l'Académie de législation a mis à son programme l'enseignement du droit français public et privé. Nous verrons que ce courant ne fut pas sans descendance.

Affirmer que la société n'est point un pacte mais un fait, n'est-ce pas reprendre l'idée fondamentale du principe des nationalités ? Et n'est-ce pas récuser le mouvement qui a conduit à la souveraineté nationale en 1789 ? De toute évidence, oui. Et nous avons là la base de ce qui rendra si facile en 1814, lors de la proclamation de la Charte par Louis XVIII, le compromis entre le droit dynastique et le droit national. Comme le montre bien Georg Jellinek dans *L'État moderne et son droit* (tome II, 1913), le principe dynastique va, durant la première moitié du XIXe siècle, l'emporter largement en Europe occidentale (en Allemagne, en Belgique, en France) et contenir victorieusement le principe de la souveraineté nationale. C'est au fond la victoire du modèle anglais, l'idée de la continuité l'emportant sur celle de rupture, le bicaméralisme l'emportant sur la chambre unique. C'était l'idéal des monarchiens à l'aube de la Révolution, des patriotes de 1789, cela devint celui de Sieyès, et c'est son héritier, Benjamin Constant, qui œuvrera le plus pour imposer en France ce compromis dans un sens libéral. Avec les aménagements que le temps et les événements avaient rendus nécessaires, c'était la pensée profonde des physiocrates, ce qui correspondait le mieux à la domination politique des élites économiques et sociales. Après la tentative de réaction de Charles X,

---

* Souligné par nous.

la monarchie de Juillet verra sous la houlette de Guizot ce régime poussé à sa plus parfaite expression. La IIIᵉ République achèvera l'évolution.

Cela n'est pas sans conséquences. Celle qu'il nous faut mettre en avant ici, c'est que, si la nation née en 1789-1792 dans la ligne du droit des peuples à disposer d'eux-mêmes garde ses partisans et retrouve son dynamisme au fur et à mesure que se forme le mouvement républicain, le fait essentiel est que la nation française qui sort de la période 1797-1815 est bel et bien dans la ligne du principe des nationalités. Cela est masqué par le fait que, par la transformation des droits civils et le renversement de la monarchie absolue, et par le fait qu'elle a réalisé son unité nationale, la France ne se trouve pas confrontée aux tâches des peuples qui n'ont ni unité ni indépendance. Vis-à-vis de l'Allemagne, le fait est également masqué parce que si la France a derrière elle une existence culturelle riche de plusieurs siècles et sûre d'elle, la vie culturelle allemande n'a connu son essor que depuis quelques décennies et prend chez ses bâtisseurs l'allure d'une *reconquista*. On peut donc avoir d'un côté l'idée d'une continuité, de l'autre un surgissement. Enfin et surtout, si la vie culturelle française doit beaucoup à l'État — ce qui est évident sous Louis XIV —, elle est largement, néanmoins, le fait de la société civile. En Allemagne, étant donné la non-existence politique de la nation, cette vie culturelle est presque entièrement l'émanation et l'expression de l'État.

Pourquoi le principe des nationalités l'a-t-il si facilement emporté ? On a vu que l'école du droit historique est un avatar de l'école moderne du droit naturel. Le principe des nationalités est de même dans un rapport étroit avec le droit des peuples à disposer d'eux-mêmes : celui-ci est l'application aux relations internationales des principes du droit naturel moderne. On a vu que ces principes, fondés sur la critique du domaine du droit privé, n'avaient pu s'appliquer à l'ordre politique. L'*imperium* est demeuré hors d'atteinte de la critique de la société opérée par le XVIIIᵉ siècle. Jean-Jacques Rousseau l'a bien vu, qui conclut *Le Contrat social* par ces lignes trop peu citées : « Après avoir posé les vrais principes du droit politique et tâché de fonder l'État sur sa base, il resterait à l'appuyer par ses relations externes ; ce qui comprendrait le droit des gens, le commerce, le droit de la guerre et les conquêtes, le droit public, les ligues, les négociations, les traités, etc. Mais tout cela forme un nouvel objet trop vaste pour ma courte vue : j'aurais dû la fixer toujours plus près de moi. » S'agissait-il seulement d'« appuyer » la critique de l'ordre intérieur par celle de l'ordre extérieur ?

L'*imperium*, même s'il est théoriquement sous le contrôle de la représentation nationale, est mis en œuvre par le roi et/ou le gouvernement. Le chef de l'exécutif est le chef des armées, et même le président prétendument potiche de la IIIe République « négocie et ratifie les traités. Il en donne connaissance aux Chambres aussitôt que l'intérêt et la sûreté de l'État le permettent » (article 8 de la loi constitutionnelle du 16 juillet 1875). Ce n'est pas d'aujourd'hui que la politique extérieure est un « domaine réservé » et, de l'affaire du *Rainbow Warrior* au vrai-faux passeport d'Yves Chalier couvert par le « secret Défense », on n'en finirait pas de montrer à quel point, aujourd'hui comme hier (et bien moins ou bien plus que demain ?), la démocratie s'arrête aux frontières et comment le mouvement, de cette butée venue de l'ordre extérieur, exerce ses effets en retour sur l'ordre intérieur.

De sorte qu'on proposera ici le schéma suivant. Le droit naturel moderne « monte » de la base de la société (les propriétaires terriens), et par la notion du pacte social il institue l'espace de la représentation nationale mais sans la fonder en droit. Car au sommet, il laisse un vide théorique par où l'exécutif, réduit en principe à un rôle purement gestionnaire, se reforme sans cesse dans une instance séparée de la représentation (Sieyès a eu l'occasion cruelle de le vérifier sur le terrain). C'est en ce point que tout le système bascule de l'ordre intérieur à l'ordre extérieur où l'exécutif détient et incarne l'*imperium*. L'exécutif est donc une « interface ». Et c'est là que la notion de pacte social, qui déjà dans l'ordre intérieur s'est révélée, en arrivant au sommet de l'édifice, une intenable fiction, vole totalement en éclats dans l'ordre extérieur où il laisse inévitablement place au principe des nationalités.

Le principe des nationalités découle donc du droit naturel moderne là où les effets critiques de ce droit cessent. C'est le moment où la médaille offre son revers aux regards étonnés. Ce principe révèle que le pacte social originaire est une pure fiction, et postule que tout ce que le droit naturel moderne proclame en matière de libertés civiles et politiques est vrai, mais seulement sur le plan collectif, et non sur le plan interindividuel. Il en résulte que l'appel au droit de la nation ne vise plus rien d'autre que la revendication de son unité et de son indépendance [9], et que de cette logique découle la création de l'État national et la sacralisation de celui-ci, c'est-à-dire le contraire de tout ce que signifiait aux XVIIe et XVIIIe siècles l'ascension de la nation.

Cette position de l'État national est évidente pour l'Allemagne, pour l'Italie, pour les pays du Danube, et pour tous les espaces où se font jour des revendications nationalitaires en Europe. Elle s'applique aussi à la France : l'État national qui sort de l'impuissance créatrice du Directoire — et en tout premier lieu de Sieyès, obstinément fidèle jusqu'au bout à l'esprit révolutionnaire de 1789 — et que fonde Bonaparte au 18 brumaire est d'une tout autre nature que la nation souveraine qui avait balayé l'État monarchique d'Ancien Régime en juin 1789.

Que dans tous les pays d'Europe, là où existent des États nationaux comme là où se manifestent des aspirations à en fonder, continuent de s'exprimer et de lutter des courants cherchant à renouer le fil avec l'inspiration du droit des peuples à disposer d'eux-mêmes, c'est certain. Ce sont les mouvements que j'appelle patriotiques, selon le sens de patrie développé dans ce livre. Mais que ces courants n'aient nulle part été en mesure de rompre avec les politiques inspirées par le principe des nationalités, qu'ils aient le plus souvent été soit manipulés soit écrasés par ces politiques, voilà qui est non moins certain. Le système est verrouillé du côté de l'État, et l'armée a le dernier mot.

En résumé, le nationalisme est le produit de la faille principale de l'école moderne du droit naturel. C'est la conséquence d'une discontinuité entre le droit privé et le droit public.

Cela place le territoire dans une position nouvelle : il est le lieu des investissements culturels en provenance du principe des nationalités. Mais cela pose un problème par rapport au territoire en tant que découpage administratif lié aux institutions centrales. Comme nous allons le voir, ce déplacement du territoire permet la transmutation des questions sociales en questions ethniques.

---

9. Dans sa biographie de Benjamin Constant, Paul BASTID se réfère à une lettre que Mme de Staël écrit à Constant le 24 avril 1814, soit quelques jours après l'entrée des coalisés à Paris. Elle écrit, dit Bastid, qu'« elle reviendra cocarde blanche le plus sincèrement du monde. Elle espère seulement que les Bourbons souhaiteront l'éloignement des troupes étrangères, ce qui lui paraît plus essentiel que tous les sénats du monde. Elle pense plus à l'indépendance qu'à la liberté » — et ici Bastid cite directement Mme de Staël — « dont en vérité les Français ne sont guère dignes » (*Benjamin Constant et sa doctrine*, Armand Colin, Paris, 1966, tome I, p. 264).

7

L'essor en France du principe des nationalités

Ce qui est mis en œuvre dans cet ouvrage, c'est l'idée, déjà ancienne et dont, parmi d'autres, Lucien Febvre avait souligné l'importance, mais sans qu'elle soit appliquée avec toute l'ampleur nécessaire : une histoire nationale est en même temps histoire internationale. De sorte que séparer, dans l'analyse, politique intérieure et extérieure peut résulter d'un besoin de clarté d'exposition, mais ne saurait conduire à avaliser implicitement une division qui est le produit de l'histoire et a une signification politique.

Au-delà de l'analyse ponctuelle des relations entre la France et l'Allemagne à un moment précis de l'histoire, cet exposé vise à dégager une perspective méthodologique et programmatique. A dire vrai, l'analyse n'est pas complète ; il eût fallu au moins y intégrer la donnée constituée par la Grande-Bretagne, pour trois raisons. D'abord, parce que le modèle politique britannique est une référence majeure pour les libéraux tant allemands que français au XVIIIe siècle. Ensuite, parce que la vie intellectuelle et artistique anglaise a exercé sur les Français et plus encore sur les Allemands de cette époque une influence considérable. Enfin parce que, dans le conflit européen entre 1792 et 1815, la Grande-Bretagne occupe une position — sinon la position — centrale.

Si j'ai laissé de côté la Grande-Bretagne, c'est parce que l'analyse aurait été trop complexe pour un ouvrage court [1]. C'est aussi parce que, à la fin du XVIIIe siècle, les relations entre la Grande-Bretagne et le continent sont en train d'aborder une phase

---

1. J'y reviendrai longuement dans un ouvrage en préparation sur la problématique peuples du Nord-peuples du Midi, notamment à propos de l'essor du celtisme en France aux XVIIIe et XIXe siècles, où l'influence anglaise est considérable.

nouvelle. La rivalité entre la France et la Grande-Bretagne, qui dure depuis le XIVᵉ siècle, est en passe, en dépit de l'intensité des luttes de la Révolution et de l'Empire, de faire place à un rapprochement devenu manifeste dès la Restauration et surtout la monarchie de Juillet (première Entente cordiale). Malgré quelques heurts cinglants (1840, 1898), les deux pays vont se révéler explicitement liés par une commune aspiration au libéralisme, à la protection et à l'extension des libertés individuelles, civiles et économiques, et par un développement du système représentatif. France et Grande-Bretagne s'affirment — avec les États-Unis encore « neufs » et isolés — comme les pays du capitalisme libéral.

Face à ces deux pays, l'Europe du Nord et du Centre (Allemagne, Russie, pays du Danube) demeure l'aire des monarchies d'Ancien Régime, marquée par un retard économique considérable dominé par ce que l'on a appelé « la voie prussienne du capitalisme », où les aristocraties liées à l'État dirigent à leur profit le processus de développement. Reste le domaine oriental et du Sud (Empire ottoman, Grèce, Italie, péninsule Ibérique) où les régions évoluent diversement à partir d'une large colonisation par les puissances occidentales et du Nord. Le cas de l'Italie cependant est à part : elle rejoint en 1870 le groupe des pays en marche vers la démocratie représentative, tout en gardant des traits fortement archaïques dans le Midi, traits dont on voit aujourd'hui à quel point ils menacent la démocratie dans l'ensemble du pays et au-delà.

Dominent donc, à la fin du XVIIIᵉ et au début du XIXᵉ siècle, deux types de développement de la forme État national : la voie libérale et la voie autoritaire. L'analyse peut se ramener ici à la comparaison entre la France, qui suit la première voie, et l'Allemagne, qui suit la seconde, car la Grande-Bretagne, qui fascine tout le monde, présente un état politique dont l'extrême originalité n'apparaît pas comme transposable dans d'autres pays. Mon objectif n'est pas de prolonger au XIXᵉ et au XXᵉ siècle l'analyse des chapitres précédents, il est simplement de dégager, à partir de ce que nous avons vu quant aux rapports de l'État et de la nation, la conséquence de la relation de ces deux instances en France.

Cependant, il me faut auparavant mettre en cause la validité d'une opposition, pourtant classique, entre la conception française et la conception allemande de la nation. La conception française serait conforme au droit des peuples à disposer d'eux-mêmes, elle supposerait la libre adhésion des individus et des collectivités ; la conception allemande serait déterministe, posant en premier, selon le complexe de faits-conditions du principe des nationalités, l'existence d'une communauté nationale définie par des facteurs objectifs de race, de langue, de culture, s'imposant aux individus et collectivités supposés conformes à ces facteurs.

On doit faire observer que cette distinction est très tardive : elle n'apparaît clairement que dans les années 1860 et surtout après 1870 à propos de l'Alsace-Lorraine. Elle a surtout valeur d'argumentation idéologique, utilisée par les hommes d'État en fonction de leurs buts ; Bismarck a su remarquablement jouer du ressort national sans en être la dupe ni l'instrument, lui dont la seule fidélité était dynastique. Ce n'est pas du tout la conception déterministe et objective de la nation, élaborée par les romantiques allemands à la suite de l'école du droit historique, qui rend compte de la politique de la Prusse entre 1815 et 1870, puis de l'Allemagne entre 1871 et 1914. Cette politique est conforme aux intérêts de l'État prussien puis du Reich, intérêts qui s'identifient à ceux des Hohenzollern. On ne peut même pas dire qu'il en va autrement de la politique du IIIᵉ Reich : les théories du *Lebensraum* allaient bien au-delà d'une intégration des peuples considérés comme germaniques. C'était une politique de domination de l'espace occidental, et mondial en définitive, où les considérations doctrinales — à l'exception du racisme, et de l'antisémitisme en particulier — avaient fort peu d'importance réelle.

Mais il est un autre élément qui retire toute portée à cette prétendue opposition de deux conceptions de la nation : la politique intérieure et extérieure de la France entre 1797 (fin 1792, en fait) et 1870 n'obéit en rien au principe du droit des peuples à disposer d'eux-mêmes. Dans l'opinion libérale et républicaine au XIXᵉ siècle, si ardente pour les causes grecque, polonaise, puis celles des peuples de l'empire des Habsbourg, c'est bien plutôt le principe des nationalités qui est à l'œuvre. En fait, tout au long du XIXᵉ siècle, la France est inspirée par un mélange des deux principes, mais leur confusion joue nettement au profit du principe des nationalités [2]. C'est pourquoi la France sera logiquement avec Wilson, en

---

2. Cette confusion rend le mouvement libéral et républicain français, surtout sous la monarchie de Juillet, véritablement ambigu. Cette ambiguïté se manifeste par exemple chez Michelet, dont Henri Guillemin écrivait naguère dans *Le Monde* qu'il faudra bien un jour éclaircir son cas (n'oublions cependant pas les importants travaux de Paul Viallaneix).

1918, la championne des nationalités tout en prenant la tête de la croisade antibolchevique, alors que la Russie révolutionnaire a retrouvé l'inspiration véritable du droit des peuples à disposer d'eux-mêmes, tout au moins dans sa phase initiale.

A la vérité, il est impossible de soutenir que la France et l'Allemagne présentent deux modèles opposés au XIXᵉ siècle quant aux relations de l'État et de la nation. Dans les deux cas, on l'a vu, c'est l'État bureaucratique et militaire qui l'a emporté sur la nation — sur ce que nation contenait de libérateur dans la pensée des Lumières —, avec la prépondérance de l'exécutif sur le législatif. Et, comme nous l'avons vu également, la rupture de 1789 exprimée par le surgissement de la souveraineté nationale s'est trouvée annulée par la continuité de l'appareil d'État qui a pu recevoir pleinement la *potestas* grâce précisément à la souveraineté nationale qui consacrait la dissolution de la société de corps.

Cela ne signifie pas que cette rupture n'ait pas une portée révolutionnaire, ni qu'il n'y ait pas de différence entre la France et l'Allemagne. D'une part, cette rupture a couronné le renversement de l'Ancien Régime dans l'ordre civil et instauré des conditions qui s'opposeront efficacement, comme on le verra dès la Restauration, au retour des anciennes élites dirigeantes à la tête du pays. 1789 a donc mis en place les conditions juridiques nécessaires à l'expansion du capitalisme libéral, même si cette expansion elle-même ne se fait guère sentir avant 1830. Rien de tel ne s'est produit en Allemagne. D'autre part, la défaite politique de la nation, consommée dans l'ordre intérieur en juillet 1794 et dans l'ordre extérieur en 1797, n'a nullement entraîné la disparition du mouvement qui, sur la base des conceptions de la nation exprimées au XVIIIᵉ siècle par Mably et Rousseau, avaient avant et pendant la Révolution lutté pour la démocratie politique, économique et sociale. De sorte qu'entre la France et l'Allemagne au XIXᵉ siècle il y a une différence capitale : en Allemagne, le mouvement qui porte la nation en avant est tout entier contrôlé par l'État et à son service, alors qu'en France il est divisé en deux : celui qui, de même qu'en Allemagne, inféode la nation à l'État, et celui qui récuse cette inféodation, et que j'appelle en propre le mouvement patriotique [3].

---

3. C'est pourquoi les analyses trop célèbres de ce penseur surestimé qu'est Tocqueville, sur la continuité de l'Ancien Régime à travers la Révolution, ne sont que très partiellement justes.

Qu'est-ce que la patrie ? C'est l'ensemble des relations concrètes entre les membres du corps social qui se définissent à partir de l'abolition de l'Ancien Régime. Ces membres sont les citoyens. Comme le dira Barère : « Les aristocrates n'ont point ici de patrie, et nos ennemis ne peuvent être nos frères. »

La plupart des auteurs usent de patrie et de nation comme de synonymes. Bien que les deux notions s'interpénètrent, elles n'en doivent pas moins être distinguées, et leur emploi le montre clairement. Les monuments aux morts portent « Morts pour la patrie » ou « Morts pour la France », jamais « Morts pour la nation ». Chacun peut dire « ma patrie » ; « ma nation » ne peut être dit que par un diplomate, comme « au nom de la nation », « la nation déclare » ne peuvent émaner que de voix officielles. Ce sont les patriotes de 1789 qui réalisent l'unité nationale, ce sont les patriotes de 1793 qui la sauvent. L'hymne national s'ouvre par un appel aux « enfants de la patrie ». Patriotisme est en continuité sémantique avec patrie, il n'en va pas de même pour nation et nationalisme. Les auteurs du XIXᵉ siècle ont bien vu le problème, tentant en vain de faire apparaître une continuité entre nationalité et nationalitarisme.

C'est seulement sur le mode qualitatif — souveraineté nationale, Assemblée nationale, garde nationale, volontaires nationaux, agents nationaux, biens nationaux, etc. — que nation s'incarne dans la réalité des rapports sociaux ; de la nation émanent des significations sociales, mais la nation elle-même est au-dessus du corps social, au-delà de sa réalité concrète ; elle confère sens au discours, verbal et pratique, elle n'est pas elle-même l'objet de ce discours, sinon sur un mode idéologique et tautologique, comme le montreront les nationalistes au XIXᵉ et au XXᵉ siècle.

L'existence d'un mouvement patriotique fort en France depuis le XVIIIᵉ siècle est capitale. Il est le lieu même où s'élaborent les conditions de l'égalité entre les hommes, préalable à leur fraternité. Ce mouvement est diversifié. Certains courants se sont limités à l'égalité civile (Sieyès), d'autres ont porté la question sur le terrain économique et social (les sans-culottes, les babouvistes, les socialistes du XIXᵉ siècle, les communistes du XXᵉ), d'autres ont prôné la mise en commun du patrimoine culturel (Guizot, Thierry, Michelet, Hugo) ou religieux (Grégoire, Lamennais, les catholiques libéraux et sociaux, le Sillon, les prêtres ouvriers). Ces courants ne sont évidemment pas exclusifs les uns des autres, et les proportions qui s'en retrouvent chez tel individu ou tel groupe constituent les mille et une possibilités que l'on rencontre dans la société française des XIXᵉ et XXᵉ siècles. Il faut y ajouter la vie proprement littéraire, artistique et scientifique (médicale notamment), et le mouvement de critique de la condition féminine qui s'est exprimé au XIXᵉ siècle de manière plus ou moins diffuse au sein de tous les courants avant de se spécifier au XXᵉ siècle [4]. Le spectre est large : il va de ceux qui donnent le plus à la nation (par exemple Michelet) à ceux qui donnent le plus à l'État (par exemple Thiers) en passant par ceux qui tentent d'associer les deux (par exemple Guizot, au profit de l'État ; les hommes politiques arrivés au pouvoir en février 1848, au profit de la nation).

Qu'est-ce que l'État ? C'est l'organisation du pouvoir de commander les membres d'une collectivité, l'ensemble des moyens permettant de veiller à l'exécution des commandements et de réprimer les manquements à celle-ci. La sphère d'action de l'État est délimitée par la loi, et c'est là que se manifeste la distinction entre la nation et l'État, car celui-ci n'est pas maître de dire jusqu'où s'étend son pouvoir de commander. Ce pouvoir est défini à partir de la légitimité détenue par la nation seule. On ne soutiendra pas [5] que, du 18 brumaire an VIII à 1989, la souveraineté nationale n'ait pas été autre chose qu'un symbole. L'extension du suffrage d'abord censitaire puis universel et celui du parlementarisme ont permis à la nation de s'exprimer et de déterminer les orientations majeures de la société française. Ainsi lorsque, au lendemain des hésitations qui marquent la vie politique française entre 1871 et 1875 (et même 1877 avec Mac-Mahon), la lame de fond du radicalisme portée par les couches nouvelles invoquées par Gambetta tranche définitivement le débat entre monarchie et république, c'est bien la nation qui, là, a le dernier mot. La laïcité, qui constitue une originalité majeure de la vie nationale en France, est bien une conquête de la nation, indissolublement liée à celle-ci et au mouvement patriotique tel que je le définis. En revanche, comme une histoire semi-séculaire le prouve constamment, dans le problème de la nationalisation des entreprises et du monde du travail, la

---

4. Voir chapitre 8 sur les formes contemporaines prises par le mouvement patriotique, ainsi que l'Épilogue.

5. Je prends donc mes distances par rapport à certaines analyses excessives faites en 1974 dans *L'Idéologie nationale*, tendant à voir la société comme un pur produit de l'idéologie.

nation n'a pas été en mesure de l'emporter. Sur ce plan, certains principes peuvent être puisés dans les forces au pouvoir en 1793 et 1794, mais ces principes pourraient bien être en contradiction totale avec ce qui fait l'essence de la nation, création du droit naturel moderne séparée une fois pour toutes de l'espace à la porte duquel il est écrit : « *No admittance except on business* » (Marx, *Le Capital*, livre I).

On ne s'occupera pas plus avant ici des relations dans le monde du travail, sinon pour souligner que celui-ci est, jusqu'à présent, dominé par l'action et organisé en tâches d'exécution parcellaires. Or, comme l'a énoncé Sieyès, si délibérer est le fait de plusieurs, agir est le fait d'un seul. Et c'est précisément sur le point essentiel des rapports de l'exécutif et du législatif que les relations de l'État et de la nation ont achoppé. Le pouvoir législatif, expression de la souveraineté nationale, fait la loi et le gouvernement chargé de la mettre en œuvre est responsable devant lui. Ainsi ont fini par prévaloir, en 1875, des principes contenus dans la Révolution de 1789, et qui l'ont emporté au plan des institutions centrales, comme il découle du caractère un et indivisible de la nation française.

Mais si l'articulation de la nation et de l'État a trouvé des solutions satisfaisantes pour la classe dominante au plan des institutions centrales, en revanche dès qu'il s'agit de la mise en œuvre des lois et de la répression des infractions par les citoyens, cette articulation révèle un grave déséquilibre. En effet, l'État s'exerce au niveau des institutions centrales — les ministères, la police, l'armée —, mais il dispose aussi d'un appareil institutionnel territorialisé, extension sur tout le territoire des organismes centraux. Il y a là une différence considérable avec le législatif, car celui-ci n'est en rien territorialisé (il n'en va pas de même, on le sait, en Allemagne). Les circonscriptions électorales ne sont que des découpages techniques, elles ne définissent en rien des espaces de représentation. Le député n'est pas le représentant de sa circonscription, mais de la nation entière [6]. Plus exactement, c'est l'ensemble des députés qui, collectivement, représentent la nation en sa totalité. Quoique dénommé « Grand Conseil des communes de France »

---

6. La pratique parlementaire, les relations du député avec sa circonscription, le langage même (député *de* la Lozère, *du* Nord...) ont infléchi ce principe. Il demeure pourtant, en droit constitutionnel strict, la pierre de touche de la représentation nationale. La Constitution de la Ve République en fait un rappel discret mais fort net dans son article 27 (« Tout mandat impératif est nul »).

et élu (au second degré), le Sénat n'est pas dans une position différente, puisqu'il n'a rien à voir avec la seconde chambre des États fédéraux.

La souveraineté nationale « monte » des électeurs pour former la représentation qui fera la loi ; et elle « redescend » vers les citoyens par l'exécutif au moyen de la structure administrative. Mais ces citoyens ne le sont véritablement en acte, ils ne sont véritablement détenteurs en exercice de la souveraineté nationale que le temps de glisser leur bulletin dans l'urne. Le « reste du temps », ils vivent et travaillent dans des cadres où rien ne leur permet de faire acte de citoyenneté [7], alors même que les décisions prises au nom de la souveraineté nationale s'exercent sur eux en permanence dans ces cadres, et influent de façon très importante sur leur vie personnelle et professionnelle. (La question est d'une portée considérable quant à la vie professionnelle — c'est même là, aujourd'hui et dans les années et décennies qui viennent, que la nation fera ou ne fera pas la preuve de sa pertinence à demeurer le cadre fondamental des sociétés humaines. Mais on ne la développera pas ici sur ce plan, qui met en œuvre des éléments autres que ceux qui font l'objet précis de cette étude : les relations civiles et politiques proprement dites.)

Le hiatus entre exécutif et législatif est né de l'échec des solutions mises en œuvre par les constituants en 1789-1790 et sanctionnées par la Constitution de 1791. Dans l'été de 1789, les communes sont nées d'un mouvement quasi spontané qui aboutit en décembre, contre l'avis de nombreux députés, à la transformation de quelque 38 000 paroisses en communes autonomes avec un conseil municipal et dont l'exécutif est entre les mains du maire, élu directement par les citoyens actifs. Un procureur, élu lui aussi par les mêmes citoyens, représente le roi. En décembre 1789-janvier 1790 sont créés les départements, aboutissement de l'intense débat mené sur les « assemblées provinciales » à la fin de l'Ancien Régime. Ce sont des circonscriptions électorales pour l'élection des députés, et des collectivités locales (à vocation fortement fiscale) dotées d'un conseil général et d'un directoire formant l'exécutif départemental. En outre, un procureur général syndic est l'agent du roi ; il est, indépendamment du conseil général, élu par les citoyens actifs.

---

7. Il faut cependant tenir compte du poids de la vie associative qui peut être considérable, surtout aux échelons municipal et départemental, mais aussi national.

Tels sont les cadres de la vie politique à l'échelon territorial. Commune et département ne sont pas sur le même plan et ne sont pas abordés ensemble par la Constitution : les départements sont des divisions du territoire national, les communes sont la réunion des citoyens « considérées sous le rapport des relations locales » (article 8 de la Constitution de 1791). Les élus communaux et départementaux n'ont aucun caractère représentatif, ce ne sont pas des corps délibérants, ils ne sont pas des élus de la nation. Leurs compétences ne s'exercent que pour la gestion des affaires locales, de la commune et du département, dans les conditions fixées par la loi et sous le contrôle du pouvoir exécutif. Mais le fait que celui-ci ne dispose à ce niveau d'aucun agent nommé affaiblit considérablement ce contrôle.

Les événements révolutionnaires — suppression du roi, révolte de nombreux départements, dictature révolutionnaire ayant anéanti toutes les instances locales au profit d'agents nationaux et de représentants en mission dépendant du pouvoir central — ont profondément modifié cet édifice et créé un sérieux problème. En effet, cet édifice reprenait — en les modifiant à partir de la proclamation de la souveraineté nationale — les projets et tentatives d'administration (communale et provinciale) des dernières décennies de l'Ancien Régime, et avait abouti à créer non une démocratie locale mais un exercice de la démocratie à l'échelle locale, qui complétait la démocratie à l'échelle nationale [8]. Il y avait là une tentative audacieuse, quoique au profit des seules couches éclairées et possédantes. Qu'en reste-t-il lorsque la France retrouve en 1799 un pouvoir central stable et solide ? A l'échelle de la commune, les conseillers municipaux sont l'émanation des citoyens possédant les droits de cité, ils sont nommés en l'an VIII et élus en l'an X. Mais les maires et les adjoints sont et demeurent nommés par le pouvoir central. A l'échelle départementale, les conseillers généraux — eux aussi nommés en l'an VIII et élus en l'an X — font face au préfet nommé par le pouvoir, auquel est adjoint un conseil de préfecture chargé du contentieux, nommé lui aussi (les conseils de préfecture sont devenus les tribunaux administratifs). Les communes et les départements ne sont donc plus en rien des collectivités

---

8. C'était une tentative de répondre affirmativement à l'une des questions les plus débattues au XVIIIe siècle : la république est-elle possible dans un pays vaste et fortement peuplé ? On peut constater par les débats actuels que la question n'a pas perdu sa pertinence.

locales, ce sont de pures circonscriptions de l'action administrative de l'État. Là se trouve la sanction du fait qu'en matière de pouvoir l'État est tout, la nation n'est rien.

Par la suite, communes et départements redeviendront des collectivités locales [9] (territoriales aujourd'hui), mais cela ne changera rien au fait que leur nature est purement administrative, et qu'ils n'ont aucun caractère politique : aucune loi — pas même celle du 2 mars 1982 — n'a modifié sur le fond le système créé par Bonaparte. Entre les circonscriptions d'État de Bonaparte et les collectivités territoriales actuelles, il y a évidemment loin : elles ont reçu des compétences étendues en matière économique, sociale et culturelle [10]. Les communes ont retrouvé un exécutif élu (au second degré) — le maire — dès 1882, mais il a fallu attendre 1982 pour qu'il en soit de même pour les départements, par le transfert de l'exécutif départemental du préfet au président du conseil général (je laisse de côté les régions pour le moment).

Et pourtant, les collectivités territoriales ne sont en rien de la même nature que l'État qui est la nation organisée sur un territoire, mais qui n'est pas une collectivité territoriale. Les collectivités territoriales sont dites telles parce que ce sont des personnes morales de droit public ayant des compétences générales pour tout ce qui concerne les attributions qui leur ont été données par la loi et qui s'exercent sur un territoire : les affaires de la commune à la commune, celles du département au département (et celles de la région à la région). Cela, qui peut sembler une lapalissade, exprime en fait très clairement que le caractère territorial limite fondamentalement leur compétence générale, qui est tout autre que la compétence générale de l'État [11]. Ainsi en découle-t-il, entre autres, que les collectivités territoriales n'ont rien qui, de près ou de loin, puisse s'apparenter à une politique extérieure. De sorte que les élus territoriaux ne sont en rien, en tant que tels, des hommes

---

9. Lois sur les communes et les municipalités du 21 mars 1831 et du 6 juillet 1837, loi sur le département du 21 juin 1833, puis lois départementale de 1871 et municipale de 1884.

10. Rappelons quelques données qui situent les enjeux : la fonction publique comprend un total de 2 300 000 fonctionnaires, dont 1 200 000 pour la fonction publique territoriale (780 000 pour les communes). Il y a environ 500 000 élus locaux. Le budget civil de l'État pour 1988 était de 868 milliards de francs, celui des collectivités territoriales de 565 milliards (75 % pour les communes). Voir *La Documentation française*, « Les collectivités territoriales », n° 239, janvier-février 1989.

11. Cela souligne aussi que le département n'a pas autorité sur la commune, ni la région sur le département.

politiques : ce sont des gestionnaires, des administrateurs chargés de l'emploi des finances locales et de celles transférées par l'État, dans les conditions fixées par la loi et le respect des règles administratives soumises au contrôle et à la sanction des tribunaux administratifs et du Conseil d'État. Les maires et les présidents du conseil départemental (ou régional) ne sont pas responsables vis-à-vis de leurs assemblées qui, sauf crise grave et événement exceptionnel, ne peuvent les conduire à la démission. Les relations entre l'exécutif et l'assemblée des collectivités territoriales ne ressemblent en rien aux rapports du gouvernement et de l'Assemblée nationale.

Parler de « pouvoirs locaux » est donc une commodité qui peut conduire à l'abus de langage et à une véritable confusion (traduction d'un éventuel désir) venant de ce que ces gestionnaires sont des élus du peuple et que bien souvent un maire ou un président de conseil général sont par ailleurs des hommes politiques, député ou sénateur. Mais avoir le pouvoir c'est, comme disent les juristes, avoir la compétence de la compétence ; or les élus territoriaux n'ont pas le pouvoir de décider de leurs attributions ni des modalités de l'exercice de leur gestion.

Les élus locaux le savent bien : la décentralisation très poussée résultant de la loi Defferre du 2 mars 1982 et des lois de 1983 et 1984 qui ont suivi connaît des butoirs qui en limitent considérablement la portée : normes juridiques et techniques très rigoureuses à respecter sur le terrain ; difficultés, pour des élus souvent novices ou dépourvus — comme dans les petites communes — de moyens d'études et d'analyses, à transformer leurs programmes électoraux en décisions concrètes face à une administration stable et formée, à l'aise dans le labyrinthe des lois et règlements ; enfin et surtout, absence de réforme des finances locales, toujours en projet, jamais réalisée. La décentralisation, qui a franchi un pas décisif (en apparence du moins) en 1982, est une affaire de longue haleine [12], elle suppose une volonté politique soutenue et elle exige que l'élargissement des attributions des élus territoriaux s'accompagne d'une transformation de la fonction publique territoriale. Là aussi, une évolution importante a eu lieu avec la loi de 1984 et la promotion, due à Anicet Le Pors, de la notion de « fonctionnaire-citoyen ». C'est là une fonction capitale, puisqu'elle tend à rééquilibrer les relations de l'État et de la nation au sein même du statut et du rôle du fonctionnaire, mettant en

---

12. On a souvent remarqué que c'était une question en perpétuel chantier.

principe celui-ci à même de travailler de manière plus proche avec l'élu territorial. Mais pour le moment cette réforme est inachevée, et elle ressort à une conception de l'État national qui s'en prend d'une manière fondamentale à l'édifice institutionnel créé par Bonaparte, et vise à rééquilibrer les relations de l'État et de la nation sur la base de la patrie. Conception qui n'est pas vraiment partagée par toute la haute administration ni ce qu'il est convenu d'appeler « la classe politique ».

Depuis 1982, nous sommes dans une situation profondément équivoque. L'accroissement des attributions des élus locaux, la dévolution de l'exécutif départemental au président du conseil général, la transformation des régions d'établissements publics territoriaux en collectivités territoriales : tout cela peut donner l'impression que la démocratie représentative qui existait seulement au plan des institutions centrales s'est étendue aux institutions territoriales. Autrement dit que l'État a perdu, ne serait-ce qu'en partie, la prépondérance qu'il avait acquise sur la nation, et que donc celle-ci est en train de connaître, beaucoup plus près de la vie quotidienne des habitants et de leurs intérêts concrets et immédiats, une existence qui pourrait à terme conduire à la démocratie directe.

Rien en réalité ne permet d'accréditer une telle vision, bien au contraire. Les analyses faites par Maurice Bourjol dans *Les Institutions régionales de 1789 à nos jours* (1969) éclairent parfaitement la question. Depuis la Première Guerre mondiale et l'entre-deux-guerres, la France connaît comme tous les pays occidentaux une profonde crise de ses institutions, dont l'aspect majeur est le renforcement constant du pouvoir exécutif au détriment du législatif. La Ve République a comme on sait considérablement accentué cette évolution. En retraçant l'évolution de la régionalisation depuis la Première Guerre mondiale, M. Bourjol montre qu'il existe une relation entre l'accroissement du poids de l'exécutif et la promotion de l'échelon régional, et que le retour du balancier en faveur du Parlement s'accompagne du renforcement des collectivités territoriales classiques, la commune et le département.

A partir d'ici, nous devons, pour poursuivre l'analyse, prendre en considération la région. Elle correspond à une aire territoriale qui a toujours été présente dans le débat sur les structures administratives ; on le voit déjà clairement au XVIIIe siècle lors du débat entre assemblées d'états provinciaux et assemblées provinciales, et si la Révolution voit peu de revendications en faveur de la province, cette notion resurgit dans le débat dès la Restauration.

Cependant, il faut attendre la période 1940-1944 pour voir la région apparaître pour la première fois dans le droit positif français, le préfet régional ayant été créé par l'acte (dit loi) du 19 avril 1941. En même temps, le régime de Vichy décidait de nommer les maires et les conseillers municipaux des villes de plus de 2 000 habitants, et suspendait les conseils généraux, le préfet administrant le département avec une commission administrative de 7 à 9 membres nommés par le secrétaire d'État à l'Intérieur. Cette réforme fut d'ailleurs un échec et l'échelon régional ne s'imposa pas vraiment. A la Libération, l'expérience administrative régionale continua, le commissaire de la République étant préfet régional jusqu'au 22 mars 1946. Les vues du général de Gaulle tendaient à maintenir cette forme de déconcentration administrative, qui « souligne l'incompatibilité existant entre le régionalisme et les structures démocratiques établies aux échelons nationaux et départementaux » (M. Bourjol). La Constitution de 1946, votée contre de Gaulle qui réaffirma ses idées régionalistes dans son discours de Bayeux la même année, en tira les conséquences : elle reposait, écrit M. Bourjol, « sur la décentralisation des collectivités locales, départementales et communales, et postulait donc la suppression des institutions régionales ».

Dès 1948 cependant, le mouvement vers la régionalisation reprend avec la création des Igames (inspecteurs généraux de l'administration en mission extraordinaire), préfets au nombre de huit — plus un pour la région parisienne — dont les circonscriptions correspondaient aux régions militaires. Ces préfets régionaux furent d'abord volants avant d'être sédentarisés. Puis, en 1955, c'est la création des CAR (circonscriptions d'action régionale), base de la régionalisation qui se développe actuellement. En 1964, les 21 circonscriptions d'action régionales reçoivent un préfet de région et une Coder de 20 à 50 membres, qui associe élus locaux et professionnels selon une vision que de Gaulle avait déjà avancée à Bayeux en 1946. Le renforcement de la région par l'association des élus locaux et professionnels est au cœur du projet de référendum sur lequel de Gaulle échoue en 1969. La tentative de créer une représentativité sur base professionnelle ou sociale s'est toujours heurtée à l'opposition résolue des élus tant locaux que nationaux, et a compté au moins autant que d'autres facteurs (attaque contre le Sénat issu de 1875, caractère plébiscitaire du référendum) pour expliquer le rejet de la régionalisation voulue par de Gaulle. Cette régionalisation continue pourtant de progresser ; en 1972, les

21 régions deviennent des établissements publics régionaux, et les Coder des Conseils économiques et sociaux régionaux, dont le rôle est consultatif. Puis c'est la loi de 1982, qui fait de la région une collectivité territoriale, avec un exécutif entre les mains du président du conseil régional [13].

Il faut préciser que la région n'est pas une collectivité territoriale de même nature que les autres. Sur la conception de la région-échelon a prévalu celle de la région-relais, ayant pour vocation essentielle la planification régionale, la formation professionnelle et la mise en œuvre d'une identité régionale. La région est donc une collectivité territoriale spécialisée, tandis que départements et communes demeurent les cadres de l'administration territoriale de l'État. Les élections au conseil régional se déroulant dans le cadre départemental, il n'a pas été nécessaire de créer de nouveaux sénateurs émanant du nouvel échelon.

Le fait que la loi de 1982 ait en définitive consacré le triomphe du département et promu une région aux contours assez flous et à la vocation exacte mal définie, et qu'en 1986 on ait noyé les premières élections régionales au suffrage universel en les organisant le même jour que les élections législatives, semblerait aller contre le lien entre l'accroissement de la régionalisation et le renforcement de l'exécutif. On peut difficilement trancher : tout d'abord, le pouvoir a fait preuve d'une grande prudence vis-à-vis du cadre départemental qui s'est avéré d'une très grande solidité ; d'autre part, tout ce qui est issu des lois de 1982-1984 est sujet à des bouleversements possibles de grande ampleur, en liaison avec le développement de l'intégration européenne. Statut du département, taille et nombre des régions, relations des collectivités territoriales entre elles et avec l'État : tout cela est l'objet de spéculations et de projets divers qui vont se multiplier dans les années à venir [14].

Le moins que l'on puisse dire, c'est que l'intégration européenne ne contrecarre pas la prépondérance croissante de l'exécutif. Les

---

13. La Corse a une assemblée régionale, et non un conseil. Elle a d'autre part des institutions spécifiques en matière culturelle. De plus, la reconnaissance de « l'existence du peuple corse comme communauté historique et culturelle » (motion présentée par les nationalistes de « A Cuncolta naziunalista » et votée par une très large majorité par l'assemblée de Corse le 13 octobre 1988) place la Corse dans une position tout à fait particulière par rapport à l'ensemble des régions françaises.

14. Et tout cela, jusqu'à présent du moins, dans l'indifférence la plus totale de l'opinion et des médias.

Communautés européennes sont nées à partir de traités internationaux qui ne sont pas exécutés comme tels : elles fonctionnent donc sur un mode qui ressortit au droit public interne. Dans chaque État, le droit public émane traditionnellement de la représentation nationale, mais les règles, en évolution rapide, des Communautés européennes contribuent à affaiblir cette représentation. L'organe décisionnel des Communautés est le Conseil, composé de ministres nationaux délégués par leurs pays respectifs, qui votent soit à l'unanimité soit à la majorité qualifiée. Ce Conseil prend ses décisions à partir des propositions de la Commission, organe d'exécution composé de 18 membres désignés par les États membres mais qui ne les représentent en rien. Enfin, il existe un Parlement européen, composé de députés élus dans chaque pays, selon des modalités diverses, au suffrage universel depuis 1979. Ce Parlement a un pouvoir réel : il vote le budget des Communautés. Il peut également renverser la Commission par le vote de la censure, ce qui ne s'est encore jamais produit. De plus, son vote est nécessaire pour l'entrée d'un nouvel État dans l'Europe communautaire. Pour le reste, il fait des propositions à la Commission, et peut amender les projets de celle-ci. Le pouvoir d'amendement et le poids effectif de ceux-ci ont été accrus par l'Acte unique, entré en vigueur le 1er janvier 1988. Actuellement, environ trente pour cent des amendements du Parlement sont reçus par la Commission. Au total c'est bien peu, et le Parlement européen, ni par son mode de désignation, ni par son fonctionnement, ni par ses pouvoirs, n'est en rien l'équivalent d'un Parlement national. Il n'existe aucune souveraineté européenne.

Aussi le droit européen ne fait-il pas des lois, mais des actes juridiques nommés règlements, directives et décisions. Étant donné le fonctionnement des Communautés européennes, ces actes sont pour l'essentiel le produit d'autorités exécutives, soit émanant des gouvernements nationaux pour le Conseil, soit directement européennes pour la Commission. Ces actes, bien que n'étant pas des lois, s'imposent aux États membres. Les règlements, publiés au *Journal officiel des Communautés européennes*, entrent directement dans le droit interne des États ; les directives y entrent sous une forme et par des moyens laissés à l'initiative des instances nationales ; les décisions sont des actes individuels communiqués à l'intéressé, qui n'est pas forcément un État. Actuellement, cinquante pour cent des lois françaises sont votées sous influence européenne, et l'objectif avoué de la Commission est qu'en 1993 quatre-vingts pour cent du droit public interne des États membres soient d'origine européenne. A cela, il faut ajouter que la jurisprudence émanant de la Cour européenne de justice accélère fortement depuis deux ou trois ans l'entrée du droit communautaire dans les droits nationaux. Que les Parlements nationaux aient des délégations travaillant en liaison avec les organismes communautaires ne modifie pas substantiellement le fait que l'intégration européenne aboutit à un affaiblissement croissant des souverainetés nationales.

Cet affaiblissement s'est jusqu'à présent pratiqué par le haut, au niveau des institutions centrales. Mais une tendance de plus en plus nette se dessine, pour les laminer aussi par le bas, à partir des régions. Le fait même que la région en France soit un échelon assez flou, peu intégré à la structure de l'administration territoriale de l'État, joue contre elle dans le cadre national. Mais il en va tout autrement dès que l'on passe au cadre européen : là, au contraire, ce flou apparaît aux régionalistes ardents comme une chance, car là, la possibilité apparaît de faire de la région l'interlocuteur privilégié des institutions européennes. Région-relais dans le cadre national, elle deviendrait région-échelon dans le cadre européen. Mais pour saisir ici pleinement cette question aux enjeux peut-être considérables, il nous faut reprendre le problème de plus loin.

Ce qui distingue radicalement l'État national français de tous les autres sans exception, c'est qu'il est né d'une rupture complète avec l'État dynastique et territorial d'Ancien Régime. La proclamation de la souveraineté nationale en 1789 a entraîné logiquement la proclamation du caractère un et indivisible de la nation française. Rien de dynastique n'est resté en place, il n'y a donc pas de dyarchie (le XIXᵉ siècle l'a en vain tenté) associant une souveraineté dynastique venue de l'histoire à une souveraineté nationale produit de la raison à l'œuvre dans le droit naturel moderne. Rien non plus de territorial n'est demeuré, aucun découpage interne ne correspondant à des pouvoirs, même partiels, venant limiter la souveraineté nationale. Ces découpages internes ne correspondent qu'à des structures administratives auxquelles ont été progressivement associés les citoyens pour la gestion locale aux niveaux concernés.

Il est facile de voir que dans aucun des autres pays d'Europe n'a été pratiquée cette rupture (même dans l'Italie créée en 1870, qui se rapproche pourtant le plus de la France de 1789). Il existe une relation entre le caractère absolu de la souveraineté nationale et l'absence de toute territorialisation d'instances politiques ou méta-politiques internes (des instances professionnelles ou familiales, par exemple), et une relation entre le maintien total ou partiel de la souveraineté dynastique et le maintien de corps qui limitent cette souveraineté. La nature exacte et les modalités d'existence de ces corps varient selon les cas : du *local government* anglais et des statuts gallois et écossais, aux royaumes du IIᵉ Reich puis aux *Länder* de la République de Weimar, puis de la République fédérale d'Allemagne, en passant par les noyaux de résistance à l'unité espagnole formés par le Pays basque et la Catalogne, et la permanence de la division entre Flamands et Wallons en Belgique. Peu importe que ces diverses instances aient été protégées, tolérées ou combattues (aucune n'a été anéantie) : leur existence est liée au fait que nulle part sauf en France le concept de souveraineté nationale ne l'a emporté, et que partout, sauf en France, des instances territorialisées effectives ou virtuelles se sont maintenues. De sorte qu'à regarder les choses de près, la forme État national n'a été réalisée dans toute sa pureté que dans un seul pays au monde : la France [15].

La rupture qui s'est produite en 1789 avec l'Ancien Régime a été irréversible parce qu'elle a été totale. Napoléon l'a maintenue ; Louis XVIII a dû l'entériner, Charles X puis Louis-Philippe qui, chacun à sa manière, ont tenté de l'effacer ou de l'infléchir ont été chassés du pouvoir. Mais cette irréversibilité ne va pas sans problèmes. On a vu que la souveraineté nationale n'avait pu se maintenir selon le principe du droit des peuples à disposer d'eux-mêmes, et qu'en conséquence elle s'était incarnée dans l'État national ; elle est donc en fait devenue une souveraineté étatique, ou nationale-étatique, vis-à-vis de laquelle la nation a dû, dès 1814, reprendre le combat pour tenter de retrouver les voies du droit des peuples à disposer d'eux-mêmes.

La distorsion, éclatante dès la première abdication de Napoléon, entre la toute-puissance de l'État et de sa structure administrative et la non-existence politique de la nation, a donné lieu à des courants et à des visées politiques tendant à la faire disparaître ou du

---

15. Ce qui doit être lié à une autre originalité fondamentale de la France : le caractère poussé à l'extrême de la séparation des Églises et de l'État. Les Églises sont elles aussi un héritage de l'histoire, un mode de continuité du passé au présent. On sait ce qu'il en a coûté à la Révolution d'avoir voulu effectuer en 1790 dans l'ordre religieux la rupture pratiquée en 1789 dans l'ordre civil et politique.

moins à la réduire [16]. Cela s'est fait selon deux lignes (tantôt opposées, tantôt associées, mais toujours distinctes) : la reconquête de la souveraineté nationale au plan des institutions centrales ; la lutte contre la centralisation administrative. La première ligne est connue, elle l'a emporté en 1875, base de nos institutions. Mais ce triomphe n'a eu qu'un temps : dès la Première Guerre mondiale commençait l'abaissement du Parlement devant le pouvoir exécutif, qui n'a cessé de s'accentuer. Malgré cette dernière réserve, le rééquilibrage entre l'État et la nation au plan des institutions centrales a paru suffisant à la nation jusqu'à une date récente. Combiné avec l'association des citoyens à la gestion des affaires locales, le système constitutionnel semblait offrir un état démocratique satisfaisant.

Mais plusieurs facteurs ont, depuis une vingtaine d'années (depuis la naissance de la Ve République, en fait), rendu nécessaire une évolution. D'abord, la prépondérance de l'exécutif sur le législatif et du président de la République sur le chef du gouvernement est devenue beaucoup plus forte, réduisant le Parlement à une chambre d'enregistrement désabusée (voir le fameux 49-3). Ensuite, le besoin de participation des citoyens à la vie démocratique dans leurs lieux de vie personnelle et professionnelle est devenu beaucoup plus fort. En témoigne l'intensité de la vie associative et son poids dans la vie municipale [17]. De nouvelles formes de sociabilité se sont développées, qui tendent à investir la vie politique selon des modalités nouvelles. A ce point de vue — qui contredit certains jugements pessimistes sur la dépolitisation des Français et la transformation du citoyen en consommateur [18] —, il se pourrait bien que nous assistions à une redistribution fondamentale des cartes entre nos trois niveaux de patrie, nation, État. Le système fermé de l'État national pourrait être en train de se voir confronté à une forme nouvelle d'ouverture, du côté de patrie-nation. Cette forme nouvelle est nécessairement floue et fragile. Un colloque tenu à Paris-Dauphine en mai 1975, dirigé par Lucien Sfez [19], montre l'impossibilité de définir ce qu'est l'« objet local », pris entre sa

---

16. Rudolf VON THADDEN a consacré un fort intéressant essai à cette question pour la période 1814-1830, paru en Allemagne en 1972 et traduit en français en 1989 sous le titre *La Centralisation contestée* (éd. Actes Sud).

17. Un répertoire publié par *Ouest-France* en novembre 1988 recense pour la ville de Rennes 606 associations, non compris les associations sportives.

18. « Les collectivités territoriales », *La Documentation française*, janvier-février 1989, page 51. Pour autant, le constat n'est pas faux.

19. *L'Objet local*, 10/18, Paris, 1977.

définition sociale (culturelle, artistique, paraprofessionnelle, écologique, sportive, etc.) qui maintient l'association dans un état labile de croissance ou d'amenuisement, mais est le garant de sa vitalité, et sa possible définition territoriale (quartier, ville, canton, département, région) qui tendrait à le clore et à le figer en le rejetant du côté institutionnel. Quoi qu'il en soit, il y a là des enjeux très importants, qui rejoignent le souci dominant de la « qualité de la vie » et peuvent redonner ou non sens à l'appartenance des individus à une communauté, en un temps où les risques de guerre — fort heureusement ! — sont de moins en moins susceptibles de fournir des facteurs d'identification.

En fin de compte, commune et département sont et demeurent les cadres territoriaux de l'administration de l'État. Il n'y a pas, à ces deux niveaux, de hiatus entre les institutions centrales et le caractère territorialisé de l'exécutif.

Mais le réinvestissement du territoire consécutif à la victoire du principe des nationalités et à la politisation du culturel nourrit contre la toute-puissance de l'État une seconde ligne de lutte, d'une tout autre nature. C'est là que la région est en position clef, et cela demande quelques développements. L'essentiel tient à ce qu'ici le cadre territorial, la région, n'est pas *a priori* lié aux institutions centrales, parce qu'il n'est pas constitué de façon cohérente à partir de la souveraineté nationale. Le cadre régional peut donc nourrir toutes sortes d'investissements.

Cette seconde ligne se divise elle-même en deux courants, non seulement distincts mais opposés, même si, du fait de la complication du problème et de nombre de confusions — pas toujours naïves ou désintéressées —, ils ont pu se retrouver chez les mêmes individus.

PREMIER COURANT. — Ses tenants partent de la souveraineté nationale-étatique et du caractère un et indivisible de la nation qu'ils acceptent, soit parce qu'ils l'approuvent, soit parce qu'ils admettent que l'histoire a tranché et que tenter de revenir en arrière serait trop difficile et créerait des divisions funestes. Ils estiment que, dans le cadre unitaire de l'État national, il serait souhaitable et possible que les collectivités locales — communes et départements — retrouvent des administrateurs élus aux côtés de ceux de l'État, et que les attributions et les finances des collectivités locales soient élargies. Ce courant est, au XIXᵉ siècle, celui de la décentralisation. Qui comprend-il ? Comme le montre François Burdeau dans *Liberté, libertés locales chéries*[20], presque tout le monde, sauf Thiers et certains, tel Dupont-White, qui estiment dans les années 1860 que la centralisation est un garant précieux face à toutes les tyrannies locales, politiques, économiques, sociales, culturelles et religieuses. Tout le monde, en principe du moins et à des degrés divers, puisqu'on est décentralisateur dans l'opposition, mais une fois au pouvoir, c'est différent : l'affaire est sérieuse et demande un examen attentif. Néanmoins, entre 1814 et 1870, l'idée décentralisatrice l'emporte de plus en plus, elle aboutit d'abord aux lois sur la commune et le département sous la monarchie de Juillet (1831 et 1833), puis aux lois fondamentales de 1871 sur le département et de 1884 sur la commune. L'évolution, notons-le, a été fort lente, marquée de nombreux projets et débats parlementaires avortés. Rudolf von Thadden montre que si bien des esprits s'accordent sur l'idée de conseils communaux et départementaux élus, et ce dès 1815, en revanche l'idée que l'exécutif communal ou départemental soit aussi élu se heurte à de fortes résistances, à droite comme à gauche : c'est que le détenteur de l'exécutif dans la commune ou le département est un agent de l'État, un rouage de la structure administrative territoriale.

Après 1871, le mot d'ordre de décentralisation va faire place à celui de régionalisme (F. Burdeau). Et ici, nous nous approchons du second courant, mais sans y arriver (on pourrait presque dégager, du reste, un troisième courant intermédiaire). Le régionalisme en effet, tel qu'il apparaît au XIXᵉ siècle chez ceux qui ne mettent pas en cause le principe de la souveraineté nationale, ne procède en rien d'une nostalgie à l'égard des provinces d'Ancien Régime. Marie-Vic Ozouf-Marignier souligne, dans sa passionnante étude sur *La Formation des départements*[21], que lors du débat de fin 1789-début 1790, l'impact d'une telle nostalgie est extrêmement faible. Étudiant les origines des idées bretonnes modernes (*Le Bretonisme*, 1987), j'avais noté de mon côté que, parmi ceux qui à droite développent ces idées à partir de la Restauration, on ne trouve pratiquement aucun héritier du « Bastion », noyau de la résistance des états et du Parlement de Bretagne à la fin de l'Ancien Régime face aux tentatives de réforme de la monarchie puis face à la Révolution commençante.

Le régionalisme qui apparaît au XIXᵉ siècle est donc une idée

---

20. Éditions Cujas, 1983.
21. Éditions de l'École des hautes études en sciences sociales, 1989.

nouvelle, et c'est bien à tort et faute de travaux qu'on a longtemps considéré ce courant comme l'expression d'un provincialisme désuet lié aux espoirs de restauration monarchique.

C'est essentiellement un régionalisme administratif, économique et social. On peut en suivre l'élaboration depuis la fin du XVIIᵉ siècle : son point de départ pourrait être l'enquête de 1697 lancée pour le duc de Bourgogne, et il est remarquable que dans son introduction aux rapports des intendants, Boulainvilliers s'en prenne à ces derniers avec la même violence et le même type d'argumentation qui seront employés plus tard contre la centralisation napoléonienne et les préfets. Ce régionalisme est au cœur du débat sur la réforme administrative du royaume rendue nécessaire par l'instauration de la monarchie absolue et la pression fiscale inconnue jusque-là qui en résulte, et sur les mérites comparés des états provinciaux et des assemblées provinciales. Il est également un élément essentiel de la pensée des physiocrates, la traduction institutionnelle de leur théorie de l'impôt. Enfin, M.-V. Ozouf-Marignier souligne comment « la géographie régionale [...] sera au centre du débat sur la formation des départements ». Ce débat est essentiel, et il faut espérer qu'après le livre qui le retrace si exactement, plus personne ne se permettra d'écrire que les constituants voulurent diviser la France en carrés [22]. Ni le comité de constitution, ni l'Assemblée nationale en son entier, ni les citoyens à la base ne méconnurent les facteurs locaux, bien au contraire, dans les tracés finalement retenus. En fait, nous avons là la première prise de conscience, sur une si vaste échelle, de ce que le XXᵉ siècle appellera l'aménagement du territoire. Les relations de toutes sortes (économiques, sociales, juridiques, religieuses et culturelles) entre la ville et la campagne seront l'objet d'analyses poussées et d'âpres débats pour déterminer les espaces à délimiter et la hiérarchie des chefs-lieux de départements et de districts. L'hostilité quasi générale du XVIIIᵉ siècle pour la ville donne à la nature — maître mot du XVIIIᵉ siècle — un poids considérable. Les anciennes provinces (terme flou ne recouvrant aucune réalité précise sous l'Ancien Régime) sont prises en compte — et Sieyès se référera explicitement aux Bretons et aux Provençaux, en termes fort condescendants,

---

22. Comme s'obstine à le faire Jean-Denis BREDIN dans *Sieyès, la clef de la Révolution française* (éd. de Fallois, Paris, 1988), p. 169-173. Les constituants cherchèrent à rompre le plus possible avec les découpages territoriaux hérités de l'Ancien Régime, ce qui est dans la logique de la rupture de 1789, mais ce n'est pas contraints et forcés qu'ils acceptèrent les nombreux compromis pratiqués sur le terrain.

lors de son intervention du 2 octobre 1789 — pour tenter de mettre en évidence des aires homogènes, base de distinctions spatiales fondées sur la nature : « L'homogénéité est le principe fondamental du plaidoyer provincialiste et particulariste », note M.-V. Ozouf-Marignier, mais elle remarque aussi « la faiblesse relative des revendications provinciales par rapport à la marée des réactions locales ou micro-locales ».

Ce qui émerge dans la revendication provincialiste là où elle existe (dans les régions de montagne [23]), c'est le recours à la nature déterminant une « personnalité géographique » des provinces : rien de plus éloigné de l'esprit de l'Ancien Régime, rien de plus proche du régionalisme qui, à partir des travaux géographiques et géologiques de la première moitié du XIXe siècle [24], va s'épanouir à la fin du XIXe siècle chez Vidal de la Blache, Foncin et tout le mouvement régionaliste (Charles-Brun). Autrement dit, la géographie se place en position d'arbitre entre l'héritage de l'histoire et l'analyse raisonnée de la répartition des hommes dans l'espace. A plus d'un moment, le débat sur la formation des départements fait penser à l'influence prépondérante des géographes dans les débats sur la régionalisation en France dans les années cinquante, et aux principes qui ont inspiré la création de la DATAR en 1963. On peut d'ailleurs penser que cette position d'arbitre entre l'histoire et la rationalité est le fondement épistémologique de la discipline géographique telle qu'elle se constitue au XIXe siècle.

Un constat domine l'ensemble des débats du XVIIIe et du XIXe siècle, et plus encore ceux du XXe et de l'époque actuelle : dans la ligne de ce premier courant décentralisateur que nous étudions ici, analyse départementale et analyse régionale sont inséparables. Il s'agit en somme d'examiner quelle est l'aire la meilleure, tant du point de vue de la technique administrative que de celui de l'aménagement du territoire. Le partage actuel entre la commune et le département d'une part, qui sont d'abord les circonscriptions de l'action administrative de l'État, et la région d'autre part, circonscription d'animation économique et professionnelle, se voudrait une synthèse harmonieuse de tous les facteurs en présence. La suite

---

23. Il n'est pas sans intérêt de rappeler que, selon les critères géographiques en vigueur à la fin du XVIIIe siècle, une région comme la Bretagne était considérée comme montagneuse. Cette vision a largement influencé le XIXe siècle (voir J.-Y. GUIOMAR, « Le désir d'un tableau », *Le Débat*, n° 24, mars 1983).

24. Notamment Omallius d'Halloy, Elie de Beaumont (voir article cité à la note précédente).

— qu'on peut prédire animée — montrera quelle est la valeur de cette synthèse.

Mais la question n'est pas si simple, car d'autres éléments sont en jeu, et c'est l'examen du second courant qui va nous permettre de les aborder.

Second courant. — Le qualifier de régionaliste, c'est le réduire, car s'il comprend effectivement un certain régionalisme, il est aussi le fait de tendances plus radicales. Ce qui distingue fondamentalement ce second courant du premier, c'est qu'il est de nature beaucoup plus politique.

Le premier courant demeure tout entier dans l'édifice institutionnel hérité de la monarchie absolue et transformé par l'avènement de la souveraineté nationale : ne concevant la représentation qu'au niveau des institutions centrales, il agit tout entier au plan des structures administratives. Le second courant vise à contester cette division entre le politique et l'administratif, en avançant l'idée d'aires infranationales qui seraient dotées du caractère représentatif. Il conduit donc directement aux pensées de type fédéraliste, et dans certains cas autonomiste ou, au moins implicitement, séparatiste (on arrive alors à de l'« extra-national »). Et lorsque la constitution de mouvements politiques de ce type apparaît hors de portée de leurs promoteurs, ils se replient sur des mouvements à dominante culturelle, où les visées politiques sont moins apparentes.

Dans l'état actuel des connaissances[25], on peut dire que ces idées n'étaient pas constituées au XVIIIᵉ siècle et qu'il s'agit d'une création du XIXᵉ. Ainsi par exemple, le « sentiment breton » de l'aristocratie et de la bourgeoisie anoblie des états et du parlement de Bretagne se comprend strictement dans le cadre de la société de corps d'Ancien Régime. La référence au contrat d'union de 1532 entre le duché de Bretagne et le royaume de France ne concerne que les privilèges, fiscaux notamment, dont la province s'enorgueillit et qui profitent essentiellement à ses élites sociales. Comme l'a montré Catherine Bertho dans sa thèse inédite sur *La Naissance*

---

25. Cette réserve n'est pas une simple précaution : nous manquons d'études de fond sur ces questions que les historiens n'explorent vraiment que depuis une vingtaine d'années. Il y a encore beaucoup à découvrir et plus encore à comprendre.

des stéréotypes régionaux en Bretagne au XIXe siècle [26], on ne trouve aux XVIIe et XVIIIe siècles en Bretagne rien qui mette en avant une personnalité bretonne spécifique, culturelle, linguistique ou ethnique. L'historiographie bretonne d'alors est une partie du vaste plan d'histoires provinciales lancé fin XVIIe par la congrégation de Saint-Maur, elle est exactement sur le même plan que les histoires de lignées nobles ou celles d'ordres religieux. De même ne trouve-t-on rien de correspondant à l'occitanisme sous l'Ancien Régime, *a fortiori* de sentiment corse ou basque.

Ce n'est pas pour autant que le XVIIIe siècle n'ait rien fourni allant dans ce sens, bien au contraire : le type d'historiographie à l'œuvre chez Leibniz [27] et ses héritiers du Collège français de Berlin, la problématique des peuples du Nord et des peuples du Midi ont produit un vaste ensemble de connaissances et posé les fondements de ce second courant. Le déterminisme des courants épicuriens — à l'opposé de ceux qui proviennent du stoïcisme — a joué un rôle essentiel dans la mise en place d'un schéma associant en séquence croissante le sous-sol, la géographie physique, le climat, les végétaux, les animaux, les peuples considérés sur le plan ethnique et racial. Le plan des manuels de géographie du XIXe siècle a été élaboré au XVIIIe siècle.

Mais pour que ce vaste massif d'idées devienne un courant politique, il fallait une transformation radicale, et ce fut la rupture de 1789 et la Révolution française tout entière. De sorte que, sans cette rupture, des mouvements tels que les mouvements breton, occitan, corse, etc., n'auraient jamais existé. Ce que je veux dire ici, ce n'est pas que ces mouvements sont nés contre la Révolution ou certaines de ses conséquences, mais qu'ils sont le produit même

---

26. Thèse de 3e cycle (École des hautes études en sciences sociales, 1979). Un résumé en est paru dans les *Actes de la recherche en sciences sociales*, novembre 1980.

27. Il est amusant de relever que Leibniz était très lié avec Lacroze, bibliothécaire du roi de Prusse et l'un des collègues de Pelloutier au Collège français de Berlin. Dans la correspondance de Leibniz (au tome V, *Opera philologica*, des *Opera omnia*, éd. Dutens, 1768, p. 479-517), on trouve plusieurs lettres à Lacroze sur l'historiographie bretonne. Or Lacroze est en fait dom Mathurin Veyssière de la Croze, bénédictin né à Nantes, ayant quitté l'ordre, le catholicisme et la France à la fin du XVIIe siècle pour gagner la Prusse et le protestantisme. Il était l'un des quatre rédacteurs choisis pour l'*Histoire de Bretagne* que les bénédictins de Saint-Maur avaient mise en chantier, et c'est pour le remplacer que fut recruté dom Lobineau qui allait devenir le maître d'œuvre de l'ouvrage paru en 1707. Leibniz en fit à Lacroze un commentaire chaleureux.

de cette Révolution et de la conception de la nation française qu'elle met en œuvre.

Car la mutation est d'abord manifeste à l'échelle de la nation tout entière. En effet, étant donné que cette nation est née d'une rupture radicale, une redoutable question est apparue dès 1789 : qu'en est-il, dès lors, du passé de la France : a-t-il une place autre que comme obstacle ou comme préparation ? Les ennemis et les adversaires de la Révolution, en France et à l'étranger, n'ont pas eu, dès 1789, de plus forte accusation que le rejet total du passé par les révolutionnaires. Mais ce rejet a-t-il été aussi total que l'ont dit les contre-révolutionnaires ? Il l'a été, certes (et c'est là la cause profonde du soulèvement), dans la destruction de ce qu'on a appelé la féodalité et qui est plus exactement le régime de la seigneurie et les modes d'existence de l'État en découlant. Il l'a été aussi dans l'ordre civil, par la suppression des ordres, des distinctions nobiliaires, par l'accessibilité de tous à tous les emplois sur la base du mérite personnel. Il ne l'a été que partiellement (on a vu pourquoi) dans l'ordre politique sous la Révolution et au XIXe siècle, avec les limitations au suffrage universel et à l'éligibilité.

Mais qu'en est-il dans l'ordre culturel et spirituel, là seulement où la nation a conservé après 1799 un espace autonome d'expression ? On connaît le célèbre vandalisme révolutionnaire, mais il faut remarquer qu'en s'attaquant aux châteaux, aux églises et aux abbayes et à tout ce qui s'y trouvait, les révolutionnaires ne s'en prenaient pas à des signes culturels, mais aux marques tangibles de la domination des privilégiés. Dès 1790, des hommes comme Alexandre Lenoir et Louis-Aubin Millin ont réagi. Lenoir obtient très vite une mission officielle, et l'entreprise d'arrêt des destructions reçoit un appui éclatant de la part de Grégoire et de la Convention, avec les trois rapports de Grégoire, d'août, octobre et décembre 1794. C'est alors que les signes de la domination politique sous l'Ancien Régime, signes des avantages des ordres privilégiés, se transforment en signes culturels appartenant à la nation tout entière.

A la commission de l'Instruction publique de la Convention, à l'Institut — lui-même produit de ce mouvement qui fait entrer la nation dans l'ordre culturel — une gigantesque entreprise de classement, de préservation et de connaissance du passé de la France commence et prendra au XIXe siècle une extension considérable, qui prolonge et porte très loin en avant les entreprises du XVIIIe siècle (Montfaucon, Caylus). En décembre 1790, Louis-Aubin Millin pré-

149

sente à l'Assemblée nationale le prospectus de ses *Antiquités nationale ou recueil des monuments*, dont les cinq volumes paraissent de 1791 à 1799. Bien d'autres ouvrages de ce type suivront. Dès 1797 commence un grand débat sur les tombeaux. Suite du vieux et lancinant problème de l'état lamentable des cimetières, dangereux pour l'hygiène publique et attentatoire à la morale sociale, le débat aboutit à la création des grands cimetières modernes (comme celui du Père-Lachaise ouvert en 1804), mais aussi à de vastes travaux historiographiques portant jusqu'aux monuments qu'on se met à appeler « celtiques » ; les termes de dolmen, menhir, etc., font alors leur entrée dans la terminologie érudite, par l'important *Mémoire sur les anciennes sépultures* lu par Legrand d'Aussy (ancien collaborateur de Lacurne et employé à la Bibliothèque nationale) à l'Institut en février 1799. Le musée des Monuments français, que la Restauration dispersera sottement en 1816, est l'un des produits fameux de ces débats.

On accuse la Révolution française d'avoir voulu détruire les « patois » et dialectes, comme l'a proposé Grégoire en juin 1794 dans son célèbre rapport. Ce rapport a été rédigé à partir d'une enquête détaillée effectuée en 1790 (et dont les réponses montrent la forte influence des écrits de Court de Gébelin sur la langue celtique [28]). A lire Grégoire, on voit bien qu'il est frappé par les trésors que recèlent ces langues. « L'histoire et les langues se prêtent un secours mutuel pour juger les habitudes et le génie d'un peuple [...]. La filiation des termes conduit celle des idées ; par la comparaison des mots radicaux, des usages, des formules philosophiques ou proverbes, qui sont les fruits de l'expérience, on remonte à l'origine des nations. » Tout en recommandant l'éradication des parlers populaires et l'enseignement généralisé du français — ce qui n'aura sous la Révolution aucune portée pratique, les révolutionnaires n'ayant presque rien entrepris concrètement sur le plan de l'enseignement primaire —, Grégoire, dans ce rapport, valorise en fait sur le plan culturel ce qu'il dévalorise sur le plan politique et social [29].

---

28. Voir M. DE CERTEAU, D. JULIA, J. REVEL, *Une politique de la langue*, Gallimard, Paris, 1975.

29. Dans un compte rendu du récent ouvrage sur *Le Texte occitan dans la période révolutionnaire*, l'occitaniste Claude BARSOTTI parle de la « position prénazie à l'égard des "patois" de l'abbé Grégoire » (*Cahiers occitans de la Drôme*, mai 1989). De tels excès discréditent toute analyse, et font même douter du sérieux de leurs auteurs.

Le mouvement culturel et spirituel dont Grégoire est le centre demanderait une analyse détaillée. Dans son *Essai historique et patriotique sur les arbres de la liberté* (an II), Grégoire fait un vibrant éloge du chêne comme symbole par excellence de l'existence nationale : il est solide, d'une ramure vaste, et d'une longévité remarquable puisqu'il met deux cents ans à grandir, deux cents ans à vivre pleinement, et décline lentement. Il a « vu les générations s'écouler sous son ombre. Aucun arbre ne peut donc lui disputer la gloire d'être le symbole de la liberté et des vertus républicaines ». Avec les distinctions politiques et sociales qui s'imposent, ne retrouve-t-on pas ici la grande idée de Burke et de l'école allemande du droit historique de la nation produit des générations qui se succèdent en un même lieu et par là concrétisent la solidarité temporelle de la nation ? Devant le comité d'Instruction publique de la Convention, Grégoire propose un *Système de dénomination topographique pour les places, rues, quais... de toutes les communes de la République.* Quelques communes, expose-t-il, ont leur nom aux entrées, ont des poteaux indicateurs aux carrefours, et ont planté des arbres le long des routes, qui abritent du soleil et de la pluie. « Bientôt, sans doute, vous étendrez dans toute la France, aux chemins vicinaux comme aux grandes routes, ces mesures qui embellissent un pays, qui aident à la circulation et partant, concourent au bonheur des citoyens. » Il continue en exposant tout un système de dénominations par lesquelles, en puisant dans le vocabulaire de l'agriculture, des métiers, des vertus, on doublera le territoire en tant qu'espace d'un réseau de signes qui lui donnera sens. « N'est-il pas naturel que de la place de la Révolution, on aborde la rue de la Constitution, qui conduirait à celle du Bonheur ? » Il s'agit de lier les points centraux, les monuments publics, les lieux utiles. « Le tout alors présentera un ensemble tel que, cette première dénomination étant connue, l'esprit soit conduit par la filiation des idées, à concevoir sur-le-champ quelles doivent être les dénominations du second, du troisième ordre, et que lorsqu'un homme ne connaîtra pas la localité, il lui soit plus facile de se diriger vers le point où ses affaires l'appellent. » Grégoire ne semble pas s'être avisé que cela supposait des sens uniques (car partir de la rue du Bonheur pour atteindre la place de la Révolution pourrait suggérer des idées fâcheuses). Mais l'essentiel est dans ce projet de concrétiser en tous lieux la subversion de l'État territorial par l'introduction d'une toponymie qui ne soit pas le produit des siècles passés mais projette le social et le politique sur le culturel.

L'universalisme du XVIIIe siècle se réinvestit à travers les recherches monumentales, linguistiques, anthropologiques qui se continuent sous la Révolution. Nicolas Bonneville, animateur du Cercle social avec Claude Fauchet, n'est pas seulement un militant républicain et « présocialiste » ; c'est aussi l'auteur de *L'Esprit des religions* (1791), livre rempli de thèmes « druidiques », fondé sur le couple peuples du Nord-peuples du Midi, associant les Celtes, les Grecs et les Égyptiens, la Bible, Homère et Ossian, dans une quête mystique de la nature fondamentale de l'homme qui doit beaucoup au courant issu de Leibniz (Bonneville est très averti de la littérature allemande). La grande idée panthéiste de la chaîne des êtres se retrouve chez lui, comme chez Dupont de Nemours (*Philosophie de l'univers*, 3e éd., an VII) ou Tom Paine (*Sur l'origine de la franc-maçonnerie*, ouvrage truffé de références aux druides, paru en 1818, après la mort de Paine).

C'est dans cette perspective qu'il faut comprendre la force avec laquelle surgit le thème de la France celtique en plein cœur de la Révolution. L'une des expressions majeures de ce thème est donnée par l'Académie celtique, fondée en 1805. Son « saint patron » est La Tour d'Auvergne, ancien élève de Le Coz au collège de Quimper (Le Coz qui est le bras droit de Grégoire à la tête de l'Église constitutionnelle). Or l'Académie celtique est un rassemblement de francs-maçons appartenant pour la plupart (Mangourit, Cambry, Lavallée notamment) au rite écossais philosophique, où subversion révolutionnaire, mysticisme venu du XVIIIe siècle illuministe et intérêt pour les cultes non chrétiens se mêlent étroitement. Il faudra bien un jour mettre tout cela en évidence : on verra à quel point il n'y a eu sous la Révolution aucune solution de continuité avec les mouvements de connaissance du passé nés au XVIIIe siècle, mais au contraire relance à partir de la rupture de 1789, qui leur donne un sens nouveau. L'idée de table rase révolutionnaire ne correspond à rien dans l'ordre culturel. Mais les adversaires (au plan national comme au plan régional) de la Révolution sentent bien que la relation des révolutionnaires au passé proche et lointain de la France n'est pas de l'ordre d'une continuité simple, mais relève d'une sorte d'après-coup. Balayant l'histoire monarchique de la France, qui n'était que celle des trois races royales issues de la conquête franque, les révolutionnaires mettent au premier plan les peuples (franc, gaulois) et leur espace. Ils avaient été précédés par Boulainvilliers et ses amis historiens, mais ceux-ci, en passant des rois aux peuples ou aux races, avaient voulu relancer la dynamique monarchique. Les révolutionnaires vont jusqu'au bout de l'opération, en jetant les bases de ce qui devient l'histoire de la nation française. La projection de l'espace français moderne sur l'espace de la Gaule du temps de César — opération à l'œuvre dans le thème des frontières naturelles, brusquement surgi dans la conscience politique à l'automne de 1792 — est la concrétisation de cet après-coup qui politise l'histoire de France dans un sens révolutionnaire. Cette histoire est, à la lettre, nationalisée. Tout le courant historiographique construit au XIXᵉ siècle, d'Augustin Thierry à Henri Martin et au-delà, a ses bases là [30].

C'est la raison pour laquelle les idées de l'école historique allemande vont si facilement s'implanter en France, en un mouvement allant du Directoire à la Restauration. Le passé de la France ayant été nationalisé, il n'y a plus de contradiction entre la rupture politique de 1789-1792 et la continuité culturelle de la nation. Cette continuité sera le fait des héritiers des Girondins, et des libéraux dont Benjamin Constant et Mme de Staël, tous deux marqués par la pensée allemande, expriment les idéaux (mais bien d'autres sont à prendre en considération, tels Charles de Villers, Degérando, et par-dessus tout Claude Fauriel, dont l'influence sera décisive sur le plan de l'histoire littéraire de la nation).

Ce n'est pas seulement la France en tant qu'ensemble qui est l'objet de cette nationalisation après coup. Ce sont également ses provinces, et plus particulièrement certaines d'entre elles [31]. L'invention du Midi (pour reprendre le titre d'un colloque tenu à Montpellier en 1985 et dont les actes sont parus en 1987) date de là, à partir des travaux de Lacurne qui bientôt, avec Millin, Fau-

---

30. Cette nationalisation modifie du tout au tout les données du débat germanisme-romanisme dans l'historiographie française. Le germanisme dominant au XVIIIᵉ siècle, et passé de « la droite » à « la gauche » avec Mably et d'autres, va céder au XIXᵉ siècle devant l'irrésistible ascension du romanisme, qui met en avant non seulement la Gaule romaine et les Gallo-Romains, mais aussi, peu à peu, la Gaule préromaine. C'est vrai pour l'histoire de France dans son ensemble, mais aussi pour celle de ses composantes (voir la relation étroite entre romanisme et bretonisme, dans *Le Bretonisme, op. cit.*).

31. Mais le mouvement est général. Par exemple, BARAILON (membre des Cinq-Cents, correspondant de l'Institut, membre de l'Académie celtique) étudie les fondements celtiques du Berry et de la Creuse, dans ses *Recherches sur plusieurs monuments celtiques et romains* (Paris, 1806). Pierre BACON-TACON publie à Paris en l'an VI des *Recherches sur les origines celtiques, principalement sur celles du Bugey, considéré comme le berceau du delta celtique* (délirant mais caractéristique).

riel, Raynouard, Rochegude, etc., vont inonder de leur substance le XIXᵉ siècle. Mais c'est surtout la prestigieuse carrière de la Bretagne en tant que signe culturel commence en 1794, lorsque Jacques Cambry, administrateur du Finistère, entreprend d'octobre 1794 à janvier 1795 une tournée du département pour préparer son *Catalogue des objets échappés au vandalisme dans le Finistère* (Quimper, an III). La chronologie est intéressante : Cambry se met en route quelques jours avant le vote par la Convention des décrets que propose Grégoire à la suite de son deuxième rapport sur le vandalisme, tendant à placer les biens nationaux culturels sous la sauvegarde des agents nationaux et des administrations de districts, et demandant des rapports sur la question (dont Grégoire se servira dans son troisième rapport). Le 2 avril 1795, l'administration du Finistère félicite Cambry pour son travail et l'encourage à rédiger un « État actuel du Finistère » qu'il a conçu pendant sa tournée.

C'est l'ouvrage qui paraîtra en 1799 à Paris sous le titre *Voyage dans le Finistère*, somme de notations dans l'esprit des idéologues et de l'Institut, sur les mœurs, la langue, les chants populaires de la Basse-Bretagne. Tout le XIXᵉ siècle breton sort de là : Fréminville, Souvestre, La Villemarqué, Brizeux, Luzel, etc. C'est à partir de la Révolution que la Bretagne commence à devenir la terre du celtisme par excellence.

La pratique des rapports administratifs est courante depuis le XVIIᵉ siècle. Bien peu ont été publiés en leur temps. Ce qui est remarquable ici et constitue le témoignage d'un tournant, c'est que d'un rapport administratif sort rapidement un ouvrage qui illustre parfaitement comment on passe des rapports sociaux et des institutions aux aspects ethniques dans la description d'une population [32]. La chose est d'autant plus remarquable étant donné la personnalité de Cambry, amateur d'art averti, auteur entre autres d'un essai remarqué sur Poussin (1783, réédition amplifiée en l'an VII). Selon l'érudit (peu fiable) Fortia d'Urban, Cambry, cheville ouvrière de l'Académie celtique avec Mangourit et Lavallée, aurait conçu l'idée de cette académie avant 1789. Ce n'est pas impossible [33]. Il y a bien des recherches à entreprendre à cet

---

32. Catherine BERTHO, dans sa thèse déjà citée, a bien caractérisé la position originale du texte de Cambry par rapport à ceux du XVIIIᵉ siècle.

33. Fortia d'URBAN expose ces vues dans le sixième volume du *Magazin encyclopédique* pour l'année 1805 (p. 193 et suiv.), donc du vivant des intéressés.

égard. Ce qui est certain en revanche, c'est que dans ses œuvres publiées antérieurement, Cambry ne témoigne d'aucune espèce d'intérêt pour la matière qu'il traite dans son *Voyage*, qui apparaît, en France du moins, sans précédent. Le *Voyage dans le Finistère* est le produit d'une approche épistémologique nouvelle qui se fonde à cette époque, non sans hésitations ni maladresses comme en témoignent tous les commencements. Précisons que Cambry fut un révolutionnaire de tendance girondine, qui épousa en 1797 la veuve de Claude-Denis Dodun, administrateur de la compagnie des Indes, et fille d'un trésorier de la marine à Lorient, où était né Cambry. Le salon de Mme Dodun, place Vendôme, était le lieu de réunion des Girondins en 1792 et 1793. J'ai montré, dans une étude parue dans *La Révolution française dans la conscience intellectuelle bretonne* [34], la part importante prise par les Girondins et leurs héritiers en Bretagne dans l'approche de la Bretagne inaugurée par Cambry. On pourrait sans aucun doute étendre cette analyse à d'autres régions.

Le tournant dont il est question ici doit être mis en rapport avec les contacts nombreux entre les intellectuels français et allemands, à Paris comme en Allemagne, grâce aux patriotes allemands entre 1792 et 1799, puis sous le Consulat et sous l'Empire. Wilhelm von Humboldt, les frères Schlegel, Schinkel, Jakob Grimm, etc., séjournent à Paris. Les émigrés de retour à partir du Directoire (Degérando, Villers, Jordan ; Portalis non émigré mais obligé un moment de s'éloigner, etc.) apportent leur connaissance de la culture allemande. Celle-ci, déjà introduite par des revues aussi importantes que la *Décade philosophique* des idéologues (1794-1807) et surtout le *Magazin encyclopédique* de Millin (1795-1816, continué par les *Annales encyclopédiques,* 1817-1818, et surtout la *Revue encyclopédique*, 1819-1835), les *Archives littéraires de l'Europe* (1804-1808) font connaître la philosophie et la littérature allemandes, notamment Herder. Le jeune Guizot fait ses premières armes dans cette dernière revue en 1808, et il pratique assidûment les auteurs allemands avant de s'en détourner en 1812. Le groupe de Coppet domine le mouvement, lançant dès 1813 en France la bataille du romantisme (Edmond Eggli, *Le Débat romantique en France, 1813-1816*, rééd. Slatkine, 1972).

---

34. *Cahiers de Bretagne occidentale*, n°8, 1988, publiés par le Centre de recherche bretonne et celtique (unité du CNRS), université de Brest.

Mais il est un autre aspect de la vie intellectuelle française qui va donner force à ce mouvement. On a vu comment l'école moderne du droit naturel a nourri une analyse des rapports sociaux qui a permis une élaboration poussée du droit privé dont le Code civil est l'aboutissement, mais que rien de tel n'avait correspondu à cet aboutissement dans l'ordre du droit public. Le droit privé du Code civil est un droit à base rigoureusement individualiste, mise en œuvre de la notion bourgeoise de « droits subjectifs ». Or ces droits subjectifs interdisaient toute pensée critique des rapports sociaux à l'échelle de la société vue comme un ensemble. A ce niveau, les rapports sociaux ne pouvaient, dans l'esprit du droit naturel moderne comme dans celui de son grand héritier de gauche Jean-Jacques Rousseau, que conduire à l'État-Léviathan, ou à la Terreur de 1793. A des rapports sociaux individuels ne pouvait dès lors correspondre, au plan de la société dans son ensemble, que l'idée que cette société était un donné primitif, inanalysable et insécable : ce « fait » qu'avait désigné Portalis, et dont l'école du droit historique se fera gloire d'avoir mis en évidence — montré et illustré, mais non analysé [35] — les éléments historiques et culturels.

Or il y a eu en France dès le début du XIXᵉ siècle un courant juridique qui, critiquant l'individualisation du Code civil, a contribué à renforcer la vision de la société comme fait. Réagissant contre l'école de l'exégèse qui, jusqu'aux années quatre-vingt, se cantonnera dans de magistraux commentaires du Code civil, Athanase Jourdan et quelques autres juristes lancent en 1819 la revue *La Thémis* [36]. Jourdan, né en 1791 (son père sera conventionnel), avocat en 1812 et docteur en droit l'année suivante, développe dans cette revue l'idée que les études juridiques doivent porter non seulement sur le droit romain, mais aussi sur le droit français et sur le droit germanique. Cela lui vaudra de se voir barrer la route du professorat à la faculté de droit de Paris. Mais c'est après sa mort en 1826 que *La Thémis*, sous la direction de Warnkœnig, va devenir une revue belge et surtout allemande, introductrice en France — au moins aussi importante que le groupe de Coppet pour la pensée allemande en général — des idées de l'école du droit historique.

---

35. Car, par définition même, cette école ne saurait pratiquer l'analyse, qui distingue, sépare, discrimine des éléments formant un tout organique, donc tué dès qu'il est observé. C'est une école qui exalte, glorifie, contemple.

36. Voir Julien BONNECASE, *La Pensée juridique française de 1807 à l'heure présente*, 1933, et *La Thémis, 1819-1831*, 2ᵉ éd., 1914.

Warnkœnig est aussi le préfacier d'un ouvrage paru en 1843, *Travaux sur l'histoire du droit français*, dû à Henri Klimrath. Ce jeune juriste, mort prématurément en 1837, est né à Strasbourg en 1807 et ses années de formation se partagent entre Paris, sa ville natale et les universités allemandes (Heidelberg principalement). A partir de son important *Mémoire sur les sources inédites de l'histoire du droit français au Moyen Age* (1835) dédié à Guizot, Klimrath publie dans diverses revues un grand nombre de textes où, sur le modèle des travaux d'Eichhorn sur le droit allemand, il entreprend la synthèse des connaissances sur le droit français que le XVIIIᵉ siècle avait voulue et commencée. Ce sont ces textes que Warnkœnig rassemble en 1843. Nombreux sont les juristes et les historiens qui vont bénéficier des apports de *La Thémis* et de Klimrath : Guizot, Sismondi, Pardessus, Lambert, Troplong, Laferrière, Giraud, Michelet, Beugnot, Varin, etc. De cela, il faut rapprocher les *Origines du droit français* que Michelet publie en 1837 sur le modèle avoué des travaux de Jakob Grimm sur le droit allemand. Et dès 1829, lorsque Eugène Lerminier publie son *Introduction générale à l'histoire du droit*, l'importance de l'école du droit historique est amplement mise en évidence, notamment les travaux de Savigny, objet de vifs éloges à l'occasion de la querelle qui éclate en 1814 sur la codification des lois allemandes. « Il faut étudier philosophiquement et historiquement le droit », écrit Lerminier, idole des étudiants de 1831 à 1837 (il est entré au Collège de France en 1830) avant d'en devenir la victime lorsque, le pouvoir étant fort inquiet de son influence sur le libéralisme et la jeunesse républicaine, Lerminier se laisse acheter en 1837 par Molé, grâce à un siège au Conseil d'État. Deux ans plus tard, il doit abandonner sa chaire au Collège de France et il mourra en 1857 dans les bras de la réaction, oublié de tous. Mais son action a été capitale dans les années qui ont suivi la révolution de Juillet.

On ne peut pas comprendre pourquoi, à partir de la Restauration et surtout de 1830, l'histoire de France donne lieu à une telle masse de productions majeures, si on ne met pas ce fait en rapport avec l'essor des idées du droit historique en France même. Augustin Thierry a commencé sa carrière comme secrétaire de Saint-Simon, ami d'Œlsner et très informé des idées allemandes ; il doit nombre de ses idées à Fauriel, trait d'union entre les idéologues et le groupe de Coppet, et artisan majeur avec Ginguené de la littérature comparée dont A.W. Schlegel était alors un éminent représentant. Michelet dans ses années de formation doit beaucoup à l'Allemagne, à Grimm et à Herder dont son ami Quinet traduit en 1827 les *Idées*. Buchez, ex-saint-simonien, s'attache à montrer dès sa préface au tome I de son *Histoire parlementaire de la Révolution française* que l'idée révolutionnaire a quatorze siècles d'existence, et le livre I de son *Histoire de la nationalité française* se veut l'illustration de ce que « chaque nation est une idée qui s'est faite chair » au long des siècles.

Une analyse détaillée des productions historiographiques françaises des années 1820-1860 montrerait clairement à quel point elles sont imprégnées des idées de l'école du droit historique, avec cette précision qu'en France il existait un mouvement national patriote (singulièrement fort en 1830 et d'autant plus amer de s'être fait voler sa victoire) de nature libérale et républicaine. Henri Martin, déprécié de nos jours mais dont les écrits eurent une énorme influence au XIXᵉ siècle, est le grand interprète républicain de cette historiographie nationale qui associe la Révolution et les origines gauloises et celtiques de la France.

Nationale, cette historiographie l'est de façon essentielle en effet, comme les idées qui la fondent et les attitudes politiques qui en découlent : elle ne vise qu'à la glorification de la nation — la personne France de Michelet —, ne laissant qu'une place infime voire inexistante au problème des institutions, c'est-à-dire de l'État. Tout le mouvement historiographique national français de cette époque est dominé par le complexe de faits-conditions du principe des nationalités auquel il agrège, mais d'une manière seconde et pour le moins confuse, certains principes venus du droit des peuples à disposer d'eux-mêmes. Faute de pouvoir faire triompher en France ce principe des nationalités, elle le transporte dans son ardeur pour la cause polonaise. Quoi d'étonnant si le mouvement libéral et républicain se révélera si confus et si faible en 1848, et si le coup d'État du 2 décembre 1851 lui apparaîtra comme une gifle brutale et inattendue.

Mais le sens profond de ce mouvement se voit encore mieux chez le grand héritier (négligé aujourd'hui, bien à tort) de *La Thémis* et d'Henri Klimrath : Edouard Laboulaye [37], qui fonde en 1856 la

---

37. Auteur d'un *Essai sur la vie et les doctrines de Frédéric-Charles de Savigny* (1842), dépassé mais toujours consultable. L'*Histoire du droit romain au Moyen Age* de SAVIGNY est paru en traduction française en 1839.

toujours vivante *Revue historique de droit français et étranger*, qui fait une place considérable au droit et aux institutions médiévales. Or Laboulaye, qui est, au centre droit, l'un des pères fondateurs de la IIIe République (et non des moindres), est un ardent militant de la décentralisation et de la renaissance des provinces, à l'instar de Montalembert. Ce n'est pas un hasard si l'on trouve parmi ses partisans le principal historien breton du XIXe siècle, Arthur de la Borderie, figure centrale du bretonisme historiographique. Ce qui rejoint l'influence exercée sur La Villemarqué, auteur du fameux *Barzaz-Breiz* et figure centrale du bretonisme littéraire, par Augustin Thierry conjointement à celle de Montalembert. Ce qu'il faut bien voir ici, c'est que les principes de l'école du droit historique imprègnent l'historiographie française au XIXe siècle sur le plan de l'histoire de la nation dans son ensemble, mais qu'ils exercent également, et bien plus encore, leur influence sur l'essor des historiographies provinciales ou régionales, vécues par certains de leurs acteurs comme la renaissance de l'histoire de peuples ou d'anciennes nations vaincues et intégrées dans l'espace français par la monarchie. Mais il ne s'ensuit nullement que ces mouvements historiographiques régionaux (ou nationaux à l'échelle des régions) obéissent à des principes épistémologiques différents de ceux qui inspirent l'histoire de la nation française, bien au contraire : voir l'étude sur le cas breton dans *Le Bretonisme* ; historiographie nationale française et historiographie régionale ou nationale bretonne obéissent aux mêmes principes et mettent en jeu les mêmes organisations (comme celles créées dans les années 1830 et 1840 par Arcisse de Caumont), et on y retrouve souvent les mêmes hommes. Aussi peut-on dire que le retour du principe des nationalités de l'espace allemand vers l'espace français contribue à *créer* un espace breton, occitan, corse, basque (celui-ci tardif), déroulant donc son programme logique de destruction de l'espace qui avait été construit en vertu du principe du droit des peuples à disposer d'eux-mêmes. Ce dernier espace, quoique limité par des frontières, n'était pas territorialisé en ce sens que le territoire n'y était l'objet d'aucun investissement culturel particulier, spécifique. A travers le développement de l'historiographie nationale française, le territoire français devient l'objet d'une telle spécification, qui trouve sa duplication dans la spécification d'espaces régionaux-nationaux. Il ne s'agit ici que d'indiquer le mouvement, qui serait la matière d'une étude approfondie. Donnons cependant deux exemples de la manière dont le système fonctionne simultanément à l'échelle nationale et à l'échelle régionale.

Émile Souvestre, l'un de ceux qui vont populariser l'image populiste et dite romantique de la Bretagne [38], publie en 1836 *Les Derniers Bretons*. Plusieurs chapitres en avaient été prépubliés dans la *Revue des deux mondes*, mais le premier l'avait été en 1832 (tome 55) dans la *Revue encyclopédique*, devenue après 1830, comme *Le Globe*, un organe saint-simonien. Ce premier chapitre est en fait le récit romancé d'une tournée saint-simonienne faite en Bretagne en 1831 par Souvestre et Émile Charton, futur fondateur du *Magazin pittoresque*. Inutile de dire que, dans l'ouvrage de 1836, cet aspect du texte a été totalement gommé. Mais le même Souvestre publie en 1841 les *Souvenirs d'un révolutionnaire bas-breton*, rédigés à partir des carnets d'un Girondin breton, La Hubaudière [39] : l'association de 1789 et de la Bretagne est évidente tout au long de l'ouvrage.

Le deuxième exemple, encore plus parlant, vient précisément des mêmes milieux de la *Revue encyclopédique*, dirigée en 1819, après la mort de Millin, par Marc-Antoine Jullien de Paris (1775-1848), ancien révolutionnaire montagnard et babouviste. Jullien développe dans diverses publications, sous la Révolution et la monarchie de Juillet, un idéal d'association fraternelle des nations sur une base intellectuelle et non politique. C'est ce qui l'amène à devenir en 1833 le proche collaborateur du légitimiste Arcisse de Caumont lorsque celui-ci lance en France les congrès archéologiques et scientifiques sur le modèle allemand. Dans son compte rendu du Congrès scientifique de Poitiers en 1835, Jullien de Paris écrit : « Nous ressentons les liens de l'unité française, en aidant à détruire les gra-

---

38. Dite romantique car, même si cette image a été popularisée à l'époque romantique, ses fondements sont bien antérieurs. Ils sont, comme on l'a vu, à chercher dans les milieux imprégnés de la pensée des idéologues. Contrairement à une légende, l'Académie celtique, malgré certains exercices périlleux d'étymologie, est essentiellement rationaliste, dans la tradition de DUPUIS *(Origine de tous les cultes)*, LENOIR *(La Franc-Maçonnerie rendue à sa véritable origine)*, et Court de Gébelin. Celui-ci, éminente personnalité du protestantisme français avec E. Rabaut Saint-Étienne, eut l'honneur insigne d'introduire en 1778 Voltaire dans la prestigieuse loge maçonnique des Neuf Sœurs. Comme le montre Louis AMIABLE *(Une loge maçonnique d'avant 1789*, 1897), cette loge est au centre de toute une activité spirituelle et intellectuelle dont sortiront bien des établissements, comme le Musée de Paris et l'Athénée, qui ont joué un rôle clef dans la diffusion des idées qui nous intéressent ici, et qui rejoignent les préoccupations des maçons du rite écossais.

39. Voir l'étude citée note 34, p. 155.

ves inconvénients d'une centralisation exclusive qui semblait absorber la France entière dans sa capitale [40] ».

L'importance des thèmes décentralisateurs et provincialistes dans la *Revue encyclopédique* entre 1830 et 1834 est remarquable, par leur association avec l'inspiration saint-simonienne. Ainsi en 1832 (dans le même volume qui publie le texte de Souvestre et Charton mentionné plus haut), le saint-simonien nantais Ange Guépin, ami intime de Souvestre, publie un article intitulé « Da la nécessité d'institutions provinciales ». Notant que le département est trop petit, il écrit que « les hommes de province doivent être appelés à régler directement eux-mêmes leurs intérêts privés et spéciaux ». Anticipant les idées de socialisme municipal ou provincial de la fin du siècle, il prévoit que chaque province devrait « acheter des communaux et des *terres vagues* pour y former des colonies agricoles ». C'est que, chez les saint-simoniens, l'idée provincialiste ne se sépare pas de l'idée socialiste, ou sociale. Les projets de colonies agricoles, très à la mode depuis les années 1820, sont l'une des grandes idées sociales d'avant 1848 (on la trouve aussi à droite, chez les légitimistes, mais avec des résonances différentes).

Lorsque Guépin parle des « intérêts privés et spéciaux » des hommes de province, il anticipe remarquablement le caractère spécialisé de la région française actuelle. Le régionalisme saint-simonien, en effet, est essentiellement économique et social, mais non politique (entendons : au plan des institutions centrales). Guépin estimait d'ailleurs qu'il ne contredisait pas la centralisation, à laquelle la gauche est très attachée tout au long du siècle, dans le domaine proprement politique. On retrouve cet aspect dans un compte rendu que fait la *Revue encyclopédique* d'une réunion de l'Ouest, qui s'est tenue à Nantes en avril 1833, réunion d'esprit fortement saint-simonien et républicain, et à laquelle assistaient plusieurs de ceux qui vont dix ans plus tard fonder l'Association bretonne sur le modèle de l'Association normande d'Arcisse de Caumont [41]. Hippolyte Carnot était présent à cette importante réu-

---

40. Le compte rendu de Jullien de Paris se trouve dans le *Recueil industriel, manufacturier et commercial*, tome III, 2ᵉ série, 1834. Tout cela est également à rapprocher de l'esprit de l'Institut historique créé en 1834 et fortement marqué par les idées d'union fraternelle des nations dans l'esprit du principe des nationalités. Le Congrès historique de 1835, organisé par l'Institut historique et où Buchez joua un rôle de premier plan, a été pour le jeune La Villemarqué l'occasion de faire ses premières armes (sa communication a été publiée par nos soins dans *Le Bulletin de la Société archéologique du Finistère*, vol. 117, 1989, millésimé 1988).

41. Voir *Le Bretonisme, op. cit.*

nion, et il avait proposé aux organisateurs d'adhérer « aux sociétés politiques de Paris », ce qu'ils avaient refusé, d'où chez les
Parisiens le soupçon de « fédéralisme ». Carnot, dans la revue,
écarte ce soupçon et écrit que tout bon citoyen voit la nécessité de
former un faisceau bien uni « et les Bretons savent que si la nationalité a survécu à celle de presque toutes les anciennes provinces,
si même elle a en quelque sorte absorbé celle des provinces voisines, l'Anjou, la Vendée, la Touraine, où généralement l'on se dit
Breton [42], si, seuls peut-être avec les Dauphinois, ils possèdent
encore un *nom*, ce n'est point que ces deux célèbres provinces se
soient séparées de l'œuvre de centralisation ; c'est précisément au
contraire parce que les premières elles sont entrées dans le mouvement révolutionnaire qui devait constituer l'unité de la grande
famille française ».

Ce texte est fort intéressant. On voit comment Carnot n'hésite
pas à faire place à l'idée de nationalité des Bretons, tout en récusant, par une référence aux origines de la Révolution française,
toute idée d'inscription de cette nationalité dans un projet politique autre que celui de la France une et indivisible. La crainte était
vaine, concernant les participants de la réunion de l'Ouest (même
si l'un d'eux, le Quimpérois Armand Duchatellier, aura plus tard,
au temps de l'Association bretonne dont il sera la cheville ouvrière
à sa création, quelques élans, tout idéaux du reste, dans cette voie).
Le plus important, c'est que dans la vaste constellation allant des
libéraux aux socialistes en passant par les républicains, il existe
entre 1814 et 1848 un vif intérêt pour les peuples considérés sous
l'angle ethnique, qu'ils tentent de lier à l'angle social. Luttes des
peuples, voire des races, se confondent plus ou moins avec lutte
des classes [43]. Cet intérêt est centré sur la recherche d'une démocratie qui concilierait la nécessaire unité politique au plan des institutions centrales, et une décentralisation sur une base ethique,

---

42. Voilà qui a peut-être fait sursauter Angevins, Vendéens et Tourangeaux.

43. Et cela nous ramène, une fois de plus, à Augustin THIERRY, dont les textes
qu'il écrivait en 1814 et 1817, comme secrétaire de Saint-Simon et en collaboration avec lui, sont du plus haut intérêt (*Sur la réorganisation de la société européenne*, octobre 1814 ; *Politique des nations et de leurs rapports mutuels*, mai 1817).
On y voit comment Thierry, récusant la théorie des climats et le déterminisme
menant à la correspondance sous-sol/sol, définit les peuples et les nations comme
des forces pures, porteurs d'idées essentielles au sein de leur être ethnique, une vision
typiquement herdérienne en somme. Que le premier texte ait été écrit dans l'émotion de l'entrée des coalisés dans Paris en avril 1814 ajoute encore de l'intérêt aux
premières armes du futur auteur de *La Conquête de l'Angleterre*.

plus ou moins large selon les individus. La démocratie économique et sociale se marierait ainsi en quelque sorte avec une « démocratie ethnique ».

La première moitié du XIXᵉ siècle est fascinante et déroutante : on y voit chez les mêmes hommes et dans les mêmes mouvements l'association de thèmes qui nous paraissent entièrement étrangers les uns aux autres [44]. Cela tient en particulier à l'importance de ce qui tourne autour de la recherche d'une religion tout humaine, ne devant rien aux dogmes du catholicisme et à la rigidité de la hiérarchie romaine. L'influence de Joseph de Maistre sur Saint-Simon, la confluence des idées républicaines, socialistes, et d'un mysticisme puisant à toutes les religions chez Ballanche, et bien d'autres faits sont la manifestation de ces amalgames qui nous surprennent. Les péripéties ayant marqué la IIᵉ République et les lendemains douloureux qui ont suivi le coup d'État bonapartiste se sont chargés de dissiper ces rêves. N'en est-il rien resté ? Rien n'est moins sûr, et un vaste champ de recherches est ouvert. La première moitié du XIXᵉ siècle français (mais c'est vrai pour toute l'Europe) est riche d'idées et de tentatives, certes avortées, mais qui ont laissé des traces, fort importantes, dans le domaine qui nous retient ici.

C'est à droite que les idées régionalistes à dominante ethnique ont manifesté le plus nettement leur vitalité, comme le montre l'essor du bretonisme en Bretagne, et comme le montrera dans le Midi la fondation du Félibrige en 1854. Mais il ne s'agit pas d'une droite adossée à l'Ancien Régime, du moins celui des deux derniers siècles, et son véritable point de départ est 1789, qui exige une régénération totale de la tradition (comme le dit si bien Lampedusa dans *Le Guépard* : pour que tout reste comme avant, il faut tout changer). La monarchie absolue est la bête noire des modernes régionalistes de droite, qui vont chercher au Moyen Age certains de leurs idéaux. Les idées maîtresses du bretonisme s'éclairent lorsqu'on les relie à la critique de l'État monarchique absolu menée dans l'entourage du duc de Bourgogne et chez Lacurne, Bréquigny, Moreau et leurs successeurs. Par Klimrath et Laboulaye interposés, La Borderie (formé au sérail de l'École des Chartes réformée en 1847) et ses amis bretonistes (tous nourris des études de droit)

---

44. Ainsi Paul GERBOD, dans son étude sur *Paul-François Dubois, universitaire, journaliste et homme politique* (1967), signale que Dubois, alors très mêlé aux milieux de la Charbonnerie, songeait en 1823 à écrire une histoire de la Bretagne (p. 44). Dubois sera député de Nantes sous la monarchie de Juillet.

sont les véritables continuateurs du mouvement initié au XVIIIe siècle en réaction contre la monarchie louis-quatorzienne [45]. Mais la Révolution française ayant consommé la rupture en 1789 au plan des institutions centrales et irréversiblement fondé la souveraineté nationale, la seule continuation possible du mouvement est au plan régional, en posant que les institutions administratives de l'État étouffent les vrais éléments constituants de la nation et prolongent la défaite des peuples écrasés par la machine guerrière de l'État — les Bretons devant les Francs, les habitants du pays d'oc devant la croisade des Albigeois. A cet égard s'est produite une véritable involution de la pensée française, et Augustin Thierry y a joué un rôle clef. Celui qui avait exalté la liberté des communes au XIIe siècle, berceau de l'ascension du tiers état et point de départ de ce qui triompherait en 1789, ne s'est-il pas élevé avec désespoir contre la révolution de février 1848 ? Ce qui donne un sens particulièrement fort à ces lignes, qui sont dans la préface au tome II du *Recueil des monuments inédits de l'histoire du tiers état* (1853) : « Les anciennes provinces détruites politiquement et administrativement se rétabliront, et déjà se rétablissent au point de vue de l'histoire. »

L'œuvre d'Augustin Thierry est en position centrale, entre l'aile droite du mouvement régionaliste, associant esprit juridique et vision ethnique et culturelle (la ligne de Laboulaye), et l'aile gauche saint-simonienne et républicaine qui au nom de l'exaltation de la nation contre l'État tend à mêler analyse sociale et analyse ethnique dans sa vision du peuple. La Villemarqué, considéré comme « de gauche » par l'aristocratie bretonne à cause de certains chants du *Barzaz-Breiz*, est un grand ami d'Henri Martin. Tous deux communient dans le culte des « monuments celtiques ». Guillaume Lejean, qui se fera surtout connaître comme géographe après 1856, est un ardent républicain breton, proche de Michelet [46]. Pour lui, le peuple breton est porteur de valeurs révolutionnaires, et tous deux ébauchent l'idée d'une nouvelle grande fédération en juillet 1848, sur le modèle de celle de 1790, et dont le point de départ

---

45. C'est pourquoi il me semble que Blandine Barret-Kriegel se trompe en pensant que le mouvement historiographique d'Ancien Régime a été brisé par la Révolution. Ses véritables héritiers sont à chercher en province, ils associent fortement tradition juridique et érudition, avec des visées politiques sous-jacentes. Les étudier ne fait que mieux ressortir la modernité de Boulainvilliers et de ses amis (la modernité n'étant pas nécessairement progressiste).

46. Voir la correspondance Lejean-Michelet, *Les Cahiers mennaisiens*, n°s 19, 1985, et 21, 1987.

serait la Bretagne. Eugène Sue, dans ses *Mystères du peuple* (1849-1856), fait du peuple gaulois le fondement même du peuple français révolutionnaire et situe son intrigue à Carnac où commence un affrontement de deux mille ans entre la lignée des Lebrenn, les Celtes, et celle, issue de la conquête germanique, des Neroweg de Plouernel, sanguinaires oppresseurs des Bretons. Nous sommes loin des Francs porteurs de la liberté originelle chez Mably et les révolutionnaires, qui dans leur immense majorité tenaient pour la version « de gauche » de la théorie germaniste. C'est qu'entre-temps le romanisme de Dubos a triomphé du germanisme de Boulainvilliers.

Dans la perspective qui nous occupe ici, cela signifie le triomphe des thèses attachées à la gloire de la nation sur celles attachées à la gloire de l'État. Le cœur de la question est dans le statut du territoire, qui est qualifié de national en ce que, délimité, il porte une population dite nation en raison d'une homogénéité postulée comme née de l'histoire et maintenue et développée par la raison. Or ce territoire, peut-il vraiment être qualifié de national ? Ou ne doit-il pas plutôt être qualifié d'étatique ? Je veux dire par là qu'il existe une relation, construite par la monarchie absolue et portée à son achèvement par la Révolution, relation d'ordre quantitatif, entre le territoire et l'État dont il est le support. Le territoire en ce sens est un espace, découpé selon des critères administratifs et/ou économiques.

Mais en même temps que la Révolution portait à sa perfection cet espace qu'on peut dire d'ordre statistique, elle posait une donnée nouvelle : la nation souveraine. Et cela introduisit une exigence fondamentale, par laquelle la portion dite française de surface de la planète devait, d'espace de l'État qu'elle était jusque-là, devenir territoire de la nation. Mais ce faisant, cet espace passait d'un ordre quantitatif à un ordre qualitatif : le territoire était dès lors le lieu postulé d'un ensemble de déterminations causales (mais en réalité de correspondances et d'analogies) d'où la nation sortait comme un complexe affectif associant sous-sol, sol et « sur-sol ». Dans ce nouveau rapport du territoire et de la population, le passé prenait une valeur nouvelle, le passé du peuple dit français, mais aussi celui des peuples dits breton, occitan, corse, etc., avec cette différence capitale que le premier coïncidait avec le territoire de l'État, tandis que les autres se trouvaient en situation de disjonction par rapport à ce même territoire. De sorte que ce territoire, structuré quant au rapport à l'État, cessait de l'être quant au rapport à la nation. Là, les identifications se morcellent, s'éparpillent, se contredisent.

Ce n'est là bien entendu qu'un canevas à développer et à vérifier. Mais il permet de situer l'apparition des mouvements breton, occitan, corse, etc., par rapport à la constitution de l'État national français, c'est-à-dire par rapport au basculement, entre 1789 et 1799, du droit des peuples à disposer d'eux-mêmes au principe des nationalités. Il permet aussi de saisir en quoi, tout en étant à mon avis une impasse, ces mouvements traduisent par leur apparition et leur développement une vraie difficulté dans l'histoire de la nation française.

Il est dès lors aisé de comprendre comment et pourquoi ces mouvements nationalistes, nationalitaires ou simplement fédéralistes attendent beaucoup de la progression de l'intégration européenne. Celle-ci, laminant par le haut la souveraineté nationale, mine de plus en plus nettement la structure administrative d'État qui résulte de la division entre pouvoir exécutif et pouvoir législatif. Contre le département qui a toujours été la bête noire des tenants du second courant régionaliste, la région est porteuse de tous les espoirs d'identité culturelle et ethnique à partir de laquelle une offensive victorieuse est escomptée contre le département, avec l'appui de la structure exécutive européenne. Celle-ci en effet, pour ce courant, présente l'avantage inestimable d'agir sans aucune structure législative correspondante. Nous atteignons ici une pensée qui va au-delà du régionalisme, en ce sens qu'il s'agit pour les mouvements concernés de balayer ce qui, dans la souveraineté nationale française, est dû au droit des peuples à disposer d'eux-mêmes, et qui a subsisté malgré le triomphe du principe des nationalités en France. Autrement dit, il s'agit de détruire tout ce qui, du couple patrie-nation, a été investi dans le couple nation-État. Cela se décèle dans le fait que si le régionalisme français actuel, qui ne met pas en cause l'unité et l'indivisibilité de la République, tient par certains caractères au mouvement patriotique — intérêt pour les coutumes, les vieux métiers, la littérature lue dans le peuple, les contes, etc. —, en revanche les mouvements de type nationaliste qui s'agitent au sein de l'Hexagone seraient bien en peine de faire état de la moindre base patriotique. L'explication qui a cours dans les milieux nationalistes bretons, par exemple, selon laquelle le peuple breton serait « aliéné » par des siècles durant lesquels on l'a privé de sa langue et de sa mémoire, mais que le jour où il retrouverait celles-ci, il exprimerait ses véritables sentiments [47], est un peu courte. Affirmer ne coûte rien. Faire comme si la chose était démontrée est plus grave.

C'est pourquoi la possibilité de sortir par des voies institutionnelles du cadre de l'État national, grâce à l'importance accrue de l'Europe, apparaît à ces mouvements comme une chance : l'Europe, dans leur logique, leur fournit les moyens de mettre par en haut sur pied des institutions régionales autonomes, voire quasi ou pseudo-indépendantes, dispensant de tout recours à une base patriotique. La critique des rapports sociaux à l'intérieur des ensembles régionaux considérés est totalement évacuée — ou se borne à un semblant d'analyse — au profit de la question des relations entre ces ensembles et l'extérieur [48].

Un récent numéro de la revue *Après-demain* (fondée par la Ligue des droits de l'homme), consacré à « L'Europe des régions » (mai-juin 1989), donne quelques aperçus des espoirs nourris en ce sens. Ainsi Gianfranco Martini, secrétaire général de la section italienne du Conseil des communes et des régions d'Europe, rappelle-t-il que le Parlement européen « a plusieurs fois demandé [...] qu'à l'occasion des élections européennes de juin 1989 un rôle constituant puisse lui être reconnu, ce qui lui donnera la possibilité de rédiger un projet de Charte constitutionnelle de l'Union européenne, à soumettre ensuite à la ratification des Parlements nationaux. Dans ce document fondamental, on devra prévoir des moyens institutionnels de participation des collectivités régionales et locales » (p. 14). Dans le même esprit, une organisation aussi influente que l'Assemblée des régions d'Europe (fondée par Edgar Faure) pousse-t-elle à la création d'une seconde chambre qui, à côté du Parlement européen, serait le « Sénat des régions ». Son actuel secrétaire général, Georges Pierret, est à l'origine de la Conférence des régions périphériques, créée à Saint-Malo en 1973,

---

47. Rendant compte, en novembre 1987, dans *Le Peuple breton*, journal de l'Union démocratique bretonne, de mon étude sur *Le Bretonisme*, l'historien Jean Christophe CASSARD écrit : « J.-Y. Guiomar constate le manque d'engagement des "élites" dans leur profondeur. Mais que pensaient les absents, les silencieux ? Que pensait le peuple dans sa quotidienneté ? Il faudra un jour s'atteler à ce vaste problème, sans a priori et sans complexe. Le sujet attend encore son historien. » Il risque de patienter encore assez longtemps, et M. Cassard, spécialiste du haut Moyen Age, n'ignore certainement pas que l'histoire se fait avec des documents : si le peuple est silencieux, qui ou quoi parlera pour lui ? *That is the question.*

48. Ainsi lorsque l'Union démocratique bretonne développait sans complexe dans les années soixante-dix le thème « Bretagne-colonie », n'hésitant pas à faire un parallèle entre la situation bretonne et celle de l'Algérie avant son indépendance. Autant en emporte le vent...

et il a été longtemps étroitement associé à l'essor du CELIB (Comité d'études et de liaison des intérêts bretons), fer de lance de la régionalisation en France dans les années soixante [49].

D'autres — qui entretiennent des liens plus ou moins poussés avec les milieux que je viens de citer — vont beaucoup plus loin, s'appuyant sur les travaux du juriste Guy Héraud [50] (lui-même tenant des thèses d'Alexandre Marc et Denis de Rougemont sur le fédéralisme intégral) sur « l'ethnopolitique ». Selon Héraud, à la « stato-nation » (« nation de droit positif »), s'oppose la communauté ethnique et linguistique, le *Volk* herdérien, qui est la « vraie nation ». Héraud salue l'« héroïque résistance des nations, des patries, des provinces, des ethnies, opposées à la volonté de nivellement implacable de l'État » (*Les Régions d'Europe*, p. 13). Voilà qui prolonge Augustin Thierry. Le quinzième congrès des communautés ethniques et des nationalités européennes, tenu à Genève du 16 au 18 mai 1985, a posé les « principes fondamentaux d'un droit européen des communautés ethniques ». L'article 5 déclare que « tout groupe a le droit de se donner l'organisation juridique de son choix [51] ». Ce congrès, qui pose comme fondamental le fait du groupe ethnique, reprend ainsi intégralement le principe des nationalités du XIXe siècle. La question reste entière de savoir qui définit les conditions dans lesquelles un groupe existe, qui le représente et en vertu de quoi.

Toutes ces idées, rassemblées en corps de doctrine entre les deux guerres, ont pris leur essor dans les années soixante, où elles ont inspiré nombre de mouvements autonomistes et nationalitaires (bretons, occitanistes, basques, corses pour ce qui concerne la France). Ces mouvements, alors, voulurent souvent rompre avec le caractère réactionnaire de certains mouvements nationalistes de l'époque précédente (comme le mouvement breton de la Première Guerre mondiale aux années cinquante), et tentèrent de lier revendication ethnique et revendication politique et sociale progressiste.

---

49. Il est intéressant de noter que, à l'époque où le CELIB avait le vent en poupe, il bénéficiait de l'appui fort actif d'organisations comme le Mouvement pour l'organisation de la Bretagne (MOB) qui, sous un fédéralisme de façade, dissimulait, du moins chez ses dirigeants, un nationalisme breton à visées indépendantistes. Le CELIB était d'ailleurs appuyé par l'ensemble des organisations culturelles formant le mouvement breton.

50. *Les Régions d'Europe* (1973), *L'Europe des ethnies* (1974), et de nombreux articles, parus notamment dans les *Archives de philosophie du droit*.

51. Texte des principes paru dans *Information*, journal de l'Union fédérale des Communautés ethniques européennes, 18 octobre 1985.

On trouve une synthèse de ces tentatives dans l'ouvrage de Riccardo Petrella, *La Renaissance des cultures régionales en Europe*[52], pour qui « la transformation dans le sens socialiste des mécanismes de production et de pouvoir, au niveau local, national et international, comme la construction d'une fédération européenne libre de toute "tutelle" américaine, sont, en Europe occidentale, les moments et les étapes de la même bataille contre la société libérale, capitaliste, et son allié historique l'État nation centralisateur » (p. 20). On est ici à la jonction des courants ethniques et nationalitaires et des vieilles idées qui se sont exprimées dans le mouvement ouvrier français au début du XXᵉ siècle, chez les possibilistes notamment, sur le « socialisme municipal », voire régional. Derrière tout cela, les idées, plus vieilles encore, de Bakounine et de Proudhon, et le socialisme d'avant 1848.

Tous ces mouvements — au contraire du nationalisme basque en Espagne, qui demanderait une analyse poussée[53] — se caractérisent en France par leur faible implantation électorale, qui n'a jamais dépassé le niveau municipal, et par leur faible impact sur l'opinion dans le domaine politique (il n'en va pas de même sur le plan culturel, où le mouvement breton, par exemple, a marqué notablement la conscience bretonne à partir des années soixante, par le biais des organisations attachées à la promotion de la musique, de la danse, de la langue et de l'histoire bretonnes). Les nationalistes gallois et écossais sont allés un peu plus loin selon les époques. Quant aux Flamands, ils ont arraché la transformation de la Belgique en État quasi fédéral. La question dépasse parfois les bases traditionnelles de ces mouvements. Ainsi en Espagne, à côté des puissantes et anciennes expressions nationalitaires et nationalistes basque et catalane, l'Andalousie s'est-elle récemment révélée comme une région à l'identité forte, qui joue à fond la carte européenne. Un homme politique aussi important que Mario Soarès, actuel président de la République portugaise, déclarait en

---

52. L'analyse de R. Petrella va au-delà du régionalisme, il tente de définir des catégories allant des simples régions aux ensembles ayant vocation à former un État national indépendant.

53. L'ouvrage de Pierre LETAMENDIA, *Nationalismes au Pays basque* (Presses universitaires de Bordeaux, 1987), est intéressant et très éclairant sur le point de départ du nationalisme basque et ses rapports avec le carlisme espagnol. Mais l'analyse du mouvement au XXᵉ siècle, et particulièrement pour les vingt dernières années, est obscurcie par une masse de données mal coordonnées. Surtout, l'auteur a le tort de couper son analyse du nationalisme basque de celle de l'Espagne dans son ensemble. Il perd de ce fait le fil conducteur de son analyse.

novembre 1988 [54] : « Je pense qu'il n'est pas trop audacieux d'affirmer que la décentralisation administrative ainsi que le renforcement de la notion d'unité régionale seront les conséquences imprévisibles du profond mouvement de transnationalisation que 1992 implique. » Il ajoute : « Par ailleurs, un tel marché n'entraîne pas la disparition des identités culturelles nationales, bien au contraire. Les nationalités ne sont pas en danger. Ce qui va changer, ce sont les termes et les conditions dans lesquelles elles vont s'affirmer en tant que communautés politiques et économiques. »

Il est fort intéressant que M. Soarès situe la question sur le plan des nationalités et des identités culturelles, ce qui corrobore parfaitement les analyses développées ici. Ce qu'il veut dire, c'est qu'on continuera encore longtemps à parler portugais ou français dans les chaumières, mais que l'État national portugais ou l'État national français vont aborder une phase inédite, et peut-être finale, de leur glorieuse histoire. La question est bien là, en effet, et son véritable enjeu doit être posé clairement : les États nationaux que nous connaissons sont nés du droit des peuples à disposer d'eux-mêmes, qui a triomphé en France en 1789. Par suite des faits que nous avons analysés plus haut, ce principe a cédé devant le principe des nationalités, mais en France il n'a pas disparu tandis que, à travers l'évolution politique des autres pays d'Europe vers la conquête des droits civils, du suffrage universel et du parlementarisme, il infléchissait le principe dynastique et territorial. Ainsi peu à peu, la notion de souveraineté nationale l'a-t-elle partout emporté, mais à des degrés fort divers ici et là.

Ce qui précisément est en cause aujourd'hui, c'est la souveraineté nationale à travers l'attaque contre les États nationaux qui, sans elle, n'auraient pas existé ou n'auraient pas évolué comme ils l'ont fait. Faut-il rappeler que jamais, à aucun moment, l'Europe institutionnelle n'a connu le moindre mouvement populaire ? Elle ne résulte d'aucune conquête, d'aucune de ces lames de fond qui subvertissent l'histoire. Elle est tout entière le seul fait des États, elle n'a aucun contenu national. Ce qui est donc important, c'est que c'est à partir d'une structure exécutive et administrative que l'on entend faire triompher les « vraies nations » sur les États nationaux.

---

54. Cité par Georges PIERRET dans « Le devenir du rôle des régions dans le cadre de la construction européenne », dans le numéro d'*Après-demain* sur l'Europe des régions, p. 17.

Dans cette affaire, la France est en première ligne. Sa position est fort paradoxale, en apparence du moins. Elle est à la fois le pays qui a le plus œuvré et œuvre le plus pour la construction de l'Europe, elle est aussi le pays où la régionalisation est le plus fortement encadrée, et où les relations directes entre les régions et Bruxelles sont contenues dans les limites les plus étroites (information et préparation informelle des dossiers). La France n'a rien qui se rapproche tant soit peu de la division Flamands-Wallons, du quasi-fédéralisme où s'achemine l'Espagne, du fédéralisme de la République fédérale d'Allemagne. Elle est le pays où l'être même de l'État national va se voir exposé dans sa totalité aux exigences qui pourraient se faire jour, dans un avenir très proche, au sein des institutions européennes (et notamment du Parlement, incitateur en la matière). Que deviendrait alors l'État national français ? Une circonscription territoriale ?

Ce n'est pas l'objectif du présent ouvrage de répondre à cette question majeure, entièrement ouverte pour le moment, mais d'essayer d'en énoncer les éléments, lointains et proches, aussi clairement que possible, afin d'indiquer, eu égard à la construction deux fois séculaire maintenant de cet État national, quelle est la nature des enjeux, politiques au premier chef mais, en conséquence, économiques et sociaux [55]. L'ironie de l'histoire veut que, pour le moment, ce soit Mme Thatcher qui manifeste une opposition résolue au dessaisissement des souverainetés nationales. Mais le dernier mot est-il dit en la matière ?

On voit donc que le dossier régional en France est lourd de multiples implications et que les courants que nous avons décrits dans ce chapitre mettent en jeu des éléments qui ne vont pas dans le même sens (nonobstant certaines « passerelles » entre eux).

Le premier courant est le produit des conditions dans lesquelles l'État national a été créé, et de la dichotomie exécutif-législatif qui a donné un poids extrêmement important à la structure admi-

---

55. Dans *Le Sacre des notables*, Jacques RONDIN expose clairement quelques-uns de ces enjeux. Ainsi, la politique sociale passant de plus en plus aux mains des conseils généraux, les prestations sociales pourraient à la longue connaître des disparités considérables. Sur les fondements théoriques et sur l'impact de la régionalisation, il existe de nombreux ouvrages ; J. LAJUGIE, P. DELFAUD et Cl. LACOUR offrent une bonne synthèse dans *Espace régional et aménagement du territoire*, 2e éd., 1985.

nistrative. Ce courant tend à reprendre le problème des rapports entre l'exécutif-administratif et le législatif [56], évoluant de façon tâtonnante entre la déconcentration, la décentralisation et la régionalisation, et butant constamment sur deux obstacles majeurs :
— L'insertion dans la sphère politique des « représentations » professionnelles, syndicales, associatives et culturelles, qui révèle vite sa nature corporatiste (à cet égard le de Gaulle de la tentative manquée de 1969 est le vieux maurrassien revu et corrigé par le personnalisme chrétien) ; cette insertion se heurte à l'opposition résolue et jusqu'à présent victorieuse des élus politiques, locaux et nationaux, qui sont pour les uns les gardiens sourcilleux de la légitimité républicaine, et pour les autres des notables jaloux de leurs pouvoirs (et pourquoi pas, dans certains cas, les deux la fois ?) ;
— La tentation ou le danger du fédéralisme, qui est totalement étranger à la nature de l'État national français. On ne risque pas grand-chose à prédire que ceux qui misent sur une future France fédérale en seront pour leurs frais. Il faudrait un bouleversement aussi important que la Révolution de 1789 pour défaire ce qui a été noué à ce moment-là, et qui était en continuité avec l'État monarchique, à l'opposé du *Staatenbund* (fédération d'États) de l'Empire germanique.

Néanmoins, il faut admettre qu'il y a là une situation fort complexe, face à laquelle l'immobilisme ou le retour à la centralisation absolue (à supposer qu'elle soit possible) seraient fâcheux. La détermination et le pragmatisme subtil dont Gaston Defferre a fait preuve dans la préparation et la mise en œuvre de la loi du 2 mars 1982 sont des indications favorables de la capacité de la France à évoluer en souplesse. Mais la réforme Defferre et ses suites ont contourné ou éludé les vraies difficultés. De la part des responsables régionaux en France, on assiste à un rapide accroissement des liaisons directes avec Bruxelles. De plus en plus de régions ouvrent des bureaux sur place, d'autant plus que dans d'autres pays (Espagne, Allemagne fédérale) le mouvement prend des allures d'ambassades (cas de la Bavière). Même dans les départements, la tendance est sensible, comme le montre l'article de Charles Josselin, président du conseil général des Côtes-du-Nord, dans le numéro d'*Après-demain* déjà cité. Bien que la DATAR ait aussi une délégation à Bruxelles et que tous les projets régionaux ou locaux français doivent passer par elle, et bien que le gouvernement français

---

56. Voir les analyses de Pierre GRÉMION, *Le Pouvoir périphérique* (1975).

demeure le seul interlocuteur officiel des institutions européennes en matière d'aménagement régional, il y a là une dynamique qu'il sera bien difficile de contenir, et qu'il serait fâcheux de laisser se développer en faisant comme si elle n'existait pas. Lorsque la légalité est débordée de manière trop flagrante et trop poussée, c'est la légitimité qui est en cause.

Le second courant, du moins dans ses composantes les plus extrémistes, vogue allégrement vers la destruction des États nationaux (à commencer par l'État national français, très logiquement objet de son hostilité, voire de sa haine). N'ayant jamais réussi, en France du moins, à se doter d'une légitimité politique, il a misé jusqu'à une époque récente (les années soixante) sur le terrain culturel, conforme à sa nature qui dérive entièrement et exclusivement du principe des nationalités. Il a ses bases en province, mais a toujours bénéficié d'un fort appui dans certains milieux culturels et politiques au plan national, quand il n'est pas une quasi-création de ces milieux (voir les conditions dans lesquelles les mouvements bretoniste et occitaniste ont pris leur essor au XIXᵉ siècle). Récemment, il a fait sa jonction avec le mouvement écologiste et alternatif, dont il espère un second souffle, car si ce courant a connu de belles heures en Bretagne et chez les militants occitanistes (avec son expression due à Robert Lafont dans *La Révolution régionaliste*, 1967), il a beaucoup régressé depuis le milieu des années soixante-dix, même sur son terrain le plus favorable, le terrain culturel [57].

Ce courant souffre de ses origines : il est tout entier dirigé contre la souveraineté nationale tout en étant le produit contradictoire de l'avènement de cette souveraineté, en conséquence du basculement du droit des peuples à disposer d'eux-mêmes dans le principe des nationalités. Il a toujours été de nature foncièrement politique, mais a toujours dû enfouir ses visées politiques au sein du culturel, ou du religieux (voir le catholicisme dans le bretonisme de La Borderie, dans le nationalisme basque depuis 1895, dans le mouvement flamand, ou l'importance du protestantisme dans le mouvement gallois). La longue grève de la fonction publique en Corse, au printemps 1988, a montré l'importance et les limites du mouvement nationaliste lorsqu'il tente de sortir du culturel pour s'avancer sur le terrain du politique. Ailleurs, en Belgique, en

---

57. Ainsi par exemple, la stagnation des écoles Diwan, qui dispensent un enseignement entièrement en breton au niveau du primaire.

Espagne, la sortie semble beaucoup plus résolue et puissante. Mais là, les mouvements nationalistes ont en face d'eux des États nationaux fort affaiblis dès leurs origines : l'État belge est une création internationale, et l'Espagne n'a pas vraiment mené la souveraineté nationale au bout de ses conséquences. Même là, cependant, tout reste ouvert, car rien n'est véritablement instauré dans l'ordre politique qui corresponde aux buts de ce second courant.

Le politique est un domaine particulièrement subtil, fondamentalement lié au juridique et mettant en œuvre des rapports d'ordre symbolique. Il se vit sur le terrain des rapports de force, éventuellement armés, puisqu'il a pour objet la conquête du pouvoir et que le pouvoir ne peut être duel. Mais ce n'est jamais sur le terrain des rapports de force qu'il peut triompher et durer, car même né de la guerre, le politique ne peut accoucher que de la paix, sous la forme du compromis, et la paix ne se satisfait jamais de faux-semblants. Les symboles, pour durer, doivent être autre chose que des images, si séduisantes et si propres à exalter les âmes romantiques soient-elles.

La nation, forme de nature esthétique

Reprenons les trois notions du début : patrie, nation, État. S'agit-il de concepts ? Non, à mon avis, à moins de prendre ce terme comme un simple synonyme d'idée générale, ce qui ne nous avance pas beaucoup. Le concept, dans sa seule acception rigoureuse, est une construction kantienne, c'est précisément une généralisation, mais qui n'est pas tirée de l'expérience. C'est une production *a priori*, dans le registre des catégories définies dans la *Critique de la raison pure*.

Or toute l'œuvre de Kant, de 1755 aux dernières années du XVIIIᵉ siècle, est une inlassable critique de celle de Leibniz, qu'il admirait fort, dont il avait pris la mesure mais dont il avait aussi saisi les impasses. La pensée de Leibniz plonge dans l'histoire, divine et humaine, tandis que celle de Kant lui est foncièrement hétéronome [1]. Il fut cependant impossible au philosophe de Königsberg de réduire le monde à l'unité, et pour dresser les catégories de la raison il dut consacrer la division entre les phénomènes, saisis par l'intuition et, par l'entendement, transcendés en concepts de la raison pure, et les noumènes, êtres idéaux inaccessibles à toute connaissance, et ne relevant que de la foi, de la croyance ou du rêve.

Patrie, nation, État ne sont ni des phénomènes ni des noumènes, ce sont, par leur liaison, les deux à la fois. Ces notions sont beaucoup trop chargées d'histoire, produit de l'accumulation des

---

1. La théorie de l'histoire de Kant est étrangère à notre sujet. L'histoire pour Kant est le lieu de la liberté, elle regarde donc l'histoire à venir, non l'*Historismus* qui est l'objet de notre critique (la chose, et la manière dont Friedrich MEINECKE en a rendu compte dans son célèbre ouvrage de 1936, toujours fort utile).

siècles, pour pouvoir devenir des concepts. Ce n'est pas à dire pour autant que nous soyons livrés à l'empirisme pur, à la contingence et à la singularité des situations historiques, comme trop d'analyses le laissent penser. C'est pourquoi il est nécessaire et possible de systématiser quelque peu ces trois notions, sans se laisser arrêter par le fait qu'acteurs et historiens ont souvent employé l'une pour l'autre patrie et nation et que nation et État semblent soudés de façon indissociable dans l'État national, sans se laisser arrêter non plus par telle ou telle acception singulière donnée à ces termes [2]. On en fera donc ici non des concepts mais des schèmes, forme kantienne de généralisation intermédiaire entre les données de la sensibilité et les concepts dus à l'entendement. Il nous faut rendre compte de ces trois notions en considérant à la fois qu'elles ont été produites dans l'histoire depuis au moins le néolithique, par fragments si l'on peut dire, et qu'elles se sont liées (et même intriquées) entre le XVIe et le XVIIIe siècle. En 1789, cette liaison s'accomplit définitivement, de façon soudaine et irréversible, donnant sens aux concrétions du passé par une sorte d'après-coup. Les schèmes de la patrie, de la nation et de l'État délimitent donc trois instances, trois modes d'appréhension et d'organisation de la réalité sociale distinctes mais n'ayant de sens que liées entre elles et réagissant les uns sur les autres. L'instance qui nous retiendra le plus longuement est celle de nation, placée en position intermédiaire, opérateur et redistributeur des forces à l'œuvre dans le système. C'est là qu'il est particulièrement important de se dégager de la tentation de conceptualiser. Mais reprenons d'abord les instances placées de part et d'autre.

---

2. L'article de Guy LEMARCHAND, « Le fait national et le capitalisme », paru dans les *Cahiers d'histoire de l'Institut de recherches marxistes* (n° 7, 1981), distingue, d'après H. Seton-Watson, des « vieilles nations » (comme la Pologne, la Hongrie) et des « nouvelles nations » (par exemple la Bulgarie, la Norvège, la Grèce). Il met ces distinctions en rapport avec le stade de développement du capitalisme dans les régions considérées. Sa thèse est que la formation de la nation n'obéit pas à une voie unique, bien que l'ensemble du processus se situe entre le XVe et le XIXe siècle. C'est intéressant, mais l'analyse de chaque cas morcelle le processus d'ensemble au point qu'on finit par se demander si ce dernier existe vraiment. Le mode d'analyse que j'avance a l'avantage de partir de trois instances qui sont indépendantes de tel lieu ou de tel temps particulier, la spécification dans le temps et dans l'espace tenant au mode et au degré de liaison de ces instances. De plus, le rapport entre le fait national, fait politique au premier chef, et la sphère économique n'a pas encore reçu sa solution théorique.

Pour *patrie*, l'essentiel a été dit plus haut. C'est une instance critique, le mode sur lequel une collectivité humaine se saisit dans son unité et sa diversité, dans ses points de convergence qui assurent son unité mais aussi dans ses facteurs de dissociation d'où découle sa diversité. Elle est donc une instance d'intégration ou de rejet. L'âpre débat, entaché de trop de sang, qui se déroule en France depuis plusieurs années quant à la place dans la société française des immigrés et de leurs enfants nés français est une parfaite illustration de la manière dont fonctionne l'instance patriotique. La question n'est pas dans un changement de l'édifice institutionnel (le code de la nationalité) ni dans les représentations de la nation mises en jeu ; elle est d'abord dans la possibilité de faire une place — au sens d'abord topographique — à ce nouvel apport de population qui, de par ses origines, est placé en position d'extérieur/intérieur.

La première production de la patrie — dans son mouvement de liaison avec les deux autres instances — est celle de citoyen, et au cœur de l'instance patriotique, il y a l'exigence de justice, qui renforce l'unité et affaiblit la différence. Le mouvement patriote au cours du XVIIIᵉ siècle se confond pratiquement avec celui des Lumières, notamment dans la lutte pour la liberté de pensée relativement à la religion. Patrie est par excellence l'instance de la raison, qui milite pour le juste, c'est-à-dire à la fois ce qui est vrai et ce qui est conforme à la justice. C'est l'instance qui dépend le moins du passé car, à ce niveau, le passé ne peut que disparaître ou se transformer en présent.

Justice pour la condition juridique, pour les biens matériels, pour les conditions de travail [3], pour l'instruction et la culture, pour la liberté contre le despote intérieur aussi bien que contre l'occupant étranger. Les patriotes de 1789 ont créé les conditions politiques de l'égalité civile et ouvert, souvent malgré eux, la lutte pour l'égalité sociale. Les patriotes de 1793 ont sauvé les conquêtes de 1789 et les ont rendues irréversibles. Les uns et les autres donnent la main aux patriotes qui, de 1939 à 1944, se dressèrent pour refuser la tyrannie nazie. Celle-ci voulut à la fois abattre les espoirs nés de la Révolution d'Octobre et la proclamation de l'égalité fondamentale de tous les êtres humains par les révolutionnaires français.

La patrie, c'est le corps social travaillant sur lui-même, remet-

---

3. On sait que, sur ce chapitre, les difficultés sont vite apparues.

tant à chaque instant en question l'état de la société et sa traduction juridique qui tend à figer les rapports sociaux et à fixer les inégalités. Il en résulte que la patrie, à tout instant, n'est exprimée que par une partie du corps social, mais cette partie parle pour le tout.

A l'autre bout de la triade, l'*État* est l'édifice suprême qui structure la collectivité, c'est l'ensemble des individus, formant corps, qui sont chargés de traduire en actes les principes juridiques et de veiller à leur application. Bien que largement ébauché par la monarchie absolue, l'État, en France, n'existe pleinement au sens moderne qu'à partir de la Révolution qui le détache de l'histoire pour en faire cet être de raison dont plus tard Hegel voudra faire la théorie en l'érigeant au-dessus de la société. On a vu comment, en France et plus encore en Allemagne, l'histoire se chargera de réinvestir l'État, qui apparaît donc comme le lieu où le conflit de l'histoire et de la raison atteint son âpreté maximale.

Que l'État soit l'organisation de la classe dominante — ou plutôt cette classe dominante organisée — me paraît une évidence première, et il n'est pas besoin d'être un marxiste pur et dur pour s'en apercevoir. Ce qui est également vrai, d'ailleurs, pour les pays qui ont érigé le marxisme en doctrine officielle. Mais ce qui compte ici, c'est qu'une classe ne peut devenir et demeurer à long terme dominante qu'en passant des compromis acceptables, fût-ce provisoirement, par les dominés.

Même dans une monarchie parlementaire, sous un régime présidentiel ou à prépondérance présidentielle, l'État n'est pas incarné dans un individu, qui peut tout au plus le symboliser, ou le diriger le temps d'un mandat. L'État est une forme collective, elle n'est pas souveraine puisque détenant sa légitimité de la collectivité. Cette collectivité peut à tout moment, par rupture brutale ou par l'effet des procédures normales de consultation, modifier les formes d'organisation de l'État. Cette collectivité qui est en position souveraine, c'est la nation.

Nation est la forme qui lie la patrie à l'État, c'est une instance qui ne signifie pas par elle-même, mais donne signification aux deux autres. Sieyès l'a dit une fois pour toutes : « Pour la nation, il ne peut y avoir que la nation. » Au-dessus de la nation, la nature seule, dont elle est une modalité. La nation est tout ce au nom de quoi et pour quoi agissent les patriotes afin de modifier dans le sens du Bon et du Bien la forme de l'État. Là aussi, la Révolution est le moment où la nation se crée elle-même par l'affirmation du droit des peuples à disposer d'eux-mêmes, répudiant brutalement et totalement le passé. Mais celui-ci a immédiatement fait retour, et la nation est le lieu de synthèse entre le passé et le présent, entre l'histoire et la raison. Au niveau de l'État, le conflit est nécessairement tranché : une loi ne peut dire deux choses contradictoires, une procédure administrative ne peut admettre des interprétations diverses. Au plan de la nation, diversité et contradiction peuvent coexister. Ainsi les catholiques français acceptant la République à la fin du XIXᵉ siècle et se réconciliant avec la nation issue de 1789 dans les tranchées de la Première Guerre mondiale. Ainsi l'union dans la Résistance de celui qui croyait au ciel et de celui qui n'y croyait pas.

Mais le passé de la nation, comment s'exprime-t-il ? De deux façons possibles : soit réellement, dans les rapports sociaux, c'est ce que tentèrent de faire au XIXᵉ siècle les nostalgiques de la monarchie (voir la domination de l'ancienne aristocratie sur les campagnes), et ce que tentent aujourd'hui de faire les nationalistes à l'extrême droite (voir leurs tentatives de modifier le code de la nationalité en revenant en deçà de 1789). Mais ce passé peut aussi s'exprimer par des signes, la trace des anciens rapports sociaux devenant signes culturels, et l'histoire, en tant que discipline intellectuelle, ayant pour mission (je parle ici de l'historiographie développée au XIXᵉ siècle [4]) d'intégrer le passé au présent. Et c'est bien à l'état de signes culturels que, en définitive, le passé de la nation a trouvé un sens nouveau à partir de la Révolution. C'est pourquoi Nation est une instance de représentation : en elle la société se représente comme tout afin de se réaliser comme tel.

Je ne parlerais plus aujourd'hui, comme je l'ai fait en 1974, d'« *idéologie* nationale ». Ce premier essai d'analyse ambitieux, sans doute un peu prématuré, reprenait trop des ambiguïtés charriées par le terme d'idéologie, renvoyant à des constructions empiriques, voire à des bricolages par lesquels la classe dominante organise l'ensemble de la société en fonction de ses intérêts propres et à l'exclusion de ceux des autres. De cette ancienne approche, je conserve le caractère représentatif de la nation, cette *persona ficta*

---

4. Guizot tout particulièrement, et l'instrument d'État qu'il a créé sous le nom de Comité des travaux historiques, mais aussi Michelet, Thierry (les deux), Henri Martin, etc.

liée à l'animal artificiel de Hobbes pour former l'État national. Seule la représentation peut assurer la perfection qui est postulée en toute nation. Celle-ci est un être idéal, transcendant l'espace et le temps : elle est partout et nulle part en particulier, elle est appelée par la nature de toute éternité, elle est immortelle. Au fond, Renan voyait juste en disant qu'elle est une *âme*. Je dirai plus précisément, en référence aux constructions leibniziennes : une monade, s'apercevant, s'admirant dans toutes les autres, prenant sens en elles. Ensemble, elles forment le Tout de l'humanité [5].

C'est pourquoi je considère comme inutiles et dépourvues de toute valeur objective et opérationnelle les nombreuses définitions de la nation, de Mancini [6] à Staline, comme contenu politique, économique, social et culturel, continuum délimité par des frontières. La nation n'est pas un contenu, c'est un contenant, c'est-à-dire une forme [7]. C'est la représentation qui, liant la patrie à l'État, se donne comme la synthèse de l'histoire et de la raison, de ce qui à tout instant est le donné hérité par la société, et de ce que cette société, à partir de ce donné, projette d'elle-même vers sa perfection. Mais la particule *entre* possède une double propriété : elle unit et sépare à la fois. De sorte que nation est aussi, et en même temps, ce qui prend place entre l'histoire et la raison, et empêche que celle-ci ne soit que la confirmation de celle-là. Continuité et rupture tiennent à ce que l'histoire et la raison ne sont pas deux domaines fermés l'un à l'autre : il y a de la raison dans l'histoire, et la raison a une histoire. A tout instant, l'une et l'autre se confrontent, l'histoire pour tenter d'imposer ses raisons, la rai-

---

5. D'où le conflit permanent entre singulier et universel qui marque de façon si dramatique l'Allemagne, pays où l'identité nationale est presque impossible à définir en raison — notamment — des déplacements constants de ce pays sur la carte européenne du Moyen Age à nos jours. Comment « se contenter » d'être un élément du Tout, si les conditions géopolitiques vous donnent à penser que vous pouvez l'être à vous tout seul ? Ayant dû renoncer à ses ambitions dans l'ordre politique, l'Allemagne tend aujourd'hui à devenir un Tout en matière économique : ce qui n'est pas analysé revient sans cesse, comme la tache de sang sur la clef de Barbe-Bleue.

6. Mancini (1817-1888) fut professeur de droit international à Turin, et l'un des chefs du parti libéral dans l'Italie unitaire. Sa définition de la nation date du début des années 1850.

7. Il va de soi que cette forme n'est pas vide : à partir de ses limites, elle informe et induit un contenu (de l'extérieur vers l'intérieur dans l'espace, du présent au passé dans le temps). Le principe des nationalités ne prend en compte la nation que comme contenu ; il en va de même pour les mouvements nationalistes et régionalistes. La médiocrité générale du roman régionaliste, sa nullité créatrice, les impasses de l'exotisme en littérature trouvent là leur raison fondamentale.

son pour demander compte à l'histoire du sens dont elle est porteuse, et mettre ce sens en relation avec le projet qu'a la société quant à son avenir.

Entre patrie et État, entre le plus ouvert et le plus fermé, nation est une instance d'échange, de remaniement du sens, de redistribution de ses éléments. C'est une forme pure, qui ne se situe pas sur le même plan que les deux autres. Elle transcende à la fois l'espace et le temps, elle n'est pas un phénomène mais un noumène. Uchronique et utopique à la fois. Elle est un lieu immatériel, là où les sociétés projettent leur désir de perfection, là où, par-delà la contingence, nation et nature coïncident absolument.

Ce qui est central dans le processus d'avènement de la nation, c'est l'idée de perfection. Pour les révolutionnaires français, la France est achevée par les bornes que lui avaient fixées la nature; Michelet, Victor Hugo et bien d'autres la voient comme réalisation accomplie de l'humanité entière, modèle de toutes les autres nations, anticipation de leur union où l'humanité entière sera enfin rendue à elle-même. Au Bon et au Bien il convient donc, fort logiquement, d'associer le Beau, car ce sont ces trois grâces qui président à la naissance de l'Être platonicien qu'est la nation. Elle est une forme parfaite qui se tient au-dessus de la société et des individus qui la composent, elle préexiste à ces individus, s'impose à eux et les saisit dans leur destin personnel à travers lesquels elle se prolonge et s'accroît sans être affectée par leur singularité. Cette situation me conduit à caractériser cette instance par la définition suivante : *la nation est une forme de nature esthétique.*

Innombrables sont les références, dès le XIIᵉ siècle mais surtout au XVIᵉ, à la beauté de la « doulce France », jardin sans pareil, et Béatrice Didier a noté qu'à propos de la Révolution française « on ne peut dissocier politique et esthétique à cette époque [8] ». Élise Marienstras a bien retracé, dans ses deux ouvrages sur la naissance des États-Unis, l'importance de la vision de l'Amérique-paradis terrestre à civiliser (de la jungle au parc) et à glorifier. Mais c'est à propos de tous les pays, anciens royaumes et jeunes États, que l'on pourrait développer ces thèmes [9]. L'esthétique va au-delà de la

8. *La Littérature de la Révolution française*, PUF, « Que sais-je ? », Paris, 1988.
9. Deux exemples entre mille : la splendeur de l'Égypte pharaonique mise au compte de l'Égypte moderne, qui n'en procède pas vraiment. D'une façon plus

beauté saisie par le goût individuel et subjectif, elle postule une beauté naissant de l'harmonie dont le désir est au cœur de l'homme et qu'il projette sur les objets que lui offre la nature ou qu'il lui ajoute. L'harmonie est le résultat de la perfection, de l'achèvement. A cet égard, l'esthétique est une production du XVIIIᵉ siècle philosophique, issu de la réflexion sur le couple unité-diversité qui fascinait tant Leibniz. Quant à l'avènement de la nation moderne, le produit le plus important de la philosophie allemande et du romantisme allemand, c'est la nation comme forme esthétique.

L'esthétique est une création du XVIIIᵉ siècle. La France a fourni dans ce domaine un ouvrage capital, les *Réflexions critiques sur la poésie et sur la peinture* de l'abbé Dubos (1718), mais la discipline est une création allemande, fortement nourrie d'apports français (Dubos en premier lieu) et anglais (Shaftesbury, Burke avec son *Enquête sur le sublime*). Le créateur de l'*Aesthetik* (1750) est le philosophe leibnizien Baumgarten, qui établit que l'esthétique est « la science de la connaissance sensible ». Judicieusement, Jean-Yves Pranchère, auteur d'une récente traduction française de Baumgarten [10], précise dans son introduction que « la beauté est la perfection de la connaissance sensible des natures singulières ; autrement dit, la beauté est la science de l'individuel ».

Baumgarten, contemporain de Winckelmann, est le point de départ qui, à travers les élaborations géniales et extraordinairement complexes de Moïse Mendelssohn [11], mène à la *Critique de la faculté de juger* de Kant (1790). Celui-ci établit que la beauté, loin d'être une affaire de goûts qui ne se discutent pas car relevant d'une pure subjectivité, est bel et bien susceptible d'un « jugement de goût *a priori* ». « On pourrait même définir, écrit Kant, le goût par la faculté de juger ce qui rend notre sentiment, précédé d'une représentation donnée, *universellement communicable* sans la médiation d'un concept. » Kant récuse l'idée que la licence débridée de « l'imagination en sa liberté sans loi » puisse aboutir au sentiment de la beauté et pose que « la faculté de juger est en revan-

---

pernicieuse, dans la Grèce du XIXᵉ siècle, le travail sur le grec moderne calqué sur le grec ancien, langage de la beauté parfaite, aboutissant à créer une scission entre langue écrite et langue parlée préjudiciable à l'élévation intellectuelle et culturelle de la grande masse des citoyens.

10. *Esthétique*, L'Herne, 1988. Malheureusement, il ne s'agit que d'extraits.

11. Voir la thèse monumentale de Jean-Paul MEIER, *L'Esthétique de Moïse Mendelssohn*, Atelier des thèses de Lille, 3 vol., 1978.

che le pouvoir de l'accorder [l'imagination] à l'entendement ». En définitive, l'esthétique, c'est le mode d'accord interne des trois instances fondamentales, le Bon, le Beau et le Bien, à quoi il faut ajouter le juste de la connaissance, *mais sans le passage par le concept.*

Précisons deux caractéristiques essentielles de l'esthétique kantienne : d'une part, le beau est désintéressé, la beauté n'est donc pas au service d'autre chose. D'autre part, l'esthétique a sa finalité en elle-même, de sorte que la contemplation de l'objet trouve sa satisfaction totale dans le rapport entre le spectateur et celui-ci. Kant coupe ainsi court à toute possibilité d'utiliser l'esthétique à des fins étrangères à son objet, comme le feront les romantiques allemands, pour lesquels l'esthétique prend la place occupée par la religion.

Par cette construction, l'Allemagne a posé la possibilité de donner un sens universel (le pléonasme s'impose) à un objet sensible sans la médiation du concept. Rien donc ne pouvait être plus propre à ordonner le discours sur la nation en tant que complexe de faits organiques né dans et de l'histoire, être singulier et universel à la fois.

Entre 1798 et 1848, la grande création due aux romantiques, c'est donc la nation comme forme esthétique, dans un sens contraire au sens kantien, mais qui eût été impossible sans la construction dont Kant était l'aboutissement. La langue, l'architecture (le gothique tenu pour allemand), les monuments, les mœurs, les coutumes, la musique, la poésie, la littérature, le paysage (déjà le Rhin avait été « découvert » par Goethe et ses amis en 1774), tout cela, produit cumulé des siècles qui remonte jusqu'aux « origines » (quelque part en Orient où Dieu, le premier génie artistique, a dit à l'homme des choses oubliées mais demeurées enfouies dans un supposé « inconscient collectif »), c'est ce qui fait la nation.

Comme le dit Fichte dans ses *Discours* de 1807 (dirigés contre les romantiques dont il est pourtant le maître depuis la *Doctrine de la science* de 1794, et auxquels il a tant pris en retour [12]), la langue allemande « jaillit de la vie intelligente comme une force directe de la nature », elle est, seule, une « langue primitive »,

---

12. Je ne suis donc d'accord ni avec Xavier Léon ni avec Luc Ferry ou Alexis Philonenko sur le caractère révolutionnaire de l'œuvre de Fichte, prisonnier de ses adversaires comme l'a montré Léon BRUNSCHVICG dans *Le Progrès de la conscience dans la philosophie occidentale*, 2 vol., 1927 (tome II).

vivante parce que dans son histoire l'Allemagne n'a jamais connu de rupture analogue à celle qui a remplacé le gaulois par le latin puis le français. La nation allemande est donc un être naturel, et la tâche de sa reconstruction, après la catastrophe de 1806, est de créer un système d'enseignement (inspiré de Pestallozzi) par lequel chaque Allemand — Fichte insiste sur ce *chaque* — recevra dans son esprit, dans son âme et dans son corps l'être national qui l'imprègne de toute part. Ainsi le *Volksgeist* deviendra une réalité charnelle. L'Allemand deviendra parfait en recevant la nation en lui, comme le chrétien reçoit le corps du Christ dans la communion.

S'il est un pays où la vision de la nation comme forme esthétique devait être reçue avec le plus total accord, c'est bien la France [13]. L'accroissement du pré carré autour d'une monarchie installée dès le Moyen Age au cœur d'une capitale dès lors célébrée comme la plus belle et la plus peuplée des villes de la chrétienté, la beauté des résidences et des forêts royales du Bassin parisien et du Val de Loire à partir du XVIe siècle, la splendeur unique de Versailles au XVIIe, tout déjà concourait en France à cette vision. Le grand dessein monarchique tout entier de Louis XIV, associant peintres, musiciens, architectes et créateurs de jardins, se transcende dans l'entreprise grandiose consistant à faire de la langue française l'égale du latin en élégance et en puissance expressive [14]. Par un phénomène unique au monde, l'Académie française, organe de l'État, reçoit la tâche de faire du style une caractéristique française par excellence afin que, par la glorification du roi, le royaume en son entier fût haussé à la perfection d'une œuvre d'art. A Paris et en province, c'est le temps des grandes places et des ensembles urbains raisonnés, des fontaines et des cours plantés d'arbres, où la ville déjà prend le pas sur la campagne, avec toutes les implications politiques, administratives, économiques et sociales, qui en découleront. La mode et la table (les grands vins en particulier) dès le XVIIIe siècle, les styles régionaux de meubles, les costumes, les danses « populaires » qui sont une création du

---

13. Avec cette différence que l'esthétique allemande est essentiellement théorique et a surtout produit ses effets dans des œuvres écrites, alors que l'esthétique française est beaucoup plus pratique. Cependant, l'influence de l'esthétique théorique allemande s'est exercée très vite en France, Louis-Aubin Millin s'y réfère dès l'Empire.

14. Voir la thèse de Marc FUMAROLI, *L'Age de l'éloquence*, Droz, Paris, 1981. Du même, « La Coupole », dans *Les Lieux de mémoire. La nation (3)*, Gallimard, Paris, 1986.

XIXᵉ siècle [15] (reprenant parfois nombre d'éléments des époques antérieures) : autant de manifestations de cette « esthétisation » du pays tout entier à partir de la cour et de la ville.

Mais ce qui est moins connu et que Blandine Barret-Kriegel a remarquablement mis en évidence, c'est que toutes les académies (pour celles de danse, de peinture, de sculpture et d'architecture, cela va de soi) furent impliquées. L'Académie des sciences fut employée par exemple à l'étude de la mécanique des fluides, afin de concourir à donner aux jeux d'eaux des parcs la splendeur requise. C'est encore plus vrai pour l'Académie des inscriptions et belles-lettres, chargée dès sa création en 1663 de fournir des devises, des « dessins, emblèmes et légendes des tapisseries tissées à la manufacture des Gobelins selon une maquette de Le Brun, que le roi avait commandée pour orner ses appartements. L'Académie devait faire le récit des festivités de la cour, surveiller la décoration des appartements et du parc de Versailles, donner la haute main aux livrets d'opéra. Pendant le même temps, l'Académie devait également se consacrer à composer des statues et des médailles ». L'Académie des inscriptions est une « cour suprême des arts », du moins jusqu'à sa réorganisation à la fin du siècle. Et même après, lorsque l'érudition et l'historiographie prendront le pas, il s'agira toujours, passant de l'espace au temps, de la gloire du royaume, à travers laquelle se construit peu à peu celle de la nation.

La Révolution fut loin de rompre avec la politique esthétique. En témoignent les fêtes, le théâtre, le rôle de David (peintre, mais aussi ordonnateur de cérémonies, créateur de costumes), de Méhul, de Gossec, les vues de Grégoire exposées au chapitre précédent sur les plantations d'arbres le long des routes et le déploiement d'une toponymie associant la nature et la raison. Tout contre-révolutionnaire qu'il est — ou peut-être plutôt antirévolutionnaire ? —, Chateaubriand n'a pas hésité, dans son *Essai sur les révolutions*, à souligner le caractère sublime [16] de *La Marseillaise*. Tout cela illustre qu'en ce domaine aussi, de l'Ancien Régime à la France moderne, il y a rupture thématique certes, mais continuité de la forme. Rupture et continuité sont renforcées si l'on intègre à l'analyse l'importance des arts dans la vie religieuse : du

---

15. Voir à ce sujet X. de PLANHOL, *op. cit.*
16. Le sublime pose des problèmes particuliers, que le XVIIIᵉ siècle européen a eu le plus grand mal à intégrer. On y reviendra ailleurs.

baroque lié à la religion-religiosité du XVIIᵉ siècle européen, se dégradant en rocaille et en rococo, au néo-classique qui prend son essor dans les années 1750 selon un programme architectural qui conviendra à merveille aux fêtes de la religion « laïque » révolutionnaire, il y a un lien étroit quant à la visée politique ultime.

Quoique née au milieu du XVIIIᵉ siècle (en Angleterre notamment), la vogue du néo-gothique est un apport spécifique du XIXᵉ siècle à cette esthétisation de la nation par une massive réinjection du passé dans le présent. Les promoteurs du néo-gothique ont voulu réagir contre le recours à la civilisation gréco-latine, dresser l'ombre des voûtes et la forêt de piliers des cathédrales gothiques contre la clarté et les colonnes des temples grecs. La Vierge contre Vénus, l'Ange au sourire de Reims contre l'éphèbe de Praxitèle. Or, par une ruse dont l'histoire est coutumière, néo-classique et néo-gothique puisent à la même source [17]. Là encore l'Allemagne fournit un bon terrain d'observation : Schinkel, auteur du petit monument néo-classique aujourd'hui dédié aux victimes du nazisme qui se trouve à l'entrée d'Unter den Linden à Berlin, a produit, dans ses tableaux et dans ses monuments commémoratifs du soulèvement antinapoléonien de 1813, nombre d'œuvres néo-gothiques [18]. Entre l'exaltation de la parenté profonde des Grecs et des Allemands par les romantiques et le programme d'achèvement de la cathédrale de Cologne — point de ralliement du nationalisme allemand entre 1824 et 1842 [19] —, il n'y a aucune contradiction. En France, c'est tout naturellement que La Villemarqué, composant son *Barzaz-Breiz* (chants populaires de la basse Bretagne), prend modèle sur les *Chants populaires de la Grèce* publiés en 1824 par Fauriel. Mais c'est sans doute l'analyse de l'extraordinaire vogue de la littérature ossianesque entre les années 1770 et 1830 [20] qui fournirait la clef des rapports intimes entre néo-

17. Sur l'importance du courant nazaréen et sa position stratégique par rapport au néo-classique, voir les très pénétrantes remarques de Michel Florisoone dans *Histoire de l'art* (Encyclopédie de la Pléiade, 1965, tome III, p. 966-967).

18. En fait, c'est tout le haut d'Unter den Linden qu'il faut envisager : l'île des Musées, le Musée ancien, le Palais royal, l'Opéra, la cathédrale, la Gendarmenkirche et l'église des Français. Il y a là un ensemble architectural étonnant, un haut lieu de l'esthétique européenne des XVIIIᵉ-XIXᵉ siècles. C'est une grande production de la monarchie prussienne, objet actuellement d'une heureuse restauration.

19. Entre le départ de Sulpice Boisserée de Paris où il était venu rechercher les anciens plans de la cathédrale de Cologne, et l'inauguration solennelle du monument encore inachevé par Frédéric-Guillaume IV. Voir *Les Séjours en France de Sulpice Boisserée*, par Pierre MOISY, 1956. Durant cette période fait rage la controverse sur l'origine française ou allemande de l'art gothique.

20. Voir Philippe VAN THIEGEM, *Ossian en France*, 1917.

gothique et néo-classique. Comme on l'a maintes fois souligné, le monde d'Ossian est privé de mythologie, c'est le monde de la nostalgie, du *Sehnsucht*, celui de l'âme des guerriers tombés au combat se tenant éternellement à la frontière du monde des vivants et de celui des morts entre lesquels il n'y a pas de nocher. L'écriture de MacPherson est une écriture « blanche », dépourvue de tout affect, de toute émotion, une forme littéraire pure privée de sens (c'est pourquoi sa séduction ne dure que le temps de quelques vers...). Il est regrettable qu'on n'édite plus MacPherson, bien que cette poésie soit dépourvue de tout intérêt pour la sensibilité contemporaine. En effet, il a joué un rôle capital dans la vie culturelle de la fin du XVIIIe siècle et du début du XIXe siècle, et ce dans toute l'Europe. Un rôle à part, plus symbolique que littéraire, produisant une fascination : autant les éditions de textes d'Ossian et leurs imitations ont été nombreuses, autant sont inexistants les commentaires sur cette œuvre (trait que l'on retrouve avec le *Barzaz-Breiz* de La Villemarqué). Néo-classique comme néo-gothique sont des formes froides, même lorsqu'elles sont réussies, comme la cathédrale de Cologne. Ce ne sont des lieux ni de création intellectuelle, ni de rêverie poétique, ni de prière ; ce sont des mausolées, de traces du deuil impossible de l'Europe face à son passé. C'est pourquoi, avec le néo-classique et le néo-gothique, auxquels il faut associer le néo-troubadour et le néo-trecento [21] qui convergent dans le préraphaélisme anglais, nous avons la pointe même du rapport de l'esthétique et du politique : c'est la tentative de re-présenter un passé à jamais enfui en érigeant de nouveau et une dernière fois ses productions sous les formes les plus pures, débarrassées des scories du temps [22].

C'est l'époque (entre 1820 et 1860) où partout on abat les édifices qui enserraient de toutes parts les cathédrales, où l'on rénove, où l'on restaure — en inventant au besoin —, où l'on complète

---

21. Une grande exposition des œuvres de Friedrich Overbeck a eu lieu à Lübeck (sa ville natale) dans l'été de 1989. Elle illustre parfaitement les liens profonds entre néo-trecento et néo-classique. Les dessins préparatoires des tableaux — beaucoup plus intéressants que ceux-ci — montrent toute l'importance de la formation néo-classique d'Overbeck à Rome au début du XIXe siècle, au temps où le Danois Thorvaldsen, contemporain et rival de Canova, commence son extraordinaire carrière de sculpteur néo-classique (voir son musée à Copenhague). Ces remarques peuvent être généralisées à l'ensemble du mouvement néo-gothique dont les principes fondamentaux sont exactement les mêmes que ceux du néo-classique, leur différence se situant simplement au niveau des contenus représentés.

22. Voir de LORENZ EITNER, *Neoclassicism and Romanticism, 1750-1850*, tome I, Londres, 1971.

(combien de flèches, telles celles de la cathédrale de Quimper, datent du milieu du XIXᵉ siècle ?). Faut-il rappeler à quel point les promoteurs de ces entreprises, autour de Montalembert en France [23], étaient au cœur du combat politique pour le retour à des formes médiévales d'organisation sociale (la famille comme un absolu, la province, la corporation, la confrérie). Parmi les résultats les plus importants de cette contre-offensive, il faut bien entendu mettre au premier plan l'essor de l'école confessionnelle face à celle de l'État né de la Révolution. Détail amusant : au début de son *Port-Royal*, lorsque Sainte-Beuve aborde la description du monastère, il éprouve le besoin de mettre une note pour expliquer au lecteur ce qu'était autrefois un monastère, cette forme de vie religieuse ayant disparu de nos jours. Or c'est le moment précis où dom Guéranger relève la liturgie monastique, où Solesmes et tant d'autres couvents émergent de leurs ruines, où Lacordaire fait apparaître à nouveau la robe blanche des dominicains...

Il est un autre aspect par lequel, au XIXᵉ siècle, esthétique et politique se lient d'une façon jamais réalisée, à ce degré du moins, dans le passé. Car si la guerre n'est pas jolie, Dieu que les uniformes le sont, et les parades, défilés en musique, sonneries et tambours. Et aussi l'éloquence militaire telle qu'elle s'exprime dans ses commandements, ordres du jour et citations (qui la pratiqua avec plus de génie que Bonaparte ?) : tout cela qui procède en définitive de l'esthétique des temps classiques vise à produire avec l'intensité maximale les effets les plus saisissants tant sur l'acteur que sur les spectateurs, tant sur le célébrant que sur les participants, tous subjugués par une majesté qu'ils exaltent en s'y soumettant.

Avec le déploiement dans l'ordre esthétique, nous atteignons le cœur du dispositif par lequel la nation a été placée en position souveraine. Sous la figure de la France, femme à l'inappropriable beauté, ou celle de Marianne, robuste matrone ou frêle égérie, ou encore sous l'harmonie géométrique de l'Hexagone dont les cartes de Vidal de la Blache ont inscrit l'image au cœur de tous les petits Français au temps de la République radicale triomphante,

---

23. Montalembert, si lié à Munich, la Mecque du néo-classique et du néo-catholicisme, comme son maître Lamennais.

la nation est bien cet absolu, singulier et universel à la fois, qui préside aux destinées du monde moderne.

La liaison entre la nation et l'État — l'institution canonique de chacune de ces instances par l'autre — a fait de la nation au XIXᵉ siècle une déesse impassible ou un moloch dévorateur. Seule la patrie, là où elle est vivante et organisée, pouvait et peut faire redescendre parmi les hommes cet édifice grandiose et surhumain, et de l'ordre de la hiérarchie le ramener à celui de l'égalité. C'est dans ce but que la patrie fait entendre en permanence sa voix et, ayant présenté ses doléances, entreprend de conquérir sa juste place et recueillir sa part des fruits de l'Éden. Mieux : prendre part à sa création continue, habiter et aménager ce qui se fait par elle, pas seulement ce qui est fait pour elle [24].

C'est ici que la patrie se saisit de la nation comme tout, afin de se réaliser comme tel. Qu'est-ce à dire ? Que les patriotes entendent que la vie individuelle et collective des citoyens porte en tout la marque de ce mouvement qui tend à la perfection, quand bien même (et surtout si) beaucoup ont de légitimes raisons de penser qu'ils en sont fort éloignés.

Actuellement, nation a presque disparu du vocabulaire, qui a promu à sa place l'expression de « société civile ». Cette notion est intéressante, car ressaisissant intuitivement la visée profonde de l'ascension de la nation entre le XVIᵉ et le XVIIIᵉ siècle : la désacralisation de l'État et le triomphe de la paix sur la guerre. En même temps, elle met au premier plan les droits de l'homme, bafoués partout dans le monde par des dictatures usant et abusant de la force armée. Mais cette manière de voir les droits de l'homme, pour juste qu'elle soit, peut en minimiser ou en éluder une autre, celle de leur négation par l'ordre économique dominant et l'injustice sociale.

Mais ici, ce serait le début d'un autre livre, et j'en donnerai plus loin les raisons profondes. Le mouvement social contemporain, dans tous les pays, est en intense travail, bien loin de la désespérance et de la dépolitisation que certains se plaisent à voir. Ce qui peut sembler accréditer cette démobilisation, c'est que ce mouvement social — dans un processus inévitablement long et tâtonnant, marqué de nombreuses tentatives avortées et d'ébauches incertaines — a rompu ses liens avec toutes les anciennes identifications. Après la désacralisation de l'État, voici le temps de la désacrali-

---

24. Voir le texte de Sieyès cité page 51.

sation de la nation elle-même. Plus de milliers de drapeaux français aux fenêtres le 14-Juillet comme au lendemain de la Libération, plus de *Marseillaise* reprise en chœur par la foule (qu'elle était solitaire, la voix de Barbara Hendrix à la Concorde, le soir du 14 juillet 1989 !). De même, plus de grands écrivains incarnant la conscience de leur temps, plus de dirigeants politiques ou syndicaux au charisme exaltant (de Gaulle fut le dernier monstre sacré de la politique, un dinosaure génial venu des temps anciens, pour une dernière fois). Il reste encore quelques stars du football ou de la scène.

En revanche, il y a une bouillonnante vie politique et syndicale à la base, et plus encore une vie associative débordante, surtout dans la mouvance culture-loisirs dont l'influence sur la vie municipale et départementale est énorme, et dont dépend en grande partie la vitalité des jeunes institutions régionales. Des phénomènes comme la gloire de Coluche, les restaus du Cœur, SOS-Racisme, le succès constamment réaffirmé de la fête de *L'Humanité* indépendamment des vissicitudes électorales du parti communiste, etc : autant de manifestations de vitalité de cette société civile qui a remplacé la nation et qui, en fait, est la continuation de ce que nous avons appelé la patrie tout au long de cet ouvrage[25]. Le mot lui-même est désuet, sans doute, il fait surgir des images émouvantes de poilus remontant les Champs-Élysées pour aller s'incliner devant l'arc de triomphe. Celui-ci est maintenant doublé d'une Arche, moderne temple de l'électronique et de la bureautique, réalisation de l'esthétique contemporaine. Du Panthéon de 1981 à l'Arche de 1989, nous avons le saut de François Mitterrand du XVIIIe au XXIe siècle. Même si patrie est suranné, peu importe le mot : la chose est là, et bien là.

---

25. Le mouvement n'est pas que créatif, il est aussi régressif, comme le montrent les créations de polices municipales, de milices privées et autres sections de vigiles, qui sont nées de la décomposition de la police nationale. Faute de moyens adéquats et d'une redéfinition claire de ses missions, cette dernière n'est plus perçue par les citoyens comme étant à son service, mais apparaît au contraire, à l'occasion de certaines affaires qualifiées à tort par les médias de « bavures », comme une ennemie. Faut-il insister sur la gravité de cette évolution grosse de tous les dangers ?

Épilogue : entre l'histoire et la raison

On s'étonne peut-être que, dans cet ouvrage, il ait été si peu question d'économie, le maître mot de la rationalité apparente des temps contemporains. On touche ici à l'autre défaut majeur de mes analyses de 1974, dans *L'Idéologie nationale*, où j'opposais d'une façon toute mécanique et idéaliste les représentations idéologiques à un « réel » constitué par les rapports de production capitalistes. Bien entendu [1], la représentation de la société et sa réalité sont inséparables, quoiqu'il faille les distinguer et non les confondre comme s'emploient à le faire ceux qui soutiennent que le réel n'existe pas et que tout n'est que représentation.

Si j'ai ici laissé de côté l'économie, c'est que la continuité du social et de l'économique au politique ne va absolument pas de soi ; il y a là l'un des problèmes les plus difficiles à résoudre dans le monde actuel. Ce qui transparaît dans le présent ouvrage, c'est précisément que la formidable construction due à l'école moderne du droit naturel et à ses contradictions est incapable d'établir cette continuité. Je dirai même, au risque d'introduire un finalisme dangereux, qu'elle a été édifiée pour l'interdire. La crise généralisée des États nationaux partout dans le monde, États de tradition ancienne comme États récents, est là pour le montrer.

Pour intégrer l'économique et le social dans les analyses déve-

---

1. Je fais ici droit, en particulier, aux critiques qui m'ont été faites par Elisabeth GUIBERT-SLIEDZIEWSKI dans « L'histoire et l'idéologie » (*Annales historiques de la Révolution française*, n° 220, avril-juin 1975). Il est regrettable qu'elle ait cru aussi devoir pousser sa critique jusqu'à l'outrance, rapprochant arbitrairement et avec une totale mauvaise foi mon analyse du problème de la représentation politique en 1793 de l'antiparlementarisme de Lucien Rebatet et consort. Elle pousse même jusqu'à l'insulte, ce qui m'a blessé mais, étant sans aucun fondement, ne discrédite qu'elle-même.

loppées ici, il faudrait les reprendre dans une perspective dont je tracerai les grandes lignes. Repartir des droits civils et politiques subjectifs, œuvre de la classe bourgeoise ayant abouti à la constitution des États nationaux du XVIᵉ aux XVIIIᵉ-XIXᵉ siècles, et lier cette constitution à l'essor des théories économiques, *puis* des faits économiques et sociaux. Et dans cet ordre, car tout fait économique doit être saisi à partir de la théorie qui en a permis la mise en évidence et l'analyse. Reprendre donc l'histoire des théories économiques chez les auteurs eux-mêmes, de Richard Cantillon à Ricardo, puis les faits, pour lesquels on dispose de travaux importants : pour la France, l'*Histoire économique et sociale* dirigée par Ernest Labrousse et Fernand Braudel et, sur le plan mondial, la formidable synthèse présentée par ce dernier, *Civilisation matérielle, économie et capitalisme*[2].

Ensuite, ressaisir le *moment* (au sens historique et philosophique, mais aussi au sens physique) allant de Hegel à Marx, puis laisser résolument de côté la Révolution française et tout ce qui en a découlé en France et dans le monde, et centrer l'analyse sur la Révolution russe, ses causes, conséquences et significations à courte et à longue portée. Toutes choses sur lesquelles il existe une foule de travaux sur lesquels on peut s'appuyer, mais qui exigent néanmoins une grande vigilance, étant donné les présupposés de toute sorte qui y côtoient les plus solides analyses. Et pour ma part, je m'attacherais plus particulièrement à ce qui me semble être l'une des causes majeures des difficultés dans lesquelles se débat aujourd'hui la pensée socialiste (au sens large, y compris les communistes, au pouvoir ou non) : le fait qu'en « remettant sur ses pieds » la pensée de Hegel, Marx en a totalement évacué l'essentiel, sinon quant à son contenu du moins quant à sa fonction : l'analyse du politique[3]. La part prise par Hegel à la construction de l'État national-monarchique, dynastique et territorial allemand est en effet un aspect essentiel et incontournable de son œuvre. Certes, les analyses politiques de Marx et Engels sont remplies de vues géniales — surtout si on les compare à ce qui était publié par ailleurs, sur les luttes de classes en France, sur le coup d'État bonapartiste, sur la guerre de Sécession, etc. —, mais elles n'ont produit

---

2. Trois volumes, Armand Colin, 1980.
3. Cette évacuation du politique n'est sans doute pas étrangère à l'influence du lassalisme dans le mouvement ouvrier allemand, ni à celle, longtemps persistante, de Proudhon en France, pour des raisons opposées et parfaitement symétriques.

dans l'ordre du politique aucune synthèse comparable à celle que Marx a donnée pour la critique de l'économie politique dans *Le Capital*. Ce n'est pas là l'effet du manque de temps, d'une tâche trop lourde pour un seul homme ; c'est le résultat de la conviction que, face à la critique de l'économie, le politique s'effondrerait tout seul. Il est possible d'ailleurs que cette vision soit juste, mais à beaucoup plus long terme (des siècles et non des décennies) que ne le pensaient Marx et Engels. Et dans cet étirement du proces sus, voire dans les régressions que nous voyons se développer sous nos yeux et qui ont déjà failli réussir avec l'Allemagne et le Japon entre 1930 et 1945, c'est le politique qui est en cause et les méca-nismes de symbolisation et d'identification qui y sont à l'œuvre.

Nous voici arrivés au terme de cet ouvrage. Nous avons traversé les siècles et tenté de dégager du sein d'analyses historiographiques les instances qui, selon moi, structurent le processus de construc-tion des États nationaux depuis la fin du Moyen Age et surtout depuis le XVIII siècle. *Le* processus et non *les* processus, car par-delà et à travers les cas particuliers, il est nécessaire d'affirmer avec force l'unité profonde du mouvement. Il reste beaucoup à connaî-tre, à préciser, à affiner. En particulier, j'ai laissé de côté l'histoire contemporaine, qui va de 1815 au milieu du XX siècle. On pourra s'en affliger, s'agissant de l'ère des nationalismes par excellence, mais c'est un livre entier qu'il me faudrait lui consacrer dans la perspective qui est la mienne ici, en m'appuyant sur les importants résultats de l'historiographie relative au XIX siècle français et européen.

Le présent ouvrage a ses origines lointaines dans deux expériences.
— La première est la découverte du mouvement breton à la fin des années cinquante, grâce auquel j'ai pris conscience de l'exis-tence des problèmes relatifs à la forme État national dans ses aspects historiques, religieux, culturels, institutionnels et politiques. Apparemment clair lorsqu'il s'agissait de promouvoir l'histoire, la langue et la culture bretonnes (danse et musique notamment), le mouvement breton m'apparut rapidement ambigu (et même men-songer pour le dire clairement), lorsqu'il tentait de passer à la sphère de l'institutionnel et du politique. D'où un travail critique mené durant une trentaine d'années, jalonné de recherches portant

193

aussi bien sur la Bretagne que sur la France en général et la forme
État national au plan international.

— La deuxième expérience eut lieu au début et à la fin des années
soixante, lorsque j'eus à enseigner l'histoire. Le programme de la
classe de première portait alors sur la période 1815-1914. Je fus
rapidement frappé par le contraste entre le caractère passionnant
du programme de seconde (la Révolution et l'Empire) et celui de
terminale (de 1914 à l'après-Seconde Guerre mondiale), et la pla-
titude de celui de première. Comment se faisait-il que, concernant
une période où les passions nationales étaient si exacerbées, il y eût
si peu d'éléments susceptibles de mobiliser l'attention des élèves
(et du professeur) ? J'en conclus progressivement que c'était l'historiographie de la période qui était en cause, et que l'histoire du
XIXᵉ siècle français et européen était à reprendre sur des bases
entièrement nouvelles. Les découpages nationaux, la succession des
règnes et des régimes étaient inadéquats à rendre compte de la réalité profonde de la période. Le cloisonnement entre faits politiques
d'une part, faits économiques d'autre part (la fameuse révolution
industrielle !), et enfin, à part encore, les faits religieux et culturels, interdisait toute compréhension et morcelait l'unité de la
période en autant de « provinces » thématiques non reliées entre
elles. Le schéma bâti sur les trois instances de patrie-nation-État
sort de cette réflexion, ainsi que la caractérisation de la nation
comme forme de nature esthétique ; c'est à partir de là que la
période 1815-1914, puis l'entre-deux-guerres et l'histoire immédiatement contemporaine pourraient être réélaborées.

C'est précisément sur quelques réflexions sur cette histoire immédiate que je conclurai. Mais ici, l'historien cède la place à l'auteur,
qui ne jouit plus d'aucun avantage sur le lecteur. Je ne prétends
donc pas proposer ici des analyses, mais livrer ma vision personnelle, en m'appuyant bien entendu sur tout ce qui précède.

Nous sommes aujourd'hui dans une situation où forces du passé
et forces de l'avenir — histoire et raison — s'affrontent d'une
manière particulièrement aiguë et se mêlent d'une façon particulièrement subtile. Cette situation nous impose de défendre et de
consolider l'État national partout où il existe, d'aider à le créer
partout où il demande à exister — comme en Afrique du Sud, en
Palestine — car tout affaiblissement à cet égard nous ramène à la
barbarie. *Mais en même temps, et avec une exigence tout aussi*

impérieuse, avec autant de vigueur, il nous faut critiquer cet État national, existant ou à venir [4]. Peut-on accepter que l'État national algérien, né de tant de souffrances, en arrive à mitrailler sa jeunesse parce qu'il est incapable de répondre à ses légitimes aspirations ? Les injustices de l'ordre international, la dictature des sociétés multinationales sont-elles seules responsables du bourbier dans lequel s'enfoncent tant d'États africains [5], asiatiques ou sud-américains ? La Colombie est-elle encore un État national souverain ? L'État d'Israël, l'État des Juifs — pour reprendre le titre exact *(Judenstaat)* du livre fondateur de Theodor Herzl — est-il un État national ou un État religieux ? Quel État national veulent bâtir les Palestiniens, les nationalistes basques ? Qu'en est-il des États multinationaux de l'Est européen [6] ?

---

4. Par exemple, sur un point qui pourrait paraître mineur mais qui mérite réflexion : pourquoi les combattants victorieux installent-ils le siège de leur pouvoir dans les édifices occupés par le précédent régime ? Les bâtiments ayant été occupés par un pouvoir déchu devraient être automatiquement transformés en musées nationaux ou en bâtiments d'utilité civile.

5. Selon Jean ZIEGLER (par exemple dans *Main basse sur l'Afrique*, Points-Seuil, 1980), les États-nations d'Afrique noire se construisent selon une voie spécifique : pas de féodalité à supprimer, pas de bourgeoisies nationales capables de diriger le processus, mais seulement des bourgeoisies compradores. Mais en fait, ces pays ne peuvent espérer acquérir une réelle existence nationale et internationale que sur la base des trois instances que j'ai mises en évidence, de sorte que l'histoire nationale de l'Afrique noire obéit aux mêmes processus fondamentaux que toute nation, nonobstant ses particularités.

La tâche du mouvement patriote est de dissoudre les structures tribales et claniques, et de séparer le religieux du politique ; à travers ce travail de base peut apparaître la nation, destinée à donner forme à l'existence de chaque peuple dans le temps et dans l'espace. La principale difficulté que rencontrent ces pays tient à ce qu'ils ont connu une double rupture : 1) celle créée par les colonisateurs qui ont découpé le continent en fonction de leurs propres intérêts et de leurs propres rapports de forces, d'où un fossé impossible à combler entre le passé précolonial et l'histoire coloniale (les découpages de l'Afrique noire étaient alors cohérents, en ce que les colonies n'étaient que des appendices des États nationaux européens) ; 2) la rupture créée par l'accès à l'indépendance, d'où sont sortis des États nationaux dont les institutions et les structures administratives sont largement calquées sur celles des anciens colonisateurs (les découpages deviennent alors incohérents). La première rupture a été faite de l'extérieur, mais la seconde n'a nullement effacé la première en rétablissant une continuité historique. D'où les tentatives purement idéologiques de rétablir une continuité entre les anciens royaumes et empires africains, et les États modernes ; d'où les incohérences internes de ces États et leurs affrontements sanglants entre eux. Seul le mouvement patriotique peut *créer* une telle continuité, en prenant en charge les deux ruptures

6. Dans ces pays les difficultés des partis communistes au pouvoir depuis des décennies ne sont que la rançon de leur prétention à avoir magiquement dépassé le politique, remplacé par une gestion bureaucratique, et néanmoins anarchique, de l'économie et du social.

Il y a là bien des questions à poser, et à tous les États nationaux, anciens, récents ou en cours de construction. La double exigence de la défense et de la critique simultanées de la forme État national ne peut que s'appuyer sur nos trois instances fondamentales. Du côté de *patrie*, le maximum d'ouverture, le débat le plus libre entre les individus et les classes ; du côté d'*État*, la fermeture, dans le cadre non pas intangible mais rigide des principes constitutionnels et des structures administratives ; au milieu, *nation*, instance de liaison. Avec le couple patrie-nation, le débat s'ouvre du côté du projet, de l'espoir, de la revendication, du rêve ; avec le couple nation-État, projet ou rêve poussent du côté du choix, de la décision, de l'exécution. Pour apprécier le caractère oppressif ou progressiste de l'État national, il faut donc examiner les rapports du couple patrie-nation avec le couple nation-État. Voir si nation est en position d'ouverture, du côté de patrie, ou en position de fermeture, du côté d'État ; voir quelle est, dans la position nécessairement ouverte/fermée de nation, la dominante à tel moment de l'histoire, quelles sont les possibilités concrètes de relancer ou non l'ouverture à partir de patrie.

Lorsque, au début du chapitre précédent, j'ai repris la définition et la caractérisation des trois instances, j'ai laissé dans l'ombre un point crucial. En définissant la patrie comme une collectivité humaine qui « se saisit dans son unité et sa diversité », j'ai laissé de côté ce qui fait qu'une collectivité, avant de travailler sur elle-même, doit se reconnaître comme telle, dire qui en est membre et qui ne l'est pas, où elle commence et où elle finit. Comme nous l'avons vu, c'est cette imprécision qui a permis le glissement si rapide du principe du droit des peuples à disposer d'eux-mêmes au principe des nationalités.

Le droit des peuples à disposer d'eux-mêmes n'obéit à aucun principe ethnique ni géographique. Le peuple ainsi considéré se crée à la fois et d'un seul coup comme communauté et comme collectivité instituée et constituée. Ce peuple est celui dont parle Volney, lorsqu'il écrit dans *Les Ruines* (1791) : « Jusqu'ici, nous avons vécu en une société formée au hasard [...]. Aujourd'hui nous voulons, de dessein réfléchi, former un contrat régulier. » C'est la négation radicale de tout héritage de l'histoire. Nous ne savons que trop à quel point cette théorie du contrat instituant la société était une fiction, une rationalisation après coup de ce qui, en fait, avait bel et bien été produit par l'histoire. Ce qui nous est confirmé par la constatation que les seuls États nationaux modernes qui « fonctionnent » solidement sont ceux qui ont pris la suite des anciens royaumes ou principautés.

Les États-Unis d'Amérique semblent constituer une exception, mais il n'en est rien. La nation américaine, comme l'a montré Élise Marienstras, est d'un type particulier, unique : c'est une nation volontariste, une création à base politique et religieuse — droit naturel moderne et protestantisme unis plus que partout ailleurs — où le passé prénational est présent d'une manière formidable, mais au rebours de tout ce qui se passe ailleurs : c'est un passé radicalement rejeté, écrasé, anéanti, nié. Il est impossible de faire naître les droits de l'homme aux États-Unis, là où, dès la guerre d'Indépendance, il fut décidé que les Noirs mêmes libres ne pourraient en aucun cas être des citoyens. Et que dire des Indiens, dont les pères fondateurs de la nation, Washington, Jefferson, etc., se demandèrent gravement s'ils appartenaient à l'espèce humaine, et conclurent — avec les conséquences pratiques que l'on sait — qu'ils étaient à mettre du côté de la nature sauvage, de l'énergie brute (l'espace de la chasse contre celui de l'élevage), donc hors du corps national ?

Le peuple américain est un grand peuple, le monde lui doit beaucoup et il a prouvé à plusieurs reprises la valeur de son attachement à la liberté. Et pourtant, on ne peut qu'être en état de méfiance et de résistance devant cette immense machine politico-économique (dont la richesse repose moins sur un génie endogène que sur l'appauvrissement systématique des deux tiers de la planète), qui prétend en permanence donner au monde entier des leçons de liberté et de dignité qu'elle ferait mieux de commencer par mettre en application chez ses propres citoyens. La chose a été bien des fois dénoncée, tant par des Américains que par d'autres. Le fond du problème est à chercher du côté de la définition même de la nation américaine : c'est une nation ségrégatrice en son principe, et non intégratrice [7]. La ségrégation ethnique — raciale, plus exactement, et raciste — qu'elle a consacrée dès sa naissance, qu'elle a même créée par un phénomène d'après-coup, et dont la Constitution des États-Unis porte les traces, a servi de support à

---

7. Tout l'inverse de ce qui est en train de se passer en France, quoique trop lentement et trop douloureusement, avec les enfants nés d'immigrés, en particulier maghrébins. Les jeunes, en réponse aux difficultés, ont été tentés de s'identifier comme « beurs », c'est-à-dire « citoyens » d'une sorte de nation imaginaire, hypostase combinée des réalités nationale française et maghrébine. Il y avait là une impasse dangereuse, qui semble heureusement écartée.

la ségrégation sociale et aux injustices les plus brutales. Celles-ci produisent leurs effets les plus flagrants chez les non-Blancs, mais touchent les Blancs eux-mêmes : ce qui à tort a été refoulé aux marges d'un système finit toujours par faire retour en son centre, sous forme de misère et de violence. Étant donné l'influence mondiale des États-Unis et leur ingérence directe dans la vie de bien des peuples de l'Ancien et du Nouveau Monde, il n'est pas surprenant que partout où les Américains dominent, une conjonction se produise entre ce qui affaiblit l'État national dans tel pays (ou l'empêche, d'origine, d'exister réellement) et ce qui, dans la conception américaine elle-même, tient au caractère très particulier de la nation et de l'État. L'accumulation des deux entraîne des résultats catastrophiques, comme on le voit en Amérique latine ou, par exemple, aux Philippines. Les Américains à cet égard ne font que reprendre une situation illustrée par la Grande-Bretagne qui, partout où elle a dominé — de la Grèce au Proche-Orient en passant par les Indes et en revenant en Irlande —, n'a laissé qu'un chaos dont l'origine est à chercher en grande partie dans le fait qu'elle-même n'est jamais parvenue (et elle s'en flatte) à une conception plénière de l'État national, car droit privé et droit public s'y mêlent sur le mode de l'Ancien Régime.

Mais ce sont aujourd'hui les États-Unis d'Amérique, surgeon de la Grande-Bretagne, qui sont en position dominante sur le plan mondial. Aussi est-ce par rapport à l'espace américain que se joue et que se jouera le sort de la planète, lorsque les peuples dominés, tel le Nicaragua, auront entamé leur long et douloureux chemin vers l'émancipation, en redonnant — ou en donnant — à l'État national les bases patriotiques au sens que nous avons dit plus haut. Et, comme l'a montré de façon inoubliable Martin Luther King qui l'a payé de sa vie, c'est d'abord des exclus, des refoulés, que le peuple américain devra sa lente — et peut-être trop lente — évolution vers la justice et la dignité.

Que ce soit en Asie du Sud-Est, au Proche-Orient ou en Amérique latine, la gangrène des États nationaux — qui souvent le sont à peine — a atteint un tel degré que la solution des problèmes ne peut en aucun cas être *d'abord* et seulement de nature économique : les circuits économiques sont ceux mêmes de la gangrène. La solution ne peut être que politique, les armes étant parfois les instruments obligés de la lutte politique, mais devant toujours être subordonnés aux fondements, aux impératifs et aux buts de celle-ci. (Sinon, de la défaite d'une tyrannie ne peut naître qu'une autre tyrannie.) L'Europe n'est pas à l'abri du problème : si anciens et si solides qu'y soient les États nationaux, on voit comment, par le silencieux réseau des ordinateurs, les systèmes bancaires et commerciaux sont investis par l'argent de la drogue et de la prostitution. Déjà l'Italie, État national mal constitué en ses origines, est en train de glisser aux mains du Mal — un Mal plus dangereux encore que l'abject État nazi car sa violence est apparemment moins officielle —, mais c'est toute l'Europe qui est visée, comme le montre le cas de la Suisse. De nouveau, Arturo Ui est en marche. Les principes de l'école moderne du droit naturel ont accouché, logiquement, de leur négation. Les États nationaux sont menacés de devenir leur propre caricature, cauchemardesque.

On ne prétend pas ici indiquer le remède, qui est affaire collective. Mais on peut dire que ce qui est en jeu, c'est la forme État national, avec tout ce qu'elle a signifié, du XVIe au XVIIIe siècle, de promesses de liberté, de respect de l'individu, de paix et de justice — et qui a tenu une part, trop faible, de ses promesses. Il y a là un défi mondial, d'une ampleur inégalée.

Devant la dégradation, longtemps rampante, mais aujourd'hui en accélération rapide, de cette forme, certains courants croient trouver la réponse par le repli sur l'ethnique, le principe des nationalités contre le droit des peuples à disposer d'eux-mêmes, ce dernier toujours subtilement détourné au profit du premier. Cela se voit dans des mouvements qui s'agitent à l'intérieur des États nationaux. Mouvements corse, breton (fort atténué dans ce cas, du reste), antillais, calédonien [8] attendent d'un État national propre, autonome et associé, indépendant ou fédéré, la solution des graves problèmes économiques et sociaux qui se posent chez eux. Les nationalistes basques d'Espagne, qui vivent pourtant dans l'une des régions les plus développées du pays, mettent en avant des revendications d'ordre culturel et ethnique pour justifier leur volonté d'indépendance. Cela se voit aussi sur le plan international ou dans des fédérations. En Europe de l'Est, et plus particulièrement en Union soviétique, des courants agissent au nom du

---

8. On ne niera évidemment pas que les Dom-Tom connaissent des problèmes beaucoup plus graves que les régions de métropole, et qu'il ne s'agisse, dans ces départements et territoires, d'une situation véritablement coloniale, avec ségrégation de fait et mépris de la dignité et de la personnalité des populations originaires. Cette gravité ne retire rien au fait que la voie nationaliste est pleine d'illusions et grosse de lourdes déceptions, conduisant à remplacer une domination par une autre. Le FLNKS l'aurait-il compris ?

principe des nationalités. Le cas polonais est à part : il est clair que, parti d'une position nationaliste (et religieuse, mais en Pologne c'est presque la même chose), Solidarité a rapidement fait du chemin et compris que la passion nationale — qui fut depuis deux siècles le ciment de la Pologne mais aussi son tombeau, par ses excès et son irréalisme [9] — n'était pas porteuse de solutions durables allant dans le sens de l'efficacité économique et de la justice sociale. L'avenir dira ce que vaut cette évolution.

La voie ethnique est une impasse. Le principe des nationalités, né de l'école du droit historique, n'est qu'un avatar de celle du droit naturel moderne [10]. A la fausse notion de pacte social, l'école du droit historique a opposé la notion tout aussi fausse de pacte ethnique. Le contrat social n'est pas une notion fausse en soi : ce qui le rend faux, c'est tout simplement qu'il n'a jamais eu lieu, ni entre le XVIᵉ et le XVIIIᵉ, ni avant, ni depuis, de sorte que l'école moderne du droit naturel plaçait en son centre une notion qui, dès que les contradictions politiques et sociales de cette école éclatèrent, ne pouvait que produire la notion de pacte ethnique.

Qu'est-ce que le pacte ethnique ? C'est un serment à l'antique, un échange des sangs, la fidélité imposée aux générations présentes de maintenir ce que les générations passées sont supposées avoir fondé une fois pour toutes et qui ne peut être délié. Nous citerons ici, malgré sa longueur, l'hymne à l'État traditionnel élevé par Burke contre l'État né de la Révolution française. En un style admirable, il exprime en 1790 tout ce pour quoi luttent, en le sachant ou non, ceux qui militent aujourd'hui pour la victoire du principe des nationalités. Lisons :

---

9. Mme Guibert-Sliedziewski pensait sans doute me porter l'estocade finale en écrivant (art. cité) que je n'ai « saisi de l'idéologie que le principe d'irréalité ». Quel beau titre elle fournit là ! L'étude du principe d'irréalité est à faire de toute urgence et, malgré ses défauts, *L'Idéologie nationale* a peut-être posé quelques fondements à cet égard, que j'espère avoir approfondis ici à l'appui des recherches menées entretemps. Freud a amplement mis en évidence ce principe à l'échelle individuelle, il reste à le faire à l'échelle collective (mais pas en voulant appliquer la psychanalyse à l'histoire ou à la sociologie, encore moins en se lançant dans de pittoresques « recherches » d'« ethno-psychiatrie »).

10. Avatar qui en a engendré un autre : la trop célèbre « spécificité » régionale ou nationale. Si spécificité est synonyme d'originalité, soit ; mais alors pourquoi deux termes ? Originalité semble renvoyer à ce qui peut se décrire et s'analyser, spécificité à ce qui est obscur. Ce que le terme de spécificité désigne généralement, c'est l'idée qu'un peuple ou un groupe social ne pourraient être compris, encore moins analysés, mais seulement vécus, « ressentis » de l'intérieur (rejeton de l'*Innigkeit* due aux acrobaties de Leibniz). Et tout cela grâce aux fameuses « racines » que l'on a ou qu'il s'agit de retrouver sous peine d'être, paraît-il, un ectoplasme.

« C'est pourquoi, pour éviter tous les dangers de l'inconstance et de la versatilité, qui sont dix mille fois pires que ceux de l'obstination et des préjugés les plus aveugles, nous avons consacré l'État. Nous l'avons consacré pour qu'aucun homme n'ait la témérité d'en approcher et de rechercher ses défauts ou ses corruptions, sans y apporter toutes les précautions suffisantes ; afin qu'aucun songe ne vienne jamais persuader à aucun individu qu'il peut commencer ses réformes par un bouleversement général ; afin que l'on ne s'approche des défauts de l'État, que comme on approche des blessures d'un père, avec un respect attentif et une sollicitude craintive ; ce préjugé si sage nous apprend à regarder avec horreur tous ces enfants d'une même patrie, si téméraires dans leur empressement à hacher leur vieux père en morceaux, et à le jeter dans la chaudière des magiciennes, dans l'espérance que par les sucs de leurs poisons, et que par leurs enchantement barbares, elles pourront régénérer la constitution paternelle, et renouveler l'existence de leur père.

« Oui sans doute la société est un contrat, mais un contrat d'un ordre bien supérieur. Tous ceux que l'on passe dans le cours de la vie pour des intérêts particuliers, ou pour des objets momentanés et que l'occasion fait naître, peuvent être dissous à plaisir. Mais faudra-t-il considérer l'État sous les mêmes rapports qu'un traité de société pour un commerce de poivre ou de café, pour de la mousseline, du tabac, ou pour tout autre objet d'un intérêt vulgaire, qui n'a que la durée d'une spéculation momentanée, et que l'on peut dissoudre à la fantaisie des parties ? C'est avec un autre sentiment de respect que l'on doit envisager l'État parce que ce genre d'association n'a pas pour objet ces choses qui ne servent qu'à l'existence animale et grossière d'une nature périssable et fugitive. C'est la logique de toutes les sciences, la société de tous les arts, la société de toutes les vertus et de toutes les perfections ; et comme les gains d'une telle société ne peuvent pas s'obtenir dans le cours de plusieurs générations, cette société devient celle non seulement de ceux qui existent, mais elle est un contrat entre ceux qui vivent, entre ceux qui sont à naître et entre ceux qui sont morts. Je vais plus loin : chaque contrat, dans chaque État particulier, n'est qu'une clause dans le grand contrat primitif d'une société éternelle qui compose une seule chaîne de tous les anneaux des différentes natures, qui met en connexion le monde visible avec le monde invisible, conformément à un pacte fixé, sanctionné par le serment inviolable qui maintient toutes les natures physiques et morales, chacune dans les places qui leur ont été assignées ; une loi si sublime ne peut pas être soumise à la volonté de ceux qui sont par une obligation qui est au-dessus d'eux et qui leur est infiniment supérieure, forcés eux-mêmes à y soumettre leur volonté. Les corporations municipales de ce royaume universel n'ont ni la liberté ni le loisir, en se livrant aux aperçus d'une amélioration fortuite, de séparer et de déchirer les liens de subordination de chaque communauté qui leur est subordonnée, et de la réduire au chaos anti-social, anti-civil et confus de tous les principes élémentaires. Il n'y a que la nécessité par essence, une nécessité qui n'est pas choisie, mais qui commande, une nécessité suzeraine de toute délibération, une nécessité qui n'admet ni discussion ni preuve ; il n'y a qu'une telle nécessité, dis-je, qui puisse justifier le recours à l'anarchie ; une nécessité de cet ordre n'est pas une exception à la règle, parce qu'elle est elle-même aussi une partie de cette disposition morale et physique de choses à laquelle l'homme doit obéir de gré ou de force. Mais si ce qui ne peut être que l'effet de la soumission à une telle nécessité devenait un objet de choix, la loi générale serait rompue, la nature désobéie, et les rebelles seraient aussitôt proscrits, dispersés ; ils seraient exilés de ce monde de raison, d'ordre, de vertu, de paix et d'indulgence, dans le monde opposé de folie, de discorde, de vice, de confusion et de désespoir [11]. »

Folie, discorde, vice, confusion, désespoir : voilà ce que connaissent à chaque instant les masses d'Asie, d'Afrique, d'Amérique latine, et aussi des millions d'êtres dans les pays développés. Mais ce qu'ils connaissent d'abord, c'est la saleté, la malnutrition, la maladie. Et de cela, Burke ne dit pas un mot. Ce n'est pas, bien sûr, pour pérenniser ou aggraver ces fléaux que luttent les partisans de l'État national à base ethnique. C'est pourtant ce qu'ils ont, chaque fois qu'ils l'emportent.

Face à ces impasses, l'humanité doit protéger ses acquis, mais elle ne le pourra qu'en inventant de nouvelles formes de rapports sociaux. Du passé, retenons la leçon d'ouverture du mouvement patriote et universaliste : il ne sépare pas, il unit ; il ne crée pas la hiérarchie, mais l'égalité.

Mars-septembre 1989.

---

11. Extrait des *Réflexions sur la Révolution de France*, rééditées en 1988 par les éditions du Franc-Dire.